LE BONHEUR EN PLUS

FRANÇOIS DE CLOSETS

Le bonheur en plus

essai

DENOËL

AVANT-PROPOS

Lorsque cet ouvrage fut écrit, le pétrole coulait à flots dans les pipe-lines et d'énormes tankers vidaient leurs citernes dans les ports européens. Il a suffi de quelques semaines, le temps d'imprimer ces pages, pour que nous basculions de l'abondance à la pénurie. Née d'un conflit localisé dans le temps et dans l'espace, la crise pétrolière a de fortes chances de s'étendre et de durer. Pour l'ensemble du monde industrialisé les choses ne sont plus ce qu'elles étaient. Nous avons changé de futur. Pour un essai de ce type, un tel retournement de situation constitue en quelque sorte une épreuve de vérité.

Deux idées essentielles sont à la base de cet ouvrage. D'une part, le progrès économique et technique tel que nous le conduisons ne contribue plus au bonheur des hommes mais, au contraire, s'oppose à la réalisation d'un bonheur authentique. D'autre part, la continuation de cette fuite en avant provoquera des difficultés croissantes qui en dénonceront le caractère illusoire. Il me semble que la crise pétrolière illustre de façon exemplaire cette analyse.

Exemplaire, le pétrole l'est toujours. C'est le sang du monde moderne, la sève nourricière de la croissance. La prospérité de ces vingt-cinq dernières années s'est fondée sur la libre disposition d'un pétrole abondant et bon marché.

Nous savons que, désormais, les hydrocarbures seront chers et que, selon toute vraisemblance, nous ne pourrons plus continuer à doubler notre consommation tous les dix ans. De ce fait nous n'avons plus le droit de fonder notre avenir sur une expansion aussi rapide et continue de notre économie. Cette hypothèse, hier la plus vraisemblable, devient un pari pur et simple.

Que l'abondance pétrolière ne puisse durer qu'un temps, tous les experts le savaient, mais ils évitaient de le dire.

Pourtant toutes les études montraient qu'au rythme de nos prélèvements, les gisements du Proche-Orient s'épuiseraient en une vingtaine d'années. Cette source tarie, il faudrait se rabattre sur des gisements beaucoup plus difficiles à exploiter. C'est-à-dire payer le pétrole beaucoup plus cher. Les pays producteurs n'ont donc fait que précipiter une évolution inéluctable autant que prévisible. Ce faisant ils ont d'ailleurs préservé le pétrole de nos enfants.

Etudiant ce problème particulier, je dis au chapitre 7 qu'il est insensé de gaspiller les hydrocarbures ainsi que nous le faisons, qu'au lieu de tant nous soucier d'augmenter la production, nous ferions bien de limiter notre consommation et, tout naturellement, j'envisage les mesures propres à réduire le gaspillage actuel, mesures que tous les gouvernements ont semblé découvrir au mois de novembre 1973. J'ai écrit cela en pensant aux années 80 et sans grand espoir d'être entendu dans l'immédiat !

Fallait-il être grand clerc pour faire une telle analyse ? Certainement pas. Il suffisait de ne pas céder aux illusions actuelles, il suffisait, à la rigueur, d'écouter certains experts américains. En Europe, les gouvernements n'avaient que la croissance économique comme première et dernière justification de leur politique. Faute de pouvoir imaginer une voie différente, ils préféraient croire que l'euphorie durerait éternellement.

Mais l'histoire s'est brusquement accélérée. Demain c'est aujourd'hui. Les gouvernements, pris de court, improvisent des mesures qui ne résolvent nullement le problème posé. Ils tentent d'instaurer un état de restrictions et de privations. le contraire exactement d'une situation saine et équilibrée.

Peut-on être heureux sans consommer plus de pétrole, c'est-à-dire en renonçant à une certaine forme de croissance économique ? Telle est précisément l'interrogation qui m'a guidé tout au long de cet ouvrage. La réponse ne me paraît pas faire de doute. Analysant, secteur après secteur, tous les aspects de la vie moderne, je suis toujours arrivé à la même conclusion : le développement anarchique des techniques et de la consommation ne fait qu'escamoter les problèmes sans les résoudre. Il apporte le divertissement, pas le bonheur.

Mais la limitation de la consommation, le refus de certains recours technologiques ne constituent nullement des solutions. On ne peut même pas les considérer comme une quelconque amélioration de la situation présente. Cette amélioration, si elle doit intervenir, sera politique

dans le sens le plus large et le plus noble du terme.
Il s'agit de fonder une véritable civilisation technicienne,
une civilisation dans laquelle les fruits du progrès, au
lieu de s'accumuler absurdement seraient intégrés dans
un cadre socioculturel harmonieux. Dans une telle orga-
nisation, une technologie sensiblement différente appor-
terait à chacun une véritable satisfaction — ce qui n'est
pas le cas aujourd'hui — tout en étant beaucoup plus
économe sur le plan de la consommation. Il s'agit donc
de changer de société et non de se restreindre tout en
restant dans le système.
   Mais il m'apparaissait qu'un tel redressement ne serait
pas possible tant que continuerait la prospérité actuelle.
Quand l'économie marche bien, on ne fait pas de poli-
tique. Seule l'accumulation progressive des inconvénients
écologiques, économiques, sociaux ou psychologiques était
de nature à provoquer les prises de conscience néces-
saires. Car le passage d'un monde à l'autre sera difficile.
Du haut en bas de l'échelle sociale, la société de consom-
mation tient les individus à l'égal d'une drogue. Il faut
donc que les faits imposent ce que la raison ne peut
que suggérer.
   La nécessité est là. Si même nous parvenons à rétablir
nos approvisionnements, nous ne pourrons plus ignorer
cette menace. C'est une chance à saisir. Elle peut per-
mettre aux gouvernements de susciter les prises de
conscience nécessaires, d'opérer les redressements indis-
pensables. Tant qu'à devoir interdire aux gens de circuler
en automobile, qu'à tout le moins on leur donne les raisons
profondes et permanentes et non les raisons superficielles
et conjoncturelles. Il s'agit, en fait, de dépasser les notions
de restriction et de pénurie pour proposer un nouveau
mode de vie et une nouvelle forme de consommation. Il
s'agit de montrer que la fin d'une certaine prospérité,
si elle devait intervenir, pourrait être le début douloureux
assurément d'un véritable bonheur.
   Durant 25 ans, les sociétés industrielles ont escamoté
leurs problèmes en utilisant des solutions techniques
— qu'elles soient économiques ou technologiques — qui,
toutes, impliquent une forte croissance. Il faut savoir que,
si cette croissance venait à se ralentir ou à s'arrêter, il
resterait à notre disposition les solutions politiques ou
culturelles, les seules capables de résoudre, à terme, nos
difficultés.
   Ainsi n'ai-je rien à ajouter et rien à retrancher au
présent essai. L'actualité l'a simplement fait passer du
futur au présent. Le lecteur rectifiera de lui-même.

                                    Novembre 1973

LES MOTEURS DU PROGRES

Ce fut une victoire de la France. Une victoire qui effaçait vingt années de défaites. Presque une fête nationale. La voiture bleue de Pescarolo et Larousse avait triomphé des Ferrari aux 24 Heures du Mans. Les couleurs françaises reprenaient leur place, la première, dans le vacarme assourdissant des courses automobiles.

Fierté légitime : car les voitures de course sont des chefs-d'œuvre de la technologie. Passe encore pour la suspension ou la carrosserie, mais le moteur... C'est au moteur que l'on reconnaît les « Grands » de l'automobile. Quatre ou cinq dans le monde, pas plus. Les monstres de 500 CV. qui propulsent les bolides de formule I sont aussi difficiles à mettre au point que des avions ou des fusées. Or le moteur V 12 de la Matra victorieuse avait été conçu et réalisé en France.

Depuis 1950, les constructeurs français avaient abandonné la haute compétition automobile. En 1967, le gouvernement Pompidou décide de réagir. Il choisit une firme jeune et dynamique, spécialisée dans la construction des missiles : Matra. Il ne lésine pas sur la dépense : 6 millions de francs. Le public approuve. Après six années d'efforts, de luttes et d'échecs, ce 10 juin 1973, le pari est gagné, sous les applaudissements des Français.

Elle est belle, l'histoire du V 12. Mais voici une autre histoire de moteur. Plus modeste, assurément. En 1962, un jeune ingénieur, Jean-Pierre Girardier, fait son service militaire à Dakar. Il donne des cours de physique à la faculté et se lie d'amitié avec le doyen Masson. Ce dernier a une marotte : utiliser l'énergie solaire pour actionner des pompes. Ainsi chaque village africain pourrait être doté d'une installation simple, robuste et peu coûteuse, qui puiserait dans la terre l'eau qui manque en surface.

Malheureusement, ce rêve paraît irréalisable. Un moteur thermique a besoin d'une source de chaleur. Le chauffage solaire ne permet pas de dépasser 70°. Cette faible température est désastreuse sur le plan du rendement, et on ne peut l'élever qu'en utilisant des miroirs focalisants compliqués et onéreux. En l'absence d'un tel dispositif, il faudrait disposer d'un moteur thermique capable de fonctionner avec un écart de 40° seulement entre les sources chaudes et froides.

Jean-Pierre Girardier s'attaque à ce problème. Il a des idées, mais aucun moyen pour les réaliser. Un moteur à 70° destiné aux Africains n'intéresse pas les centres de recherche, car toute l'évolution technique est orientée vers les hautes performances. Travailler sur une machine à faible rendement paraît aller à l'encontre du progrès.

Une fois rentré dans ses foyers, l'ingénieur devient industriel. Les bénéfices de son entreprise lui permettent de financer quelques recherches. Grâce à un fluide bon marché, le butane, il peut construire une pompe à haut rendement. Il améliore son projet. Très lentement, car les crédits font défaut. Un architecte de ses amis imagine alors d'utiliser les toits comme radiateurs solaires. L'eau circulant sur la toiture apportera la chaleur et, du même coup, réfrigérera les locaux. Un prototype est installé à l'université de Dakar. Pour le rendre opérationnel, Girardier a besoin d'une assistance technique. Il s'adresse à Matra. Par hasard. Malheureusement, la firme ne peut financer ces recherches. Elle a bien des crédits pour étudier un moteur, mais ce n'est pas celui-là. Cependant quand l'étranger commence à s'intéresser au projet, les pouvoirs publics se réveillent. Un jeune organisme, créé pour favoriser l'innovation, l'ANVAR, apporte son aide et ouvre un crédit de... 50 000 francs. Il n'en faut pas davantage pour mettre au point le système de lubrification.

Au printemps de 1973 une pompe opérationnelle entre en service dans le village de Chinguetti en Mauritanie. L'usure du moteur est faible, le lubrifiant peut être constamment recyclé. La machine doit fonctionner des années sans aucun entretien, sans surveillance, sans alimentation, sans réparation. Deux mille villageois ont de l'eau et il n'en coûte que 200 000 francs. Si l'on fabriquait ces machines industriellement le prix serait d'ailleurs encore moins élevé.

Mais il est trop tard. Dix années ont été perdues, et l'Afrique saharienne connaît une sécheresse catastrophique. Les chameaux meurent. Des hommes et des enfants aussi. L'énergie solaire est pourtant surabondante. L'eau est là, à quelques centaines de mètres sous terre. Seuls les moteurs manquent.

Un moteur de formule I, c'est une merveille qui ne

sert rigoureusement à rien : un exercice de style pour techniciens. Un moteur thermique à basse température c'est aussi un chef-d'œuvre, moins spectaculaire sans doute, mais qui peut soulager des millions d'hommes. Entre les deux moteurs la société industrielle française a choisi — sans même en avoir conscience — à 100 contre 1 pour la performance gratuite.

« Mes fils n'ont guère de considération pour le P.-D.G. que je suis, constate Jean-Pierre Girardier, mais je crois qu'ils ont de l'estime pour l'inventeur de la pompe solaire. »

Si cette fable vous laisse froid, sans doute vaut-il mieux arrêter ici la lecture de cet ouvrage et tenter de vous en faire rembourser le prix ; si au contraire vous pensez qu'un progrès ainsi conduit trahit l'homme, alors nous tenterons ensemble de rechercher les causes de telles aberrations et les remèdes qui permettraient de les éviter.

Dans un précédent ouvrage, *En danger de progrès*, je dénonçais les conséquences indirectes, et souvent catastrophiques de l'évolution technique. Il ne s'agit plus ici d'effets secondaires, mais de causes premières. Les sociétés industrielles ont détourné le progrès de ses fins naturelles.

Je poserai donc en principe que :

— Une civilisation doit viser le bonheur de tous et non de quelques-uns.

— Le bonheur est un état psychologique qui se réalise dans la personne. C'est là que se trouve la réalité première de toute civilisation. Les réalisations matérielles n'en sont jamais que le décor.

— Un bonheur authentique ne peut naître que de la justice, de la solidarité et de l'accomplissement de soi, non de l'injustice, de l'agressivité et de la domination.

Lorsqu'on observe les sociétés industrialisées à la lumière de ces principes on découvre que leur progrès, aussi bien sur le plan technologique qu'économique, tend à n'être plus qu'un alibi pour ne pas résoudre les vrais problèmes auxquels elles sont confrontées et qui sont de nature politique sociale ou culturelle. Seuls de tels progrès s'ajoutant à ceux de la technique pourraient apporter un bonheur authentique.

Aujourd'hui, les machines sont admirables et les visages fermés. Nous avons la technique ; il nous manque le sourire. Si les sociétés industrielles continuent à concentrer tous leurs efforts sur le progrès technique, elles se heurteront à des obstacles de plus en plus redoutables et laisseront chacun de plus en plus insatisfait. Si au contraire elles utilisent la technologie pour créer un monde d'aménité, de fraternité, d'équité, elles apporteront un bonheur authentique et, du même coup, elles conjureront les périls qui les menacent.

Malheureusement, la « civilisation technicienne » n'est encore qu'une pseudo-civilisation. Elle n'a de projet que pour les choses et non pour les hommes. Il est significatif que les auteurs de science-fiction aient toujours concentré leurs descriptions sur les machines. Leur monde est un décor. Surprenant, fascinant, mais seulement un décor où l'homme ressemble comme un frère au citoyen d'aujourd'hui. Seules, les techniques ont changé. En revanche, quand les peintres primitifs voulaient représenter le paradis ils ne transformaient guère notre « environnement ». Ils exprimaient la félicité dans les êtres et non dans les choses. Les bienheureux se distinguaient des hommes ordinaires par un sourire intérieur et non par des commodités extérieures.

Le premier défaut du monde moderne n'est pas d'être injuste ou violent, c'est d'être irréaliste. C'est de placer son ambition suprême dans l'accumulation des richesses et non dans le contentement des individus, de limiter son propos au monde matériel alors qu'une civilisation se fonde et se juge sur l'expérience vécue de ses membres.

Il était inévitable que cet oubli des réalités humaines finisse par provoquer des inconvénients graves et des réactions de rejet. Nous en sommes là. Désormais, les désillusions l'emportent sur les satisfactions. Certains veulent voir dans les encombrements, les frustrations, les pollutions, la pénurie et toutes les réactions de révolte les signes avant-coureurs de la catastrophe qui emportera l'édifice. Mais on peut aussi estimer que ces crises favoriseront les redressements nécessaires. La situation tourmentée des années 70 est aussi riche de menaces que d'espoir.

Une chose est certaine en tout cas : notre avenir n'est plus inscrit dans le progrès technique. Il y a quelques années, des futurologues s'attachaient à prédire les dates auxquelles nous pourrions prévoir le temps, implanter des organes artificiels ou maîtriser la fusion thermonucléaire. Nous savons désormais que ces prédictions ne peuvent rien nous apprendre sur la vie de nos enfants. Nous sommes confrontés à un problème de civilisation ; un problème que la technologie, si perfectionnée soit-elle, ne peut résoudre.

Notre espérance serait bien mince si elle ne reposait que sur la sagesse spontanée de l'espèce humaine. Heureusement, les faits vont parler et leurs leçons ont plus de

chances d'être entendues que celles de la raison. Les conséquences désastreuses des erreurs accumulées et des illusions entretenues commencent seulement à être percepti-
bles. Dans les années à venir, elles vont s'imposer avec
la force de l'évidence.

Comment réagiront alors les individus, et les sociétés,
plongés dans une situation de crise permanente ? C'est là
le secret de l'avenir. Mais des conditions nouvelles vont se
créer, tant sur le plan matériel que sur le plan psychologique. Et si elles sont mises à profit par une volonté politique, il sera enfin possible de remettre le progrès sur
ses rails. Cette révision déchirante nous permettrait de
nous offrir les commodités de la technique, avec le bonheur en plus. Dans le cas contraire, la situation ne cesse-
rait de se dégrader.

Que la possibilité d'un tel redressement existe, c'est ce
que je crois. Mais c'est une chance à saisir, et il reste peu
de temps. A la fin du siècle, tout sera joué.

Etant journaliste et non philosophe, homme de l'événement et non de la pensée, je n'aborderai pas une telle
analyse sur le plan théorique. L'histoire contemporaine
est riche de mille fables dont les moralités annoncent
notre avenir. Mais les faits sont suffisamment éloquents
pour révéler les causes des égarements actuels et les
chances d'un redressement dans l'avenir.

Chapitre 1

LA MORT DE L'OISEAU

C'était le plus bel oiseau de l'homme. Le plus rapide, le plus prestigieux. Le plus cher aussi. La signature céleste de la civilisation technicienne. Il ne suffisait pas que l'homme moderne pût voler comme Blériot ou Lindberg, il fallait encore qu'il franchît le mur du son. Comme les pilotes d'essai. Demain, il voyagerait dans l'espace, comme les astronautes, et il se ferait changer le cœur, comme un immortel.

Cela s'appelait le Progrès. Les héros font la percée, la foule s'engouffre dans la brèche, et tout un peuple avance de vélos en autos, de télégrammes en téléphones, de radios en télévisions. Monte, monte la Tour ! Ambition sans limite dans un ciel infini. Mais les ingénieurs ne connaîtront pas la malédiction de Babel car ils ont tous le même culte : celui de l'efficacité ; car ils parlent tous le même langage : celui de la science ; car ils appliquent tous les mêmes méthodes : celles de la technique. Qui donc aurait pu douter de l'entreprise alors qu'elle plantait son drapeau sur la Lune ?

Pourtant le Grand Oiseau est mort. Les ailes brisées avant d'avoir quitté le nid. L'Amérique a refusé — à tout le moins pour l'instant — de construire l'avion de transport supersonique. Le S.S.T. était-il trop onéreux ? Mais il coûtait dix fois moins cher que le programme Apollo ! Trop polluant ? Mais il l'était moins que les millions d'automobiles qui asphyxient les villes ! Inutile ? Bien moins assurément que la fusée Saturne V ! S'inscrivant dans le droit fil du progrès technique, il était exemplaire, symbolique même. Et c'est ce qui l'a perdu. Tout comme la Bastille, il est tombé, victime de sa signification. L'avion représentait une certaine idée de l'Amérique. Une idée qui se heurtait à une opposition croissante. La Bastille fut prise en dépit de ses cachots vides et le S.S.T. fut condamné pour des péchés véniels. Car il fallait qu'un geste symbolisât cette nouvelle préoccupation de la société américaine et ce geste ne pouvait être que de refus. Sans doute des intrigues médiocres et des circonstances fortuites ont-elles précipité la chute du bel oiseau. Cléopâtre vient toujours fourrer son joli nez aux carrefours de l'histoire. Mais ses charmes ne changent que le sort des batailles indécises et non le cours des forces profondes.

Dix années plus tôt, sénateurs et représentants s'étaient offerts la Lune pour maintenir la suprématie technologique des Etats-Unis. A présent ils s'opposent au lobby aérospatial, réduisent des milliers de techniciens au chômage et paraphent l'humiliation de l'aéronautique américaine. Ces élus soucieux de leur réélection n'auraient pas osé prendre une telle décision, s'ils n'avaient pas senti que l'opinion publique était profondément divisée.

Un geste révolutionnaire

L'Amérique s'est toujours reconnue dans sa supériorité technique. Etre Américain, c'est dominer le monde à travers les meilleurs ordinateurs, les meilleures machines, les meilleures armes... les meilleurs avions. Abandonner aux Européens et aux Soviétiques le transport aérien supersonique, c'est trahir une certaine idée de la civilisation américaine.

Les citoyens n'en étaient pas conscients et les sénateurs non plus. Ni les uns ni les autres n'ont renoncé au mythe de la puissance américaine. Tout au contraire, ils ont estimé que cette réalisation lui serait nuisible. Mais le simple fait de ne pas identifier la puissance à la technologie annonce un tournant historique.

Les partisans du S.S.T. ont vu dans son abandon une attitude réactionnaire, voire régressive. Refuser l'innovation, n'est-ce pas refuser le progrès ?

Voilà bientôt trois siècles que les sociétés occidentales bâtissent leur avenir sur l'avancement de la technologie. C'est donc le refus de cette fuite en avant qui brise la logique industrielle et constitue la nouveauté. Rupture passéiste ou progressiste, on en discutera ; mais ce geste, s'opposant à une tradition séculaire, mérite le qualificatif de révolutionnaire. Cela ne signifie pas qu'il annonce « la Révolution » attendue par les prophètes ; mais, plus modestement, qu'il révèle une brutale prise de conscience. L'importance de tels gestes est très souvent symbolique.

Ce sont des défis et des profanations. La victime n'est jamais qu'un prétexte. Elle ne mérite généralement ni cet excès d'honneur ni cette indignité. Ainsi du S.S.T. Il s'est présenté au mauvais moment. Il est apparu comme une provocation. Il a payé pour le reste. Comme Louis XVI ! Faut-il lire dans cette rupture la fin prochaine de la civilisation technicienne, voilà ce qu'on ne saurait dire aujourd'hui. Il arrive fréquemment que les gestes révolutionnaires n'aient aucune suite, et l'histoire traîne bien des embryons de révolutions avortées. Il serait d'ailleurs d'autant plus risqué de faire un pronostic que la controverse sur l'avion supersonique n'est pas dénuée d'ambiguïtés.

Car l'abandon du S.S.T. peut s'insérer dans la stricte orthodoxie du capitalisme, puisque l'entreprise s'annonçait déficitaire. Sa construction eût obligé l'État à subventionner une firme privée pour une opération commerciale. C'est cet aspect de l'affaire, de la mauvaise affaire, qui a permis de la porter devant l'opinion publique. Si l'avion avait été rentable, si sa mise au point n'avait point représenté une si lourde charge budgétaire, Boeing ou Lockheed en aurait certainement poursuivi la construction. Faut-il voir alors dans cet épisode une victoire de la logique capitaliste sur l'impératif technologique ?

Il n'est pas contestable que cet aspect de l'opération ait emporté la décision finale. Les sénateurs ont moins condamné l'avion supersonique que les subventions publiques exigées par ce projet. Si cette affaire était isolée, il ne faudrait pas chercher d'autres explications. Mais elle s'inscrit dans une série d'événements comparables qui, eux, vont à l'encontre de la démarche capitaliste. L'ensemble traduit des motivations plus neuves. Méfiance vis-à-vis de la technologie, crainte de la pollution, contestation d'une croissance productiviste, d'un progrès trop soucieux de performances, remise en question des objectifs et des priorités, c'est tout cela que l'on retrouve derrière les aventures et mésaventures de l'industrie américaine au cours de ces dernières années.

Le pipe-line gelé

En 1966, les pétroliers découvrent un énorme gisement dans la baie de Prudhoe sur la côte arctique de l'Alaska. Selon une estimation prudente le quart des réserves américaines, soit deux milliards de tonnes, serait emprisonné sous les glaces. Quelle aubaine pour un pays dont chaque habitant consomme 13,5 litres de pétrole par jour, dont la dépendance vis-à-vis de l'étranger ira s'accentuant jusqu'à atteindre 50 % de ses approvisionnements en 1980 !

Malheureusement, ce pétrole américain ne se trouve pas en Californie, mais au-delà du cercle polaire, dans une des régions les plus inhospitalières du globe. Et il ne s'agit pas seulement de l'extraire, mais également de l'acheminer jusqu'aux centres de consommation. Pour les techniciens, c'est un véritable défi. Et comme toujours en pareille circonstance, ils le relèvent.

Toutes les possibilités sont envisagées et étudiées. Avions-pétroliers de 1 000 tonnes, sous-marins pétroliers naviguant sous la banquise, chemins de fer à grand débit... Finalement, on se rabat sur la technique la mieux connue : le pipe-line. L'évacuation sera faite par un tuyau qui traversera l'Alaska du nord au sud, de la baie de Prudhoe au port de Valdez.

Bien sûr, ce n'est qu'un pipe-line, mais quel pipe-line ! Il devra franchir trois chaînes de montagnes, chevaucher plusieurs failles sismiques, traverser des dizaines de fleuves et de rivières, défier les coulées de boue et les éboulements de terrain et reposer sur le plus traître de tous les terrains. Dans l'Alaska, en effet, le sol reste gelé en profondeur. Il est donc complètement imperméable. Lorsque le printemps fait fondre la glace et la neige superficielles, l'eau ne peut s'écouler. Il se forme alors une couche boueuse et inconsistante de près d'un mètre d'épaisseur : le pergélisol. Comment installer sur de telles fondations un tuyau de 1,20 mètre de diamètre, de 1 200 kilomètres de longueur et capable d'assurer un débit quotidien de 280 000 tonnes ? Comment éviter le gel du pétrole au contact de l'air glacé ou le dégel du terrain au contact du tuyau chauffé ?

Rien n'est impossible aux ingénieurs qui sont passés des déserts brûlants aux profondeurs sous-marines pour chasser l'or noir. Un à un les problèmes techniques sont résolus. Le projet est évalué à près de 2 milliards de dollars ! Deux fois le prix de l'usine de Pierrelatte ! Qu'importe ! le jeu en vaut la torchère !

Mais l'énorme lobby pétrolier et les ingénieurs tout-puissants se heurtent au plus inattendu de tous les obstacles. Trois associations entreprennent de leur barrer la route. L'association écologique des « Amis de la Terre », l'association des indigènes chasseurs de caribous et l'association des pêcheurs qui travaillent dans la baie de Valdez. Les opposants dénoncent les risques qu'un tel projet fait courir à l'environnement. Ce tuyau tendu en travers de l'Alaska ne va-t-il pas gêner les migrations des animaux : caribous, élans, rennes ? Que se passerait-il si une secousse

tellurique ou un éboulement de terrain provoquait une
rupture du pipe-line ? Ne serait-ce pas une catastrophique
« marée noire » en plein continent ? Et si le pétrole gèle
dans le tuyau en dépit de toutes les précautions ? Que
deviendront enfin les poissons dans la baie du prince
William quand la mer sera recouverte de mazout ?
Objections dérisoires devant l'impérialisme irrésistible
d'un peuple qui a industrialisé un continent, exterminé
les bisons, repoussé les Indiens, transformé la flore et la
faune pour les besoins de la production. Pourtant, les
pétroliers savent que la conquête du far west est termi-
née. Les bisons sont morts, mais Buffalo Bill aussi. Ils
ne peuvent plus négliger leur adversaire. Ils se résignent
à revoir le projet, et multiplient les études écologiques,
renforcent les sécurités. Un chiffre suffit à donner la
mesure de leurs efforts : le devis passe à 3,5 milliards
de dollars. Le pipe-line-transAlaska devient le plus gros
investissement jamais réalisé, ou envisagé, par l'industrie
privée pour une seule construction. Une sorte de projet
Apollo à l'échelle de la libre entreprise.
    En mai 1972 le secrétaire d'Etat à l'Intérieur donne
enfin son accord. Des centaines d'ouvriers attendent à
pied d'œuvre, 1 000 km de tuyaux sont prêts à être
posés. La construction peut commencer. Pas encore. Car
les opposants attaquent la décision devant les tribunaux.
Ils obtiennent des sursis, perdent en première instance,
font appel. Et le temps passe, et les pertes s'accumulent.
    Si l'Amérique peut se passer de l'avion de transport
supersonique, elle ne peut pas se passer du pétrole des
glaces. Les écologistes sont capables de faire capoter une
mauvaise affaire, pas une affaire en or... noir. En définitive le Sénat américain a formellement approuvé le projet
en juillet 1973. Mais le vote ne fut acquis qu'à une voix
de majorité : la voix double du vice-président Spiro
Agnew. Il importe peu que la conclusion ait été différente.
La contestation était aussi surprenante.
    C'est tous les jours que l'industrie américaine bute
sur de tels obstacles. Les pétroliers, pour ne pas les
quitter, ont encore plus d'ennuis avec leurs raffineries
qu'avec leurs pipe-lines. Ils ont dû renoncer à une bonne
dizaine de projets au cours de ces dernières années. Pourtant, ils n'avaient pas manqué d'étudier les aspects écologiques. Peine perdue. Trois raffineries seulement trouvent
grâce, et nul ne sait comment seront construites toutes
celles qui seraient nécessaires pour faire face à l'augmentation constante de la consommation.

L'atome en quarantaine

Mais les plus malheureux de tous sont assurément les constructeurs de centrales nucléaires. Ils s'imaginaient naïvement que leur technologie était au-dessus de tout soupçon. Ne l'avaient-ils pas développée dans une exacte conscience des risques encourus, n'avaient-ils pas multiplié les précautions, n'atteignaient-ils pas des coefficients de sécurité jamais égalés ? Bref, General Electric et Westinghouse se croyaient irréprochables.

Mais, en 1969, deux chercheurs de l'Atomic Energy Commission, John Gofman et Arthur Tamplin dénoncèrent les normes de radioactivité traditionnellement admises. Ils affirmèrent qu'elles étaient insuffisantes et que, dans ces conditions, le développement de l'énergie nucléaire, provoquerait des milliers de morts dans la population américaine. Les autorités officielles contre-attaquèrent et défendirent les normes fixées en 1956. Dans le climat de méfiance technologique qui régnait en Amérique, cette querelle d'experts augmenta le malaise et l'inquiétude vis-à-vis des installations nucléaires. Précisément, l'industrie américaine venait de se lancer dans un gigantesque programme visant à installer une puissance électronucléaire de 80 000 mégawatts. Soit l'équivalent de 80 centrales de même taille que l'ensemble de Saint-Laurent-des-Eaux.

Des associations nationales et locales, des autorités scientifiques comme Linus Pauling, Hannes Alvfen, Barry Commoner, Paul Erlich dénoncèrent les risques de cet engagement nucléaire. Les contestataires trouvèrent toutes les armes nécessaires dans la nouvelle législation américaine. Les audiences publiques qui doivent précéder les autorisations s'enlisèrent dans d'interminables débats. Les autorisations finalement accordées furent immédiatement attaquées devant les tribunaux.

Il semblait que ces manœuvres ne pourraient guère retarder la réalisation du programme lorsque, le 23 juillet 1971, retentit le coup de tonnerre de Calvert Cliffs. Les écologistes avaient attaqué la décision de l'A.E.C. autorisant la construction d'une centrale dans cette localité. Elles avaient obtenu gain de cause en première instance. On plaidait devant la cour d'appel. Cette juridiction condamna l'agence atomique coupable à ses yeux de n'avoir pas respecté toutes les précautions prévues par le National Environmental Policy Act. Ce jugement étant appelé à faire jurisprudence, l'A.E.C. dut s'incliner et revoir complètement sa politique. Plus de quarante pro-

jets furent bloqués. La plupart des centrales en fonctionnement furent contraintes de réduire leur puissance. Tout
le programme était remis en question.
Depuis lors, la position des adversaires de l'énergie
nucléaire paraît s'être renforcée. L'académie des sciences
américaine a partiellement confirmé les analyses de Gofman et Tamplin, de nouvelles controverses ont surgi
à propos des systèmes de refroidissement et des tubes de
gainage, le fameux Ralp Nader s'est lancé dans la bataille.
Les adversaires ont réclamé un moratoire général de
5 ans. Et voilà que la cour d'appel fédérale vient de
stopper la construction d'une centrale surrégénératrice
au centre d'Oak Ridge. Or ces nouvelles installations,
beaucoup plus perfectionnées que les réacteurs actuels,
représentent l'avenir de l'énergie nucléaire. L'Amérique,
qui n'était pas très en avance dans ce domaine, risque
de prendre un retard décisif.
L'opinion soutient souvent les contestataires sans mesurer toutes les conséquences de ces refus. L'opposition
aux centrales nucléaires n'entraîne pas l'abandon de la
climatisation, et l'opposition aux raffineries n'entraîne pas
l'abandon de l'automobile. Chacun veut continuer à jouir
du progrès mais ne veut plus en payer la rançon. Ce
nouveau refus va-t-il gagner de proche en proche tous les
secteurs de la production et toutes les couches de la population, ou bien va-t-il, au contraire, se résorber comme une
mode passagère ou une névrose collective ? Il est probable
que la pénurie d'énergie aura raison des scrupules écologiques. Mais ces exemples spectaculaires traduisent une
préoccupation générale qui se retrouve dans toutes les
croisades antipollution, les mouvements de consommateurs et la désaffection vis-à-vis du travail industriel. Sans
pouvoir en deviner les suites, on peut être assuré que
ce mouvement a d'ores et déjà profondément changé le
visage de la civilisation technicienne en Amérique, et que
ces changements sont irréversibles.

Le prétexte-pollution

Ce serait donc une erreur de ne voir dans ces événements que des affaires américaines et liées à la lutte contre
la pollution. On peut se demander si la pollution n'est pas
un prétexte dissimulant des préoccupations plus générales
et si l'exemple américain n'est pas appelé à faire école
dans tout le monde industrialisé.
L'industrie n'est pas plus polluante aujourd'hui qu'hier

et ses méfaits sont connus et dénoncés depuis longtemps. La dégradation de l'environnement est certaine, mais elle ne s'est pas brusquement aggravée, il ne s'est pas produit « d'écocatastrophes ».

Le succès de ces campagnes peut donc surprendre. Il donne à penser que les images simples et concrètes des poissons crevés, des tas d'ordures, des oiseaux englués, des eaux souillées et des ciels noircis ont cristallisé un sentiment beaucoup plus vaste et plus diffus. Le citoyen sent intuitivement que la civilisation technicienne n'apporte plus de réponse convenable à ses préoccupations. Il le sent d'autant mieux que la croissance des années 50-70 lui permet d'évaluer plus justement les possibilités du progrès. Désormais, il juge sur pièces : sur automobiles, sur ordinateurs, sur salle de bains, sur téléviseurs...

A ce stade, l'entreprise révèle ses limites. Ses agréments sont toujours aussi ardemment recherchés, mais ses désagréments sont plus durement ressentis. Le public est sévère pour le progrès technologique. Il considère comme un dû les hôpitaux, l'électricité, le téléphone, le réfrigérateur et n'en éprouve aucune reconnaissance. Il se plaindrait d'en être privé, mais il ne se félicite guère d'en jouir. Il découvre, en revanche, que cet arsenal si perfectionné ne résout pas automatiquement les problèmes de la jeunesse, de l'injustice, de la violence, de l'encombrement, de la solitude... C'est une déception et elle engendre une rancœur.

Désormais, la grande machine industrielle est suspectée quotidiennement. Le reproche de ne pas résoudre les difficultés sociopolitiques en masque un autre, combien plus grave : celui de les avoir provoquées. C'est alors que l'homme moderne remet en cause le système qui produit ces « stupides » esclaves techniques. Il casse le S.S.T., comme les tribus primitives renversent l'idole coupable de n'avoir pas fait tomber la pluie.

Pour autant que cette analyse soit exacte, la pollution, en dépit de sa réalité, ne serait encore qu'un prétexte. Elle aurait fourni un thème commode pour exprimer une insatisfaction plus large mais qui se dérobe à l'analyse comme à la dénonciation.

La contestation planétaire

Il est naturel que les exemples les plus spectaculaires nous viennent d'Amérique. Mais il était inévitable que ce mouvement s'étendît progressivement à tout le monde industrialisé.

Certes, les Français soutiennent Concorde et la contestation des centrales nucléaires reste chez nous un phénomène marginal. Mais cette situation est appelée à évoluer et, ici comme ailleurs en Europe, cette évolution devrait contribuer à étendre et à radicaliser le mouvement. N'est-ce pas en Suisse et en Suède qu'un moratoire suspend la construction des centrales nucléaires ? Les responsables sont conscients de la menace et prennent le pouls de l'opinion comme celui d'un malade. Ils s'efforcent de la calmer, de la rassurer. Mais la hantise d'une vague anti-technologique plane sur tous les ministères.

D'autant que les autorités ne sont même plus certaines de pouvoir compter sur l'unanimité de la communauté scientifique. Les ingénieurs restent inébranlables, mais les chercheurs de science fondamentale, notamment les biologistes, rallient parfois le camp des opposants. Comment n'être pas frappé par le rapport de synthèse préparé par René Dubos et Barbara Ward pour la conférence de l'O.N.U. à Stockholm :

« Le même jour, nous recevions deux déclarations catégoriques sur l'énergie nucléaire : elles émanaient de deux titulaires du prix Nobel... selon le premier notre texte ne rend pas pleinement justice aux possibilités de l'énergie nucléaire et exagère beaucoup les dangers qu'elle présente pour les systèmes écologiques naturels et pour la santé de l'homme ; à l'opposé, l'autre affirme qu'on devrait totalement renoncer à l'énergie nucléaire car, pour reprendre ses propres termes : « elle est absolument incompatible avec la biosphère [1]. »

Le mouvement de consommateurs qui se développe lentement mais sûrement en France traduit aussi une méfiance légitime vis-à-vis de la société industrielle. Il faut se défendre contre le fabricant et peut-être contre le technicien et le chercheur. La vogue des produits « naturels », des systèmes « biologiques », des fabrications « artisanales » est en réaction directe contre la technologie moderne et non seulement contre les abus de la commercialisation. On trouve encore cette crainte dans la nouvelle coloration péjorative de qualificatifs comme « chimique », « synthétique », « industriel ». Sans bien savoir ce que recouvrent ces épithètes, on préfère les fuir comme des réalités malfaisantes. La science même et la pensée rationnelle se trouvent contestées à travers des modes comme celle des médecines parallèles, de l'astrologie, des philosophies pseudo-orientales.

1. Barbara Ward et René Dubos : *Nous n'avons qu'une seule Terre*, 1972. (Denoël).

De la connaissance objective à la démarche publicitaire et des tours de la Défense au travail industriel, c'est toute la modernité que l'on redoute et que l'on conteste.

La foi brésilienne

La réaction des peuples en voie de développement est significative. Ce sont la Chine populaire et l'Iran qui commandent des Concorde, alors que l'Amérique renonce au S.S.T.

Lors de la conférence sur l'environnement, qui s'est tenue à Stockholm au printemps de 1972, l'attitude de la délégation brésilienne a été particulièrement remarquée. Elle contrastait singulièrement avec celle des pays industrialisés qui ne cessaient de prêcher aux autres la modération dans l'exploitation des ressources naturelles. Pour les Brésiliens, l'entrée dans le xx° siècle passe par la conquête de la forêt amazonienne, et, d'abord par la construction de la route transamazonienne. Projet colossal. Une autoroute de 5 000 kms traversant le continent d'ouest en est, un réseau routier de 12 000 kms ouvert à travers la forêt amazonienne, 1,5 million de kilomètres carrés (trois fois la superficie de la France) gagnés sur la forêt vierge pour l'exploitation agricole ou minière. 500 millions de dollars investis pour le seul réseau routier. Il s'agit de faire entrer dans le cycle économique un continent hier abandonné au règne végétal et animal, d'exploiter les fantastiques richesses minières qu'il renferme, — le plus grand gisement de fer du monde notamment —, de faire produire à cette terre d'énormes ressources alimentaires.

Les écologistes lancent de sinistres avertissements. Ils affirment que les projets actuels constituent une menace mortelle pour la forêt amazonienne, que la production d'oxygène diminuera de façon dramatique, que les sols tropicaux ne résisteront pas aux déboisements, que la flore et la faune subiront des dégâts irréparables. Mais les Brésiliens n'entendent pas sacrifier leur enrichissement aux tribus amazoniennes. Il y a gros à parier que « l'enfer vert » sera dompté par les pionniers de l'Amazonie. Le progrès passera... et les désillusions suivront.

Plus tard, quand les Brésiliens auront un niveau de vie « occidental », ils se soucieront des Indiens et de la forêt — ou de ce qui en restera —, et ils contesteront l'impérialisme industriel. Mais l'heure du refus n'a pas encore sonné. Chaque chose en son temps. L'industrialisation d'abord. La contestation ensuite.

Toutes ces réactions, en apparence très dissemblables, ont un dénominateur commun : la méfiance vis-à-vis de la technique qui apparaît inévitablement à un certain stade de développement industriel. Il s'agit, semble-t-il, d'un phénomène général, et qui représente une force de changement considérable. Mais une volonté de changement, n'est pas forcément une volonté de progrès. Le refus ne résout pas les problèmes, il tendrait même à les aggraver en un premier temps. Pour trouver les causes profondes de ce malaise il faut peut-être regarder vivre les hommes d'avant le progrès ? Il ne s'agit pas de nous attendrir sur la « bonté » du monde préindustriel, mais de faire jouer les ombres et les lumières pour mieux nous voir.

La sagesse primitive

Un curieux caprice de l'histoire a réuni ces deux pôles extrêmes de l'aventure humaine au cours des années 1967-1971. Tandis que l'avant-garde du progrès était mise en accusation à Washington, son arrière-garde était mise en observation dans la jungle de Mindanao aux Philippines. Surprenante coïncidence ! Record ethnologique ! La tribu la plus primitive qu'il nous ait jamais été donné d'observer, la tribu des Tasady, a été découverte il y a moins de cinq ans. Ses membres, au nombre de 125 ont arrêté leur évolution au stade du paléolithique. C'est à peine s'ils savent tailler la pierre. Ils ignorent l'agriculture, l'élevage, la chasse, la construction. Ils vivent de cueillette et d'une pêche rudimentaire. Les deux anthropologues qui les ont étudiés, — sommairement, il est vrai — n'ont décelé nulle trace d'art, de magie ou de religion. Pas non plus de véritable structure sociale. D'outils, ils n'ont que la hache de pierre coupante, le pieu de bois et le couteau de bambou. Ils savent faire du feu. C'est tout.

Il y a quelques dizaines d'années nous aurions entrepris de civiliser ces gens. Ils n'auraient pas coupé aux mousquetaires de la civilisation blanche : le missionnaire, le médecin, l'officier et le colon. En 1971, il semble, au contraire, que le gouvernement philippin ait pris des dispositions pour que les Tasady puissent continuer à mener leur existence primitive à l'abri du monde moderne et de ses dangers. Louable sagesse, mais surprenante. Cette tribu semble se trouver au point zéro de la culture. Entre elle et la civilisation blanche, il ne peut y avoir que des rapports de civilisés à non civilisés. Pour une fois, nous serions en droit d'affirmer notre supériorité par rapport à ces « sauvages ».

Cette réserve semble dictée par le fait que les Tasady présentent toutes les marques du bonheur. Non pas d'un bonheur authentiquement humain auquel nous pourrions prétendre, mais d'un certain équilibre si difficile à atteindre dans les sociétés industrielles. Ils ignorent également la hiérarchie, l'inégalité, la propriété, l'insécurité, la solitude, les frustrations. Ils sont parfaitement intégrés à leur milieu naturel et peuvent en tirer une nourriture suffisante en ne travaillant que quelques heures par jour. Leur vie sociale semble être exempte d'antagonisme, de tensions et d'animosité. Ils passent le plus clair de leur temps à jouer, à discuter ou à rêvasser. Et pourtant ce bonheur, plus proche de l'animal que de l'homme, parvient à imposer le respect aux civilisés.

Les photos prises par les anthropologues montrent les Tasady broyant le cœur des palmiers, déterrant les tubercules, se baignant dans la rivière, les enfants rieurs jouant dans les arbres. Tous les visages paraissent souriants et détendus. Singulier contraste avec le visage fermé des Parisiens dans le métro, le front soucieux des chômeurs lisant les petites annonces, la démarche fiévreuse des employés quittant les bureaux à 17 h 30. En toute conscience, a-t-on le droit de « civiliser » les Tasady ?

Mais comment ne pas se révolter contre un tel sentiment ? Comment accepter que tous les progrès accomplis depuis le paléolithique ne nous aient pas donné un avantage décisif sur le seul plan qui compte : le bonheur ? Nous devrions être dix fois, cent fois plus heureux que ces primitifs !

Nous devrions les égaler sur tous les points, et les surpasser en tant d'autres domaines que leur vue devrait nous inspirer la pitié et non le respect. Voire l'envie.

Les Tasady nous montrent, bien inconsciemment, les raisons de notre échec. Les hommes des tribus voisines qui les ont découverts leur ont donné des outils et des armes : des machettes, des arcs et des flèches, des étoffes, des couteaux, des aiguilles, des paniers. Qu'ont fait les Tasady ? Ils ont pris les machettes qui remplacent désormais la hache de pierre et permettent d'abattre plus facilement les palmiers. Ils peuvent ainsi améliorer leur mode de vie sans le changer.

En revanche, l'utilisation des étoffes les aurait obligés à s'habiller, celle de l'arc à chasser, celle des paniers à stocker la nourriture, etc. Ils les ont dédaignés. Et voilà ce que nous n'avons jamais su faire ; au lieu d'adopter une technique pour la simple raison qu'elle est disponible et productive, subordonner son utilisation à l'amélioration de notre existence.

Et pourtant, les raisons paraissent être du même ordre qui poussèrent les Tasady à refuser la chasse à l'arc et les Américains à renoncer aux voyages supersoniques. On discutera de l'opportunité de ces décisions, il n'empêche qu'elles traduisent, bien ou mal, une réserve certaine à l'égard de la technologie.

Plutôt que de foncer la tête la première dans tous les mirages de l'innovation technique, ne pourrions-nous réfléchir sur nos choix et notre action ? Nous fier à d'autres critères que ceux des vendeurs qui, seuls aujourd'hui, décident de notre bien ? Qui l'identifient avec *les biens*.

Le nouveau refus n'est-il pas la conséquence inévitable de cet abandon total à la technologie ? Celle-ci étant toujours développée pour elle-même et non en fonction des hommes, envahit notre environnement sans y apporter l'équilibre et la sérénité que cherchent les individus. Mais la technique est séductrice, diaboliquement séductrice.

Pour la modernité

C'était un lambeau de paradis terrestre égaré dans l'immense océan Pacifique : Tautira. Un village tahitien. Au voyageur blessé par les images dissociées du monde industrialisé, il apportait la réconciliation. Pas seulement le calme, la beauté et l'harmonie, mais une secrète conjuration du bonheur. Le soleil qui allumait la crête des vagues, les montagnes vertes qui fermaient la crique, les pirogues à balancier qui attendaient sur le rivage, les cochons noirs qui sommeillaient au pied des palmiers inclinés, les fleurs exubérantes qui embrasaient les arbres et les buissons, les cris des enfants qui se poursuivaient dans l'herbe, tout ce que l'on voyait, sentait, ou entendait participait à cette même fête païenne de la vie.

Sur la plage trois pêcheurs aux corps lourds et puissants se reposaient en échangeant quelques rares propos. Leurs exclamations répondaient en écho au rire des femmes qui lavaient le linge dans le torrent. Tout cela paraissait mis en scène par Bernardin de Saint-Pierre. J'engageai la conversation par le truchement de l'interprète qui m'avait accompagné depuis Papeete. Les hommes me parlèrent de leur travail. La promenade matinale sur le rivage pour tâter l'eau, sentir le vent, regarder le ciel et savoir s'il y aura du poisson ou s'il n'y en aura pas. La préparation des filets, les trois pas dans l'eau pour lancer la pirogue. En fin de matinée, le retour de la pêche et la vente sur la place du village ou à quelque marchand. Craignant de me laisser prendre au mythe des îles fortunées, je les interrogeai alors sur leurs conditions de vie. Ne manquaient-ils de rien, n'avaient-ils jamais froid ou faim, étaient-ils satisfaits de leur sort ? Leurs rires larges et sonores précédaient toujours les réponses et me dispensaient de toute traduction. Pour trop évident que cela parût, il fallait admettre que ces pêcheurs étaient heureux. D'ailleurs, comment aurait-on pu ne pas être heureux à Tautira ?

Il n'était que cinq heures, mais déjà le soleil faisait flamboyer la surface de l'Océan. En traversant le village pour me rendre à la maison du chef je remarquai qu'il n'y avait point d'hommes en cette fin d'après-midi. Où donc travaillent-ils qu'on ne puisse en apercevoir aucun ? C'est le chef qui, le plus naturellement du monde, me donna la réponse avec ce curieux accent belge particulier aux Tahitiens. « Les hommes ? mais ils travaillent à Papeete ! » Je m'en étonnai, car la capitale se trouve à une centaine de kilomètres. Faisaient-ils chaque jour ce long trajet ? Et j'appris avec effarement que des camions venaient vers cinq heures du matin prendre les hommes du village pour les transporter jusqu'à Papeete où ils travaillaient comme manœuvres dans ces nouvelles entreprises qui ont été créées depuis l'installation du centre d'essais nucléaires. Ils revenaient le soir, tard.

Je voulus savoir pourquoi cette population avait abandonné son éden pour se laisser embrigader dans les pires servitudes de la vie moderne. Mon interlocuteur me répondit avec un sourire émerveillé qu'ils voulaient avoir « la modernité », dont il fit l'inventaire : cyclomoteurs, réfrigérateurs, aspirateurs, ventilateurs. Chaque mot lui fondait dans la bouche comme un mets savoureux.

Perplexe, je repris la route de Papeete. Etaient-ils fous, ces gens de Tautira ? Je repensais aux descriptions de Bougainville : « Je me croyais transporté dans le jardin d'Eden ; partout nous voyions régner l'hospitalité, le repos, une joie douce et toutes les apparences du bonheur[1]. »

Les malheureux ! dans quel piège étaient-ils tombés ? Ainsi, ils s'étaient laissé prendre au paradis des vitrines, eux qui avaient le paradis en apanage naturel ?

Toutes les sociétés occidentales ne sont-elles pas à l'image de Tautira ? Sans doute la nature n'a-t-elle pas été aussi généreuse avec nous. Sans doute nos ancêtres n'ont-ils jamais connu cette douceur de vivre que les

---

1. Bougainville, *Voyage autour du monde.* « Le Monde en 10/18 », p. 195.

Tahitiens trouvèrent si naturellement. Mais, précisément, les ressources de la technique nous permettent d'adapter notre milieu jusqu'à le rendre aussi favorable que la nature tahitienne. Riches que nous sommes de tant d'inventions, n'avons-nous pas les moyens de créer des communautés sereines et fraternelles ?

Ne prenant que le nécessaire dans l'arsenal trop riche du progrès, — tels les pêcheurs de Tautira qui ont fixé des moteurs à leurs pirogues — nous aurions transformé notre vie en gardant le bon, en éliminant le pire. Au lieu de cela, nous avons tout accepté de la technologie et tout sacrifié de notre art de vivre. Tels les habitants de Tautira nous avons choisi l'usine, les encombrements, l'éclatement de la vie, la perte des relations sociales, la dégradation du travail, la hantise du chômage et des fins de mois pour acquérir tout un arsenal de machines que nous n'eussions point désirées si nous ne les avions pas inventées.

Evidemment, il ne peut s'agir, et il ne s'agira jamais de condamner ces moyens nouveaux, nous en avons besoin pour mieux vivre, mais gardons-nous de nous soumettre à la loi de nos serviteurs qui nous asservissent précisément par le besoin que nous avons d'eux.

La dialectique des illusions

Tout ce que nous constatons aujourd'hui traduit une désillusion. Il faut donc admettre qu'il y eut illusion. De fait, rien ne se prête plus aux faux espoirs que l'avancement de la technologie. Chaque nouvelle machine, paraît, à elle seule, promettre une amélioration de la condition humaine, et le public tend à investir les plus grandes espérances dans ces merveilles.

S'il y a déception c'est que ces innovations ne sont pas de nature à résoudre les problèmes qui se posent. L'irritation à l'égard de la modernité est si largement répandue que cette inadéquation des moyens aux objectifs doit être un phénomène très général. Les sociétés industrielles céderaient donc à une illusion en utilisant le recours technique à tout propos et hors de propos. En un premier temps, ces fausses solutions, matérialisées par des machines spectaculaires et toutes sortes de réalisations admirables, donneraient à croire qu'un progrès décisif a été réalisé. Mais ce sentiment serait le fruit d'une pure illusion technique et l'homme se retrouverait bientôt « Gros Jean comme devant » n'ayant fait que déplacer ses problèmes sans les résoudre.

Tel est le mécanisme fondamental qui sera analysé dans cet ouvrage. La technique fournit des moyens qui permettent de changer les conditions matérielles et même biologiques de la vie humaine. En cela, mais en cela seulement, elle est utile et admirable. Il reste que la condition humaine n'est point une situation matérielle mais une expérience psychologique. Les problèmes essentiels ne sont point dans les choses, mais dans les êtres. Les solutions aussi. L'assistance d'une technologie efficace peut aider l'individu à vivre, mais cette aide n'est jamais qu'indirecte et accessoire. Elle constitue souvent une condition nécessaire du bonheur. Jamais une condition suffisante.

Dès lors que cette hiérarchie des valeurs est clairement établie, il apparaît que le recours technique n'est presque jamais *LA* solution, il n'en est qu'un élément. Car l'homme possède en lui, dans les facultés de son esprit, dans les ressources de la vie collective, les premières réponses aux problèmes de sa condition.

Or les sociétés industrielles tendent à limiter leur projet au développement de nouveaux moyens et de nouveaux produits. Leur matérialisme ne refuse pas seulement la spiritualité, il refuse la psychologie et la sociologie, en cela il est inhumain donc irréaliste. C'est un postulat implicite que la condition humaine peut se ramener à une somme de problèmes techniques. C'est un autre postulat que le système capitaliste, plus ou moins corrigé, peut révéler ces problèmes et les résoudre.

Ces postulats sont faux. Il est vrai que le capitalisme est à l'origine de l'extraordinaire dynamisme qui nous a fait franchir tant d'étapes en si peu de temps, mais il est vrai aussi que les résultats de ces efforts sont constamment appliqués à de faux problèmes ou à de fausses solutions. L'entreprise technicienne, étonnante de réussite dans ses réalisations matérielles ne correspond point à la simple réalité humaine. En dépit de son efficacité et de ses succès, elle est profondément irréaliste pour autant que le bonheur vécu de chacun constitue bien la réalité.

Telle est l'illusion technique. Le drame d'une société qui a perdu l'homme et qui développe indéfiniment des moyens sans pouvoir les rapporter à des objectifs corrects. On comprend dès lors que cette illusion provoque ce sentiment sourd de refus. Ce sont les niveaux affectifs les plus profonds de la personne qui ressentent ce décalage entre le milieu technique et le monde intérieur. Cette prise de conscience n'est pas le fait d'une analyse rationnelle et se traduit sur le plan des sentiments par la méfiance, l'amertume et la rancœur. Il n'est pas possible de s'en tenir à ces réactions subjectives. Il faut tenter par une démar-

che, aussi rationnelle que possible, de retrouver les mécanismes de cette illusion et les remèdes qui pourraient être
apportés.

On risque fort, à ce stade, de tomber dans un autre
type d'illusion : l'illusion idéologique. Les sociétés industrielles sont manifestement insuffisantes sur le plan politique. Elles maîtrisent parfaitement les outils de production
et toute la technologie, mais elles sont incapables d'organiser la vie collective sur des bases saines pour tirer parti
de ces moyens.

La critique tend donc à se déporter tout entière sur
le plan de l'idéologie et les solutions qu'elle propose se
ramènent toutes à des changements politiques aussi radi-
caux que simplistes qui devraient résoudre les difficultés.
Voire les faire disparaître. Il appartiendrait à la société
de se donner une organisation et des valeurs propres à
dominer la condition humaine. Ces prolégomènes correctement posés et solidement maintenus, le reste irait de soi
et la mise en œuvre des moyens techniques ne serait
qu'une opération simple et subalterne. Cette illusion, largement répandue dans les pays « révolutionnaires »,
conduit à des désillusions d'autant plus navrantes que les
inventions des gouvernements sont souvent généreuses et
louables.

L'illusion technique est le mal premier des sociétés
industrielles. Elle est au pouvoir alors que l'illusion idéologique se stérilise dans l'opposition. Elle constituera
donc l'objet principal du présent essai.

En première approximation, elle correspond à une perversion du progrès dont les ressources ne sont pas correctement appliquées au service de l'homme. Mais cette
constatation est insuffisante. En un premier chapitre il
faudra rechercher les mécanismes par lesquels la technologie est dénaturée et les causes historiques qui permirent
cette subversion.

Cette approche nous conduira à distinguer plusieurs
processus. D'un chapitre à l'autre, nous verrons le détournement des objectifs par l'impérialisme politique et industriel et le détournement des moyens par la démission
politique.

Dans deux domaines fondamentaux : celui de la justice
et celui du travail, nous pourrons alors rechercher les
différentes formes de l'illusion technique. Il apparaît sur
de tels exemples que l'engagement du progrès dans ces
voies illusoires ne peut avoir pour résultat que d'accroître
les sentiments d'aliénation, de frustration et d'insatisfaction. C'est-à-dire que la rentabilité du progrès devient
extrêmement faible quand on la rapporte au bonheur des
hommes.

Mais cette poursuite d'un bonheur illusoire s'accompagne d'inconvénients de plus en plus grands sur le plan matériel. Elle conduit à gaspiller follement les ressources naturelles, à multiplier les rejets, les encombrements et les inconvénients de toute sorte. Ainsi peut-on s'attendre que la croissance économique, fruit de l'illusion technique, se heurte à des obstacles grandissants dans l'avenir. En persévérant dans cette voie, les sociétés industrielles verront diminuer constamment la productivité de leur travail. Un exemple concret permettra d'illustrer cette analyse : le problème de l'énergie.

Toute cette perversion de la technique est entretenue par une perversion de l'économie. Au lieu de limiter cette discipline à sa fonction naturelle, les sociétés industrielles en ont fait une véritable civilisation. C'est l'économanie. Par cette hypertrophie de l'économie marchande, l'illusion technique trouve un cadre de cohérence à l'intérieur duquel elle reste parfaitement logique et présente toutes les apparences du réalisme.

Des problèmes matériels, il convient alors de passer aux problèmes culturels. Comment se fait-il qu'une civilisation ait pu se laisser entraîner dans une entreprise aussi irréaliste qu'inhumaine ? Elle n'a pu le faire qu'en pervertissant complètement la culture, en détournant l'homme de sa personne pour le tourner vers son patrimoine. Les ressources de la technique ne visent plus à favoriser l'accomplissement de soi, mais à divertir l'individu de sa propre existence.

En définitive, il apparaît que la perversion trouve sa cause première dans les structures mentales autant que dans les structures sociales. Elle tient l'individu et les sociétés au niveau le plus profond et s'impose à tous comme une véritable fatalité.

Un tel survol devrait aboutir à la conclusion que l'illusion technique ne peut que croître et embellir. C'est compter sans l'homme. Si le premier chapitre s'est efforcé de dégager la signification du nouveau refus, le dernier tentera d'en tirer les enseignements pour le futur. Les consciences individuelles et collectives évoluent constamment et de ce fait, l'avenir garde toutes ses chances. Entre les réactions spontanées et l'action politique il reste possible de remettre le progrès sur ses rails, de l'asservir au bonheur des hommes. Parce que la présente démarche entend rester entièrement factuelle et réaliste, elle ne saurait déboucher sur de séduisantes et irréalisables utopies. Il n'importe de savoir ce que pourrait être demain, il importe seulement de savoir qu'il n'est pas inscrit dans le présent et que des orientations bien définies permettent d'en faire une réalité plus conforme aux aspirations des hommes.

Chapitre 2

LA FUITE EN AVANT

Je suis né à Paris au cœur de la civilisation blanche. J'ai étudié jusqu'à vingt-cinq ans. Je possède une automobile, un réfrigérateur, un téléviseur ; je suis abonné au téléphone et je m'enfonce des échardes quand je cours pieds nus dans la campagne. Je suis un homme moderne. Il est né dans une tribu papoue de Nouvelle-Guinée. Il a le même âge que moi. Il va tout nu, le nez transpercé d'un os. Il ne sait ni lire ni écrire, mais il peut survivre dans la nature sans aucune assistance technique. C'est un sauvage.

Si mon père m'avait abandonné à la naissance dans cette tribu, je serais un sauvage. Comme lui. Si un ethnologue avait recueilli le nouveau-né des antipodes, il serait devenu un homme moderne. Comme moi. Car il n'existe aucune différence génétique entre lui et moi. Nous appartenons à la même espèce et rien sous le scalpel du chirurgien ne distinguerait son cerveau du mien.

N'est-ce pas étrange ? Une espèce animale se définit par un certain capital génétique et tous les individus qui partagent cet héritage chromosomique ont les mêmes aptitudes et, à peu de chose près la même vie. Pour l'espèce humaine seule cette relation n'est pas vraie. Les conditions d'existence y sont autant déterminées par le capital génétique que par l'assistance culturelle et technique en sorte qu'elles varient davantage du « civilisé » au « sauvage » que de ce dernier au chimpanzé. Pourtant ce primitif, si différent, c'est aussi l'homme moderne.

Cet écartèlement de l'humanité est un phénomène très récent par rapport à l'hominisation. Mais la distance ne cesse de s'accroître entre les sociétés industrialisées et quelques peuplades, témoins oubliés de nos origines. Un écart entre Eux et Nous ou bien entre Moi et Moi ?

Pourquoi diable, avons-nous provoqué cette rupture, nous, les Blancs ? Pourquoi nous sommes-nous donnés à la science et à la technique ? On voudrait pouvoir répondre que cette entreprise ne fut lancée que pour assurer un plus grand bonheur à tous les peuples. Mais est-ce bien exact ? Pour répondre à cette question, il faut considérer tout à la fois les forces profondes qui ont provoqué la révolution industrielle et les conditions dans lesquelles la technique fut inventée et mise en œuvre.

Ce monde industrialisé, c'est le nôtre. Celui dans lequel nous avons toujours vécu. C'est dire qu'il nous paraît évident. Les façons de penser et d'agir que nous y observons prennent l'apparence d'un ordre naturel et se dérobent à une remise en cause radicale. Pour voir notre monde, il faut en sortir. Reprendre le point de vue des sociétés différentes, des sociétés traditionnelles au sens le plus large. Non que celles-ci puissent en quoi que ce soit nous proposer un modèle. Mais elles peuvent, peut-être, nous apprendre quelque chose sur nous-mêmes.

Le règne de la fatalité

Les sociétés traditionnelles étaient écrasées par la fatalité. Elles devaient accepter un rapport de forces immuable entre la nature et l'homme. Un rapport très défavorable à ce dernier. Les Mayas ne connaissaient pas la charrue et n'imaginaient pas qu'ils pourraient un jour améliorer leurs techniques agricoles. Dans une telle situation, les choses sont ce qu'elles sont ; et les hommes peuvent ce qu'ils peuvent. A tout jamais.

Au contraire, les sociétés contemporaines sont entretenues dans la conviction que ce rapport évolue, et qu'il évolue toujours en faveur de l'humanité. Confronté à une difficulté, le monde moderne tend naturellement à la refuser et à rechercher un nouveau moyen propre à l'éliminer. C'est ainsi qu'une maladie mortelle n'est jamais qu'une maladie que la médecine ne sait pas encore guérir.

Lorsque l'espoir d'adapter la nature à l'homme n'existait pas, il fallait opérer l'adaptation inverse. Faute d'une technologie dominatrice, la société faisait accepter une situation dominée.

Dans certains cas, la contrainte brutale fut utilisée. C'est le cas de l'esclavage. Mais, le plus souvent, une telle acceptation fut obtenue en l'absence de tout système oppressif. La civilisation adaptait l'individu à l'inévitable : au froid de l'hiver, à la mort des enfants, aux épidémies dévastatrices, au travail harassant, etc. Dans les conditions les plus rudes, elles parvenaient même à faire naître des sentiments de satisfaction ou de joie. Etaient-ils heureux ? C'est une question qui n'a sans doute pas de sens quand elle est posée d'un monde à l'autre. La notion de bonheur est totalement liée à une civilisation donnée au point de la définir. La félicité passera pour de la sagesse ou de l'imbécillité selon les critères de référence. Mais il serait bien présomptueux de penser que le bonheur est une idée entièrement nouvelle et que nos ancêtres ne connurent que le malheur. Manifestement ils surent créer des états intérieurs de plaisir, de sérénité, et de contentement dans des situations qui nous paraîtraient excessivement pénibles. Intolérables même. Pour transformer ainsi l'inacceptable en accepté, elles n'eurent d'autres ressources que celles de l'adaptation, mais elles surent en tirer un parti admirable.

Les pouvoirs de l'adaptation

On ne saurait parler de l'homme comme d'un être caractérisé par des aptitudes et un comportement définis. La diversité humaine est relativement faible au stade du nouveau-né, mais elle devient immense à l'âge adulte. Car le nouveau-né porte en lui une infinité d'individus possibles. C'est une page blanche, une mémoire magnétique vierge. Plus exactement, c'est un programme partiellement inscrit qui se met en place progressivement au cours de l'enfance et qui se complète à mesure qu'il entre en fonctionnement.

René Dubos pense que : « la réussite de l'homme en tant qu'espèce est une conséquence de son aptitude à mettre en action un large éventail de virtualités adaptatives [1] ». Cette faculté tient sans doute au caractère « inachevé » du nouveau-né humain qui vient au monde dans un état extrême de dépendance par rapport à son milieu social. Dans les autres espèces animales, la naissance semble intervenir à un stade plus avancé du développement. Le cerveau humain connaît un développement post-natal particulièrement important. Son poids quadruple durant les années d'enfance alors qu'il n'augmente que de moitié chez les singes. Le milieu va imprimer sa marque sur le cerveau en formation et, par conséquent, sur l'esprit du futur adulte.

1. René Dubos : *L'homme ininterrompu*, 1972. (Denoël).

A la naissance, le jeune chimpanzé possède un savoir inné plus important que celui du jeune enfant. Il assurera plus rapidement son autonomie grâce à ce « programme » stéréotypé qui s'est inscrit durant la grossesse. Mais ses possibilités d'adaptation en fonction de l'expérience sont beaucoup plus limitées, en sorte que le petit humain aura vite fait de le dépasser.

De ce fait l'espèce humaine est profondément individualisée. Certes elle possède des aptitudes génétiques communes qui délimitent le possible et l'impossible, mais, entre ces extrêmes, il existe un spectre extrêmement étendu de comportements. Une situation donnée sera ressentie et vécue de façon très différente selon l'individu qui est appelé à l'affronter. Toute référence aux « besoins fondamentaux de l'homme », visant à définir les réponses objectives pouvant apporter la satisfaction, risque de conduire à des généralisations abusives et sans significations. « L'expression « besoins essentiels » n'a donc aucun sens, note René Dubos, parce que les gens, pratiquement ont besoin de ce qu'ils désirent [1]. »

Ce genre d'affirmation, bien qu'elle soit d'observation courante, n'a pas bonne presse. Les puissants l'ont trop souvent utilisée pour justifier l'exploitation des pauvres. « Ces gens ne sont pas comme nous. Ils n'ont pas les mêmes besoins. »

Il est également vrai que les classes privilégiées se sont toujours efforcées d'adapter les classes exploitées à leur condition et qu'elles y ont réussi dans de nombreux cas. Le pauvre n'est pas toujours le moins ardent à défendre le système qui l'opprime.

Soyons donc conscients que cette adaptabilité est un phénomène dangereux et qu'elle peut être la servante zélée de toutes les injustices. Il n'en reste pas moins qu'il s'agit là d'une des caractéristiques essentielles de l'espèce humaine, et qu'à l'ignorer on se condamne à ne rien comprendre aux phénomènes sociaux. Or cette adaptation n'est pas seulement anatomique et physiologique, elle joue au niveau le plus fondamental : celui des défenses immunologiques. L'individu subit une vaccination naturelle de son environnement, qui l'immunise contre les germes pathogènes qui s'y trouvent. C'est dire qu'à trop se protéger contre le monde extérieur, l'homme moderne perd progressivement sa résistance et tend à demander une protection accrue. La technique qui renforce les défenses de l'organisme est bonne, celle qui diminue trop les contraintes du milieu peut être dangereuse.

1. René Dubos : *Cet animal si humain*, 1972. (Hachette).

Du réel au vécu

Mais l'adaptation est pour la plus large part un phéno-mène psychosociologique. Les ethnologues décortiquent les images symboliques créées par les sociétés primitives mais les économistes et les hommes politiques parlent de l'homme moderne comme s'il n'effectuait aucune transposition entre le réel et le perçu, comme s'il avalait tout cru la réalité sensible pour s'en faire une image objective et fidèle. C'est le comble de l'illusion, celle de l'illusionniste qui ne remarque plus ses tours, qui devient victime de sa propre illusion. Nous recréons le monde dans notre esprit, et cette recons-truction est toujours infidèle.

Nous nous étonnons des images « naïves » des primi-tifs — les vaches sacrées des Hindous, le calumet de la paix des Indiens —, car nous croyons avoir une vision saine et réaliste des choses. Le moindre effort d'observation prouve pourtant le contraire.

Pour le Français la grenouille et l'escargot évoquent des mets délicats, alors que pour l'Anglais ce ne sont que des animaux répugnants. Pour ce même Français la « pissotière » est le bâtiment sympathique et utile qui trône sur la place du village. Pour le Britannique c'est un édicule nauséabond malséant.

Ce même Britannique s'accommode sans difficulté d'un système de poids et mesures qui nous semble le plus compliqué et le plus stupide qui se puisse imaginer. Pourquoi les hommes considèrent-ils que les fonctions de secrétaire sont féminines ? L'ancien combattant qui accepte de porter le courrier comme planton ou coursier ne voudrait pas l'écrire comme sténodactylo. Dira-t-on qu'il existe une aptitude naturelle des sexes dans ce comportement ?

On pourrait continuer ainsi indéfiniment. Les psycha-nalystes nous ont montré certains tours de notre esprit pour transmuter la réalité et lui donner une valeur symbolique originale. Mais nous semblons croire que ce phénomène est limité à la sexualité. Que nous n'effectuons pas le même travail dans la vie courante. C'est une erreur grossière.

Comme le dit Jean Fourastié : « Le corps humain se nourrit de choses puisées dans l'univers sensible, cepen-dant il ne reproduit en rien ces choses mêmes : avec des pommes de terre et du bœuf, il produit du corps humain et non pas des pommes de terre et du bœuf.

De même la pensée s'alimente du réel, mais elle ne le reproduit pas, ne le décrit pas, ne désire pas le reproduire... L'homme produit de la pensée humaine et il n'y a ni à s'étonner, ni à se plaindre si cette pensée n'a aucun rapport avec le monde extérieur [1]. » Il en va même jusqu'à estimer que « spontanément l'homme ne cherche pas le réel ». Nous avons largement oublié cette vérité. Nous nous croyons « réalistes ». Les publicitaires semblent être les seuls à tenir compte de l'irréalisme fondamental de l'individu. Ils cherchent délibérément et avec un art remarquable à lui faire prendre des vessies pour des lanternes, des whiskies pour des aphrodisiaques, des croisières pour des explorations, des cigarettes pour des attributs virils, des automobiles pour des marques de puissance et de la distraction pour de la culture.

Mythologie abâtardie qui n'aurait certainement pas permis aux sociétés traditionnelles de survivre en l'absence de la puissance technique. Pour ces dernières, la fonction que nous avons abandonnée aux marchands constituait, en fait, l'essentiel de la civilisation.

La culture totalement intégrée aux structures sociales proposait, imposait même, une vision du monde et un comportement qui adaptait l'homme à sa situation. Le décalage par rapport au réel, ou plus exactement, la recréation mentale du réel, s'effectuait au travers de symboles, de valeurs, de significations concrétisées par l'organisation collective. C'est cette image culturelle et non la réalité objective qui a constitué l'expérience vécue de nos ancêtres.

« Les réactions de l'homme sont moins déterminées par les effets directs des stimuli externes sur sa structure corporelle que par l'interprétation symbolique que chaque personne confère à ces stimuli, note René Dubos [2]. Les modèles et les symboles au moyen desquels l'esprit humain fonctionne sont certes dérivés du monde extérieur, mais ils acquièrent par la suite une existence propre largement indépendante de leur origine effective. »

Voilà certainement la clé de l'adaptation. Elle revient à valoriser les comportements utiles de la société et à les transformer en habitudes et, à l'inverse, à culpabiliser les attitudes qui risqueraient de rompre l'équilibre entre la collectivité et le milieu. Quand l'environnement exige un travail considérable, le système social fait du labeur vertu essentielle. Dans une collectivité constamment mena-

---

1. Jean Fourastié : *Les conditions de l'esprit scientifique.* (Gallimard.)
2. René Dubos : *L'homme ininterrompu*, p. 53 (Denoël.)

cée par ses voisins, c'est la vertu guerrière qui aura le plus grand mérite. Ce système de valeurs doit s'intégrer dans l'organisation sociale. La liberté individuelle est un luxe. L'humanité n'a pu se l'offrir qu'après avoir assuré son emprise sur l'environnement. En l'absence d'une telle technologie, la collectivité peut seule assurer la survie de l'individu. Encore ne peut-elle y parvenir qu'en donnant à l'organisation collective un maximum d'efficacité : en adoptant une structure organique et non individualiste. Dans un organisme chaque cellule tient sa place et remplit une fonction bien déterminée. La santé ne se maintient que par la discipline de chaque élément et l'élimination de tous les déviants. Ainsi en va-t-il dans les sociétés primitives. L'individu y trouve une place, un rôle, un destin pourrait-on dire, fixés dès avant sa naissance. Il n'est même pas besoin d'utiliser la force contre celui qui refuserait de « jouer le jeu ». Il suffirait de le rejeter. Isolé, il ne saurait survivre. C'est à ce prix seulement que des collectivités peuvent affronter un environnement, souvent hostile, sans l'assistance d'une technique avancée.

La sagesse eskimo

L'espèce humaine ne s'est pas cantonnée dans des oasis aussi aimables que Tahiti. Elle s'est répandue dans les régions les plus inhospitalières et, partout, elle a réussi à survivre et même à vivre, c'est-à-dire à créer les conditions d'une existence stable et satisfaisante pour ceux qui la vivaient. De cette adaptabilité humaine, la civilisation eskimo offre sans doute le plus bel exemple. Quelle tête feraient nos ingénieurs si on leur demandait de faire vivre des hommes au Groenland avec les seules ressources techniques du néolithique, sans fusils, sans électricité, sans charbon, sans pétrole, sans véhicules automobiles, sans machines et presque sans métallurgie ? Eux qui savent faire vivre des hommes sur la Lune déclareraient sans doute forfait. Et pourtant les Eskimos vécurent ainsi durant des millénaires avec les seules ressources de l'adaptation traditionnelle. A l'heure des vols interplanétaires, ces peuples du froid, ont encore beaucoup de choses à nous apprendre. L'un des témoignages les plus solides, les plus bouleversants aussi de cette épopée humaine nous a été fourni par Robert Gessaïn, le directeur du musée de l'Homme [1]. Gessain a vécu dans la tribu des Ammassalimut. Grâce à lui nous pouvons comprendre les secrets d'une survie millénaire mais aussi le drame d'un naufrage contemporain.

La civilisation eskimo est d'abord la civilisation du phoque. Elle a développé un arsenal extraordinairement efficace à partir des matériaux disponibles : os, bois flottés, pierres, etc., et s'est organisée pour en tirer un parti admirable. L'adaptation technique, c'est essentiellement la chasse et l'utilisation intégrale du phoque à la fois pour se nourrir, se chauffer, s'éclairer, se vêtir, faire des canots ou des traîneaux.

Chasser le phoque ne suffit pas, il faut encore l'écorcher, le dépecer, répartir les morceaux, récupérer les os, prélever la graisse qui alimentera les lampes, traiter la peau, puis la couper et la coudre. Le chasseur qui a passé toute sa journée à guetter sa proie n'a pas le temps de faire ce travail. Il faut que la femme s'en charge. Le travailleur de base est donc le couple : le chasseur et la bouchère. Les aptitudes à la chasse et au travail de la peau sont des vertus essentielles. Ce sont elles qui, par priorité, feront de l'individu un conjoint recherché.

Durant l'été, on vit sous la tente. Mais durant l'interminable hiver il faut un abri plus solide : une maison qui présente des propriétés tout à fait particulières de robustesse et d'isolation thermique, etc. En outre, la famille va rester enfermée dans sa demeure durant de très longues heures. Ces contraintes impliquent tout naturellement une maison communautaire dans laquelle se regrouperont les membres de la famille patriarcale élargie, c'est-à-dire ceux qui descendent de l'ancêtre commun encore vivant. La maison abritera donc une trentaine d'individus. Plus solidement construite que pourrait l'être une maison individuelle, elle sera aussi plus animée. Mais cet entassement pourrait rapidement conduire à des tensions. Aussi les règles d'occupation des locaux sont-elles strictement codifiées. Jusqu'à la place de chacun dans le lit. Un code de bienséance rigoureux interdit qu'on élève la voix ou fasse trop de bruit. On ne peut vivre en commun sans savoir-vivre.

Les enfants doivent acquérir très jeunes leur propre expérience pour faire face à un environnement aussi rude. Ils jouissent d'une totale liberté, participent à la vie adulte et sont l'objet de la même considération que des adultes. Comment en serait-il autrement puisque l'esprit

---

1. Robert Gessain · *Ammassalik ou La civilisation obligatoire* (Flammarion).

de l'aïeul dont ils portent le nom s'est réincarné en eux ? C'est donc la croyance qui donne le style d'éducation le plus propre à en faire un adulte armé pour affronter l'existence.

Les soirées sont longues, la vie austère, la fête jouera donc un rôle essentiel. On chante, on danse, on joue de la musique. La sexualité s'exprime librement et fortement. Quand les visiteurs sont venus se joindre à la maisonnée, les réjouissances seront suivies dans l'obscurité par « le temps de la liberté sexuelle. Mariés et non mariés prennent part à ces échanges de femmes. La seule interdiction à la formation temporaire des couples reste, comme pour le mariage, la proche parenté jusqu'au cousin germain ».

Cependant l'homme reste dominé. Les accidents de chasse sont nombreux, les famines terribles. Pour résister à l'adversité, il faut d'abord s'appuyer sur un système du monde cohérent qui, s'il ne donne pas toujours un remède, apporte toujours une explication. C'est le rôle de l'angakok, mi-prêtre, mi-sorcier, de trouver les causes du malheur contre lequel l'homme ne peut plus lutter. « L'acceptation de la mort, comme événement de la vie, leur paraît si naturelle qu'ils la devancent souvent quand ils sont âgés ou, plus rarement sous l'emprise d'une grande peine affective. Le suicide est une démarche fréquente qui apparaît à tous comme un acte de liberté individuelle à respecter [1]. »

Destin impitoyable, mais totalement assumé par la civilisation. Ici personne ne triche. L'individu et la société prennent leurs responsabilités.

Parle le vieil homme

Ainsi vécurent les Ammassalimut et tant d'autres peuples primitifs. A décrire aujourd'hui leur civilisation, on y mêle un volontarisme bien étranger à ce monde. L'adaptation traditionnelle ne se calcule pas, ne se planifie pas. Elle se fait, c'est tout.

La survie des Ammassalimut a été assurée par des techniques adaptées au problème que posait l'environnement : le phoque. C'est le harpon, l'aiguille d'os, la lampe-réchaud à graisse, le tannage à l'urine, le kayak. Elles permettent d'exploiter la nature sans la transformer profondément. Mais elles seraient restées totalement insuf-

1. *Ammassalik ou La civilisation obligatoire*, op. cit.

fisantes si elles n'avaient été mises en œuvre au sein d'une organisation sociale propre à en tirer la plus grande efficacité. Si la beauté, le rang ou la fortune avaient été les suprêmes vertus féminines l'exploitation totale du phoque n'aurait pas été assurée et ce gaspillage aurait eu des conséquences catastrophiques. Si des règles de savoir-vivre précises, le dénigrement systématique de sa propre personne, la distribution des locaux, la répartition des tâches n'avaient pas été respectées, la technique de la maison commune se serait révélée impraticable. La règle absolue de l'hospitalité et de l'entraide est une sorte d'assurance qui permet de prendre certains risques et d'augmenter l'efficacité de la chasse. Ainsi la technique n'apporte-t-elle jamais qu'un élément de la solution. C'est son utilisation dans une structure sociale et un système culturel donné qui constitue la réponse aux défis de la nature.

Une réponse bien insuffisante comme nous l'avons vu. Nous parlons sans cesse des « stress » de la vie moderne qui déséquilibrent la personnalité, détériorent les relations sociales, dégradent la vie familiale et pourtant... que représentent les traites de fin de mois, la crainte du chômage et la fatigue des voyages en métro en comparaison des menaces incessantes qui pesaient sur les Ammassalimut et des épreuves qui s'abattaient périodiquement sur eux. Comment des hommes menacés par les pires famines, par tous les accidents d'une vie aussi dangereuse, pouvaient-ils conserver leur équilibre ? Comment n'étaient-ils pas névrosés, paranoïaques, hypernerveux ? Et comment ne sombraient-ils pas dans le plus morne ennui durant ces interminables semaines de ténèbres ? Pourtant le récit de Robert Gessain, pour ne citer que lui, ne permet pas de douter que cette société était saine et équilibrée. Cet équilibre puisait sa source dans ce « système du monde » qui prenait l'individu dès sa naissance. Oui, la souffrance, le froid, la faim et la mort avaient la même réalité physique que pour nous, mais ils étaient vécus différemment. Les soirées dans la grande maison commune nous auraient fait périr d'ennui, pourtant les Ammassalimut ne connaissaient ni la morosité ni la neurasthénie. La richesse des relations sociales, de la créativité culturelle, des orgies sexuelles parvenait fort bien à faire vivre ce temps en l'absence de tout agrément extérieur.

L'angakok n'était pas moins essentiel que le harpon, ni la mythologie que la chasse, ni la politesse que l'architecture, ni les rapports du couple que l'art du dépeçage. Les Ammassalimut, conclut Gessain « vivaient en accord avec eux-mêmes et leur milieu grâce à la perfection de

1. Robert Gessain : *op. cit.*

leur adaptation technique et par l'effet de leur système du monde. »

Mais une telle civilisation a besoin pour survivre de stabilité, d'exclusivité, de nécessité. C'est pourquoi il faut parler au passé de cette civilisation, étrangère aux jeunes Ammassalimut qui sculptent en série des objets dont ils ne comprennent plus le sens, pour approvisionner en souvenirs les boutiques de Copenhague. Désormais on tue le phoque au fusil, pour sa peau, et l'on vend celle-ci à l'intention des skieurs étrangers afin de se procurer l'assistance technique qui, seule, peut compenser la destruction des anciennes structures sociales.

C'est une histoire banale, que celle de ce petit peuple arctique. Elle s'est répétée des centaines de fois en Afrique, en Asie, en Amérique latine, dans les déserts, dans les forêts, dans la jungle. A Tahiti, comme au Groenland, c'est toujours la même chose. Il ne s'agit ni de juger, ni de regretter, simplement de tirer la leçon de ces sociétés avant qu'elles ne disparaissent. Du fond des âges le vieil homme nous dit que les ressources de l'esprit humain et de l'organisation sociale peuvent nous aider à trouver l'équilibre et le bonheur par une recréation proprement humaine de notre condition. Non point en les imitant, mais en puisant à la même source pour faire autre chose.

Nous allons parler de nos sociétés industrielles, de notre puissance, mais nous ne devrions jamais les considérer sans conserver présente à l'esprit la richesse native de l'espèce humaine. Si nous achetions notre progrès matériel au prix de ces ressources intérieures, nous perdrions d'une main ce que nous gagnerions de l'autre. Il s'agit d'ajouter et d'intégrer la puissance technologique dans cette construction individuelle et collective. Ajouter et non remplacer une solution par l'autre. Mais, en vérité, qu'avons-nous fait ?

La civilisation insoumise

Nous avons refusé la fatalité ; nous avons déplacé l'adaptation de l'espèce au milieu. Le refus des contraintes naturelles est devenu l'attitude première de notre civilisation. L'équivalent de l'acceptation chez nos ancêtres. Nous voulons avoir des fraises en hiver, des cœurs de rechange, du soleil sur commande, des enfants à volonté, des remèdes à toutes nos maladies.

En chacun de nous s'agite un petit despote impatient et capricieux qui tape du pied et fait des colères à la moindre contrariété.

Ainsi sommes-nous. Ainsi étions-nous il y a encore peu de temps. Mais voilà que nous refusons nos propres esclaves. Seraient-ils en train de nous jouer un tour « à la Spartacus » ? Contrairement à la nature qui s'impose à l'humanité, le progrès est une entreprise volontaire et délibérée. Or le public a le sentiment que le développement industriel et technique suit des lois étrangères à l'homme et qui s'imposent à lui. Etrange retournement du premier au deuxième refus, de la première à la seconde fatalité ! Comment l'homme moderne peut-il se retrouver l'esclave de ses propres esclaves, le prisonnier de son propre château ? C'est une histoire qui vient de loin. Des origines mêmes de la civilisation industrielle.

La révolution industrielle a commencé au moment où se développaient la science et la technique, ce n'est pas par hasard. Mais ce serait une erreur de croire que c'est le machinisme qui a lancé l'industrialisation.

Qu'y a-t-il de particulier à l'origine de cette grande mutation ? Des détenteurs de capitaux ? Ce n'est nullement exceptionnel. Il existait « d'authentiques capitalistes » dans la Mésopotamie antique. Une classe privilégiée qui exploite le peuple ? Phénomène banal. Une économie d'échange qui permet le développement des flux d'argent et de marchandises ? Cela non plus n'est ni bien nouveau ni bien original.

L'ascension bourgeoise

Aucune de ces conditions n'était suffisante. La révolution industrielle appelait d'abord un esprit nouveau, une recherche permanente de l'efficacité, c'est-à-dire la mobilisation de la raison pour atteindre le meilleur résultat pour le moindre effort.

« Ce qui à mes yeux, fait le caractère distinctif, l'originalité de la civilisation moderne, c'est que le principe de Maupertuis, « le principe de moindre action » (que je préfère dénommer le principe d'efficacité) l'a entièrement saisie et informée [1] » estime Bertrand de Jouvenel.

La croyance nouvelle que notre action est transformable et perfectible par la démarche rationnelle, et que le moyen le plus efficace est toujours le meilleur pour atteindre le but concret qu'on s'est fixé, c'est en définitive, l'instinct profond du progrès. Que la classe dominante en ait été pénétrée, le terrain était prêt pour la révolution industrielle.

1. Bertrand de Jouvenel : *Arcadie, essais sur le mieux vivre,* (Futuribles 1968).

Mais cette attitude qui nous paraît si naturelle était en réalité révolutionnaire. La femme ammassalimut refaisait les gestes appris de sa mère. En dépeçant le phoque, elle ne faisait pas seulement un travail de bouchère, elle accomplissait un véritable rituel. Elle n'aurait pu le changer sans modifier profondément les traditions culturelles de la société.

Il faut comprendre deux choses : pourquoi ce principe a pu ainsi se manifester et pourquoi il s'est orienté vers la production. En effet on aurait pu imaginer qu'il soit détourné tout entier vers les activités guerrières par exemple ou dans l'administration et la police de l'Etat. Or c'est la production qui va être transformée par cette recherche de l'efficacité.

C'est ici que la bourgeoisie entre en scène, c'est elle qui va faire prendre le virage à l'humanité. Dans de nombreuses sociétés, des classes privilégiées vivaient du travail des autres. Mais elles se contentaient de prélever une rente sur la production sans chercher à l'organiser. Classes politiques, classes militaires, classes sacerdotales, elles considéraient précisément que leur principal privilège était d'échapper à l'entreprise de production. Car cette activité était subalterne, les tâches nobles étaient la religion, la guerre, l'exercice du pouvoir, les arts, etc., mais certainement pas les basses besognes de l'agriculture ou de l'artisanat. Le bourgeois lui-même se cantonnait dans le négoce et l'administration. Il ne se souciait pas de savoir comment étaient fabriqués les biens qu'il vendait.

A la limite, la promotion sociale consistait précisément à sortir des activités économiques. Songeons à cette scène du *Bourgeois gentilhomme* de Molière où monsieur Jourdain veut absolument nier que son père ait vendu du drap. Il ne peut prétendre à la noblesse que s'il se désintéresse du commerce et à plus forte raison de la production, s'il « vit noblement ».

Au XVIII° siècle, la situation évolue. Voltaire écrit dans ses *Lettres anglaises* : « Je ne sais pourtant lequel est le plus utile à un Etat ou un seigneur bien poudré qui sait précisément à quelle heure le Roi se lève... ou un négociant qui enrichit son pays... »

Lorsque cette bourgeoisie prend le pouvoir, elle redouble d'intérêt pour les activités économiques. Comme le souligne Jouvenel : « l'homme du profit remplace l'homme de la rente ». Le possédant ne se contente plus de prélever sa part de la production, il organise le travail. Voilà l'acte révolutionnaire : centrer la civilisation sur la production de biens matériels.

1. *Arcadie, essais sur le mieux vivre, op. cit.*

La production : un sous-produit

Ce primat de l'économie, qui constitue une anomalie dans l'histoire des civilisations en ce qu'elle s'affirme comme la première valeur sociale et non comme une nécessité sous-jacente, s'explique par l'affaiblissement des pouvoirs non économiques, dans les siècles précédents. A la fin du XVIII° siècle les privilèges maintiennent au pouvoir des classes qui ne représentent plus l'autorité réelle. Ni morale ni matérielle. Ils bloquent le jeu au détriment de la bourgeoisie montante. La révolution les jette à bas. La vieille société organique qui s'était soudée à une époque où la religion et la force armée tenaient effectivement le pays, cède la place à une société individualiste. On a redistribué le jeu : à chacun d'abaisser ses atouts. Les cathédrales, les palais et les casernes ne font plus le poids face aux banques et aux manufactures. Désormais la bourgeoisie n'aspire plus à se fondre dans les autres classes. Il lui suffit de les contrôler. Elle doit garder l'essentiel du pouvoir : l'appareil de production. Le producteur reste producteur.

Ce schéma ne constitue nullement une explication historique en ce sens qu'il ne remonte pas aux causes premières.

Il montre simplement qu'un groupe social, la bourgeoisie, acquiert une mentalité nouvelle. Imbue de l'esprit rationaliste, du principe d'efficacité, elle applique sa volonté de puissance au seul secteur qui lui reste ouvert : la production. Son entreprise, poussée par les progrès technologiques, favorisée par la décadence des forces rivales, la conduit au pouvoir. Mais en général, la classe qui conquiert le pouvoir, s'empresse de bloquer le jeu. Elle fige sa position dominante dans des structures inégalitaires qui renforcent ses privilèges. S'il en avait été ainsi, le développement industriel se serait arrêté. Or la bourgeoisie au pouvoir redouble d'intérêt pour la production et enclenche un processus évolutif de croissance économique. Elle met en place un système économique et culturel qui survivra à la classe possédante du XIX° siècle.

La bourgeoisie qui s'était servie de l'égalité comme alibi pour abattre les privilèges qui lui barraient le pouvoir, ne pouvait les rétablir ouvertement. Une telle restauration à son profit de l'ordre ancien aurait été à l'encontre de la morale qui avait nourri toute l'entreprise. Le bourgeois s'enorgueillit de ne pas devoir sa position aux structures sociales. Il veut que la fortune dont il est détenteur, mesure sa valeur. Et pour donner quelque crédibilité au nouveau système, il faut laisser le jeu ouvert. La compétition au sein d'une société individualiste et « égalitaire » devient le fondement de la morale bourgeoise, la justification et l'alibi du nouveau pouvoir fondé sur la richesse matérielle.

« La civilisation bourgeoise est une civilisation de lutte où règne la loi de la jungle... Tout l'ordre social repose sur la victoire du plus capable, du plus intelligent, du plus fort.

« Le sentiment de l'égalité des hommes est à l'origine de la volonté de réussite sociale, de l'appétit de lutte et de victoire individuelle qui caractérise la bourgeoisie parisienne en 1827 [1]. »

Tel est l'entrepreneur de la société industrielle : maître de forges, filateur ou banquier. Notre père à tous. Un homme puissant mais condamné à lutter sans cesse pour consolider et accroître ce pouvoir toujours menacé. Il ne cherche pas le profit par cupidité, car il en jouit peu. Il réalise des bénéfices énormes : « Vers 1880 le textile rapporte 15 % l'an environ, mais la métallurgie facilement 35 % et la chimie parfois plus [2] », mais il ne les gaspille pas en dépenses ostentatoires à la manière des nobles d'antan. Pour le petit comme pour le grand bourgeois, l'épargne est la vertu dominante. L'épargne c'est-à-dire la réserve de puissance, l'atout dans la manche. Dans cette société ouverte les jeunes loups ne manquent pas. Périodiquement l'un d'entre eux rejoint la bourgeoisie. C'est admis. Les autres possédants s'enrichissent encore. Dans ces conditions celui qui préfère la consommation à l'épargne risque de reculer, de s'écrouler peut-être.

Toutes les conditions sont réunies pour la croissance économique, mais il est nécessaire de bien comprendre que celle-ci n'est qu'un sous-produit de la course au pouvoir, une expression de la volonté de puissance. Dans un autre système cette volonté de puissance se serait traduite par des exploits guerriers, des palais ou des temples. Ne soyons pas dupes de l'entreprise. Les dynasties bourgeoises n'utilisent pas l'économie pour améliorer les conditions de vie des citoyens.

Elles construisaient des empires industriels comme les cités rivales construisaient des cathédrales au Moyen Age.

1. Adeline Daumard : *Les bourgeois de Paris au XIXᵉ siècle*. (Flammarion. 1970).
2. Jean-Pierre Rioux : *La révolution industrielle 1780-1880*, 1971. (Editions du Seuil)

Plus grand était le monument, plus éclatante était la
puissance de la cité.

Aussi peut-on conclure avec Bertrand de Jouvenel que
« la recherche du profit n'a été que l'aspect sous lequel
le principe d'efficacité a stimulé les individus et, en quelque sorte, une « ruse de l'histoire... » le développement de
la puissance était le but, et l'obtention de bien-être croissant a été un sous-produit[1]. »

Si l'on oublie que la révolution industrielle fut une
entreprise dérivée, c'est-à-dire conduite sans objectif, sans
dessein autre que la volonté de domination, on ne peut
comprendre son ignorance, voire son mépris de l'homme.
Elle fut outil de pouvoir pour une classe et son système
de civilisation pour une société.

La seconde révolution industrielle, celle d'Henry Ford,
remet le système sur ses jambes. On pourrait alors penser
que l'objectif de l'entreprise n'est plus la puissance de
quelques-uns, mais le bonheur, plus ou moins bien réparti,
de tous. L'élévation générale du niveau de vie ne va-t-elle
pas de pair avec celle de la production ? On pouvait
contester le pouvoir bourgeois, on peut plus difficilement
contester l'amélioration constante du bien-être.

Cependant l'accroissement de la consommation n'est
toujours qu'un sous-produit. La motivation principale reste
l'affrontement des empires industriels. Ceux-ci veulent
sans cesse renforcer leur puissance, mais ils doivent désormais mobiliser à la fois la force de travail et la capacité
de consommation. Dans ces luttes, l'enjeu n'est pas l'amélioration du niveau de vie, encore moins l'utilité sociale,
c'est l'augmentation du chiffre d'affaires. Quelle que soit
la nature des biens produits, quelles qu'en soient les conséquences sociales, quel que soit l'ordre désirable des priorités, le vainqueur est toujours celui qui gagne le plus
d'argent.

Comme il faut faire consommer pour produire et qu'il
faut produire pour prospérer, on pose en principe que la
consommation doit augmenter. Que le peuple soit affamé
ou gavé, il est toujours utilisé au service de la puissance.

Désormais l'impérialisme est dans les structures et non
dans la soif d'enrichissement de quelques-uns. Cette
volonté de puissance et de croissance se retrouve dans
toutes les entreprises, indépendamment du capital. Au
cours du xxᵉ siècle le capitalisme s'est considérablement
transformé. D'une part le nombre des actionnaires a crû
de façon vertigineuse dans certaines sociétés. Aux Etats-
Unis notamment. D'autre part, les pouvoirs publics ont
pris le contrôle de larges secteurs industriels à travers les

1. Arcadie, *op. cit.*

nationalisations ou la création d'entreprises. Enfin la gestion est de plus en plus assurée par des managers et cadres salariés, la « technostructure » selon l'expression à succès de Galbraith, qui détient le pouvoir effectif, sans détenir les actions. En dépit de cette triple évolution, l'impérialisme industriel n'a fait que croître et embellir. On le retrouve également dans des entreprises capitalistes « classiques » comme les avions Marcel Dassault, des entreprises à technostructure comme C.G.E., ou Saint-Gobain-Pont-à-Mousson et des entreprises publiques comme ELF-ERAP, E.D.F. ou Havas.

Cette volonté de croissance à tout prix n'est pas liée à une recherche du profit au sens le plus élémentaire. Les dirigeants ne cherchent pas à gagner plus d'argent pour se payer de nouveaux plaisirs. S'ils possèdent l'entreprise, ils disposent de revenus si élevés qu'ils sont d'ores et déjà incapables de les dépenser. Ni M. Michelin, ni M. Dassault, ni Edmond de Rothschild ne peuvent consommer le quart de leurs revenus. Ils doubleraient leur fortune, qu'ils ne vivraient pas mieux. Quant aux managers salariés, ils ne profitent guère de l'accroissement des bénéfices. C'est particulièrement évident dans les entreprises publiques. En définitive la volonté de développer ses affaires pour jouir de revenus plus élevés se rencontre dans les petites et les moyennes entreprises. Pas dans la grande industrie.

Ici ce sont les hommes et les structures qui sont saisis par la volonté de puissance. Le système est tel qu'il sélectionne les individus qui ressentent le plus fortement ces motivations. Un propriétaire peut toujours se désintéresser de la croissance et se contenter de dépenser ses bénéfices, mais le directeur salarié n'a atteint son poste qu'en manifestant des aptitudes particulières qui sont dans la logique du système.

De même que la bureaucratie soviétique a sélectionné des fonctionnaires dogmatiques et autoritaires à son image, le système industriel a placé à sa tête des entrepreneurs dynamiques et avides de puissance. On pourrait fort bien imaginer que l'appareil de production manifeste les mêmes caractéristiques en dépit d'une nationalisation générale de toutes les grandes entreprises.

Le système industriel possède désormais son propre dynamisme, son impérialisme, indépendamment de la possession publique ou privée, concentrée ou dispersée, du capital. Il sélectionne les hommes et leur impose à tous le même jeu. Ce n'est pas une révolution sociale, mais une révolution culturelle qui pourrait changer fondamentalement l'emprise des volontés de puissance sur ces sociétés.

La technologie récupérée

Le progrès technique est asservi aux objectifs de l'industrie qui le met en œuvre. La logique du système industriel conduit à une croissance quantitative, celle du progrès conduit à un changement qualitatif. Cette deuxième possibilité, tout comme la première, ne sera pas utilisée au service de l'homme, mais de l'impérialisme industriel. « Ce qui est bon pour General Motors est bon pour l'Amérique » c'est le principe. L'innovation technologique est considérée en fonction de l'intérêt particulier des entrepreneurs et non en fonction de l'intérêt général.

A ce titre elle est appréciée et fortement développée. En revanche toutes les solutions de type sociopolitique qui ne correspondent à aucune expansion industrielle sont dédaignées.

C'est ici que, derrière l'entrepreneur, se profile l'ingénieur. Sans lui le système aurait rapidement suscité une réaction quasi instinctive de rejet. Les hommes auraient bien vu tout ce qu'ils sacrifiaient à cette accumulation anarchique de biens matériels. Avec lui l'illusion technique tend son piège. La société industrielle, engagée dans la mauvaise direction a toujours la possibilité de rechercher en avant la solution qu'elle n'a pas encore trouvée. Elle est rivée à son rail. L'erreur doit être corrigée par une autre erreur.

L'ingénieur c'est l'homme du progrès technique. Celui qui fait le lien entre le chercheur dans son laboratoire et le citoyen dans la cité. C'est lui qui mobilise la découverte. Il est terrifiant d'imagination et d'efficacité.

Pour bien illustrer ces ressources de l'imagination technicienne, prenons d'abord un exemple qui n'est guère susceptible de contribuer au bonheur des hommes, mais qui se prête admirablement à la fuite en avant dans la technologie : l'art militaire. Ici les problèmes sont simples comparés aux situations sociales, les contraintes économiques sont très largement diminuées, c'est de la puissance technique à l'état pur. Un véritable exercice d'école. Dans un camp le canon, dans l'autre la cuirasse. Au lendemain de la dernière guerre le canon l'emporte avec la bombe atomique. La cuirasse s'attaque au point faible du système : le vecteur. La bombe est imparable, le bombardier est interceptable. On installe des réseaux de radars pour repérer les avions, on améliore les chasseurs intercepteurs, on met au point les têtes chercheuses. Nouveau problème pour le canon qui développe les contre-mesures électroniques pour aveugler les radars. A la fin des années 60 le camp du canon paraît prendre un avantage décisif avec le missile balistique. Mais voici qu'il peut être repéré et détruit au sol avant son lancement. D'où la riposte : des satellites espions pour repérer les sites de fusées. Qu'à cela ne tienne, le camp du canon cache ses missiles au fond des mers et grâce aux sous-marins nucléaires lance Polaris. Le camp de la cuirasse ne désespère pas. Ne pouvant détruire les missiles, il étudie l'interception des têtes nucléaires. Et les ingénieurs trouvent. Car ils trouvent toujours. Le rayonnement d'une charge nucléaire explosant dans la haute atmosphère peut mettre hors d'usage des ogives assaillantes passant à des kilomètres de distance. On développe fébrilement des missiles antimissiles qui utiliseront cette technique.

Nouveau problème pour les ingénieurs du canon, nous-velle solution. Ils inventent les M.I.R.V. Désormais la fusée ne lance plus une bombe, mais un véritable bombardier balistique. Ce dernier tire depuis l'espace des petites fusées à tête nucléaire qui se dirigent chacune vers un objectif différent. Certes les bombes sont plus petites, moins puissantes, mais on a amélioré le guidage. Du kilomètre on est passé à la centaine de mètres. L'efficacité est la même. Les antimissiles ont échoué.

Les ingénieurs du canon mettent alors au point la bombe orbitale rasante qui contourne la terre à faible altitude et n'est détectable par les radars qu'au tout dernier instant. Tandis que les ingénieurs de la cuirasse perfectionnent leurs satellites espions. Grâce aux réseaux d'espions spatiaux, ils suivent les tirs « en direct ». En outre les nouveaux radars réfléchissent leurs faisceaux sur la haute atmosphère et voient au-delà de l'horizon.

Les antimissiles sont-ils efficaces ? En dépit de leur accélération foudroyante et de leur guidage par radar électronique et ordinateurs certains en doutent. Aussi les ingénieurs de la défense préparent-ils le rayon laser de très grande puissance qui attaquera la bombe assaillante à la vitesse de la lumière. Ils ne désespèrent pas de dénicher aussi les sous-marins au fond des océans. Ils ont truffé la mer de micros sous-marins, les hydrophones et les radars acoustiques : des sonars. Ils mettent au point d'énormes programmes d'ordinateurs qui devraient être capables de distinguer la présence d'un submersible de celle d'une baleine ou d'un banc de crevettes. Ils étudient fébrilement les outils de détection gravimétriques, magnétiques, thermiques. Demain, espèrent-ils, les satellites espions « verront » les sous-marins en plongée depuis l'espace.

Cependant, les ingénieurs de l'attaque ont déjà étudié les satellites intercepteurs qui pourraient bien éliminer ces robots spatiaux trop curieux. Ils préparent les sous-marins de grande profondeur. Et silencieux. Ils remplacent les fusées Polaris par des missiles de très grande portée. Le bâtiment n'a plus besoin de s'approcher des côtes pour tirer. A tout hasard les états-majors étudient l'installation de bases sous-marines sur le plateau continental, voire sur la plaine abyssale. Dans l'autre camp, les plans de sous-marins intercepteurs de grands fonds ont déjà été préparés. Mais il faut encore se méfier des bombardiers rase-mottes qui filent au ras des clochers, des vedettes rapides déguisées en inoffensifs navires de pêche, les catastrophes naturelles artificiellement provoquées, de la guerre chimique, etc. N'ayez crainte, les ingénieurs de la défense trouveront la parade. Il suffira de leur donner de l'argent, toujours plus d'argent et le jeu continuera indéfiniment.

Car il n'est pas possible d'arrêter cette course. La nouvelle arme n'est jamais qu'une étape, qui entraînera une riposte et ainsi de suite. Le système industriel trouve largement son compte à ce jeu. Les Etats socialistes n'en sont pas moins friands.

L'intérêt des « marchands de canons » n'explique pas tout. C'est l'illusion technique qui entretient cette fuite en avant. Dans chaque camp on veut croire que la sécurité est un problème technique. Alors qu'on a dépassé toutes les limites décentes de l'absurdité, que chacun a de quoi tuer des dizaines de fois son adversaire, le vertige emporte encore les stratèges et les ingénieurs.

C'est à dessein que ce premier exemple a été choisi. Tout le monde sait que l'appel à la technique est illusoire, que la vraie solution est d'un autre ordre. Il est évident que la sécurité ne peut naître que de la négociation politique et du désarmement. Mais nul ne sait comment sortir de la dialectique des armements.

La fuite en avant

Deux choses paraissent surprenantes. D'abord cett: recherche éperdue d'une solution dans une voie qui, de toute évidence, n'y conduit pas.

Ensuite l'inépuisable imagination des ingénieurs. Sitôt qu'une solution a fait faillite, ils en découvrent, non pas une autre, mais dix autres. Pour les états-majors, le problème n'est jamais de trouver un moyen, il est seulement de choisir parmi les nombreux projets qui sortent des bureaux d'études. Quand la technologie s'empare d'un problème elle ne le lâche plus.

L'exemple du Vietnam est saisissant à cet égard. On a dit que les Américains avaient cherché une solution militaire. C'est faux. Ils ont cherché une solution technique. Ils n'ont jamais pensé que le combattant américain serait supérieur au combattant vietcong, ils ont cru que la technique américaine pourrait venir à bout du Vietcong. Personne n'ignore depuis dix ans que c'est une illusion. Mais les centres d'essais étaient si fertiles en inventions ! Plus la bataille devenait difficile, plus ils avaient d'imagination. Gaz incapacitants, pluie artificielle, bombes à fragmentation, détecteurs infrarouges, guidage laser des bombardements, hélicoptères rapides, défoliants, bombes à effets de souffle, bombardiers robots. Comment se libérer de l'illusion technique alors que la panoplie des gadgets ne cesse de se perfectionner ? Ne suffirait-il pas de tenir encore quelques années pour que la guerre par robots interposés supprime toute perte de vie humaine ? De vies américaines s'entend. Et par conséquent à quoi bon s'engager dans la voie si difficile de la solution politique ? Ce serait trop bête d'en assumer les inconvénients alors que le miracle technologique est peut-être sur le point de se produire.

Ce piège de l'illusion technique, est partout présent dans notre vie moderne. Les grandes villes sont invivables ? Les techniciens offrent leurs services. Les embouteillages bloquent la circulation ? On superpose deux ou trois voies de roulement, on crée un réseau de circulation rapide à cinquante mètres sous terre. La place pour stationner fait défaut ? On construit des parkings de trente étages avec ascenseurs rapides. La pollution rend l'air irrespirable ? On met au point des pots catalytiques et autres systèmes épurateurs. Les espaces verts disparaissent ? On multiplie les autoroutes de sortie pour les évasions dominicales. Le ramassage des ordures devient une charge trop lourde ? On crée un réseau automatique d'évacuation ou des incinérateurs d'immeuble. La grande métropole sauvage engendre la violence ? On renforce les verrous et les portes. Les malfaiteurs entrent par les fenêtres ? On installe des vitres blindées et des grilles. Les bandits qui ne peuvent plus pénétrer dans les habitations, attaquent les passants dans les rues ? On développe les moyens de surveillance automatiques, on met des caméras de télévision à chaque carrefour. On invente des armes de défense infaillibles pour les citoyens. La violence se réfugie ailleurs ? Aucune importance, déjà les chercheurs s'en occupent. On ne va tout de même pas se demander pourquoi la criminalité augmente et quelles mesures sociales seraient propres à la faire diminuer. Ce genre d'interrogation, c'est bien connu, débouche toujours sur des solutions inapplicables. Avec la technique en revanche, on sait où l'on va.

Après le naufrage du Torrey Canyon et la « marée noire » un fabricant astucieux lança un produit qui devait « ôter de votre corps le mazout des plages ». Imaginons la suite de ces recherches en poursuivant dans la même logique. Les plages sont sales, il faut donc nettoyer les gens qui se salissent. Quoi de plus rationnel ? Mais il se pourrait que ce produit finisse par irriter la peau des baigneurs. Un ingénieur pharmacien inventera alors la pommade qui supprime l'irritation du produit qui retire le mazout. Et si d'aventure cette pommade sent mauvais ? Un ingénieur parfumeur inventera le désodorisant qui élimine l'odeur de la pommade qui supprime l'irritation du produit qui ôte le mazout.

Et si les produits de nettoyage demeurent un jour impuissants ? On lancera alors un grand concours pour remédier à la pollution des plages. Les bureaux d'études soumettront leurs projets. Le premier proposera de plonger les baigneurs dans une solution de matière plastique qui se polymériserait sur les corps en une fine pellicule transparente. Après le bain de soleil, on l'abandonne toute crottée, comme le serpent qui perd sa vieille peau lors de la mue. Le deuxième entreprendra de surélever la plage pour qu'elle soit à l'abri de la mer et de ses souillures. Le troisième plus radical, voudra construire un mur en plastique transparent entre mer et plage. Le quatrième concevra des plages artificielles installées à l'intérieur des terres. Les baigneurs seront cuits par le rayonnement, savamment dosé en infrarouges et ultraviolets, d'une batterie de projecteurs. Ils verront une mer australe de rêve projetée en couleurs et en relief sur un immense écran circulaire. Ajoutez un système de ventilation qui fera passer toute la gamme des brises et des grands vents, des embruns et de l'odeur marine et l'illusion sera parfaite.

Le cinquième projet nécessitera l'installation au fond des mers de gigantesques bassins fermés aux parois transparentes. L'eau y sera épurée, parfumée, baptisée et le nageur jouira du spectacle magnifique des fonds marins tout en étant préservé de ce milieu inhospitalier.

Et jamais on n'écoutera la voix de l'enfant disant : « Dis, maman, pourquoi y a-t-il du mazout sur les plages ? »

Les limites de la technique

Il ne s'agit pas de condamner le progrès technique, mais de dénoncer l'illusion technique, c'est-à-dire une utilisation absurde des possibilités qu'il nous offre. Car il est des problèmes qui ne sont pas de nature exclusivement technique. Témoin l'épineuse question des transports urbains. Lorsque la possibilité de construire des véhicules auto-tractés apparut au XIXᵉ siècle, la recherche s'orienta d'abord vers les moyens collectifs : trains, métros, trottoirs roulants qui impliquaient une organisation publique pour la mise sur pied de ces services. Puis on vit apparaître la voiture individuelle. Dans une société qui satisfait les riches avant les pauvres et l'intérêt particulier avant l'intérêt général, elle présentait tous les avantages. Confortable, rapide, disponible en toute heure et en tout lieu pour conduire son maître où il voudra et quand il le voudra. Le transport de rêve ! D'autant plus que l'automobiliste ne paye ces avantages qu'un prix modique car la société lui prête gracieusement l'espace qu'il occupe. Cette solution paraissait tout aussi commode pour les gouvernements qui n'avaient qu'à entretenir des voies de circulation — ils pouvaient difficilement s'en dispenser — sans se préoccuper d'organiser un service public. Voilà donc un effort purement technique et industriel : la fabrication d'automobiles et la construction de voies nouvelles. L'aspect proprement politique se limitant à la rédaction d'un simple code de circulation. Commençait le règne de « la bagnole ».

Mais les avantages de l'automobile sont en grande partie illusoires. Lorsque chaque citadin devient automobiliste, la « solution automobile » devient extravagante. Songeons aux aménagements qu'il faudrait réaliser pour « adapter Paris à l'automobile », c'est-à-dire pour permettre aux Parisiens de circuler à 50 km/h, se garer aisément, sans pour autant vivre dans un parking strié d'autoroutes urbaines. C'est définitivement impossible, à moins de remodeler complètement la capitale pour convertir, comme à Los Angeles, la moitié de sa superficie en voies de circulation.

En misant sur l'automobile, en laissant se créer les mégapolis, en éloignant toujours davantage le travail de l'habitat, les sociétés se condamnaient à l'illusion technique. C'est alors qu'elles redécouvrent les transports en commun. Une fois de plus, les ingénieurs vont trouver des solutions-miracles. En quelques années les bureaux d'études inventent des dizaines de moyens de transport nouveaux : trottoirs accélérés, cabines automatiques, véhicules à suspension magnétique ou à coussin d'air. Il y en a pour tous les goûts et pour tous les problèmes. En 1973, à Paris se tient une exposition des nouveaux moyens de transport. Que de merveilles croirait-on ! En fait, chacun paraît avoir inventé la solution idéale pour un grand aéroport moderne à construire sur un terrain vierge. Mais le visiteur qui a perdu trois quarts d'heure dans la circulation parisienne ne voit pas bien le rapport entre ces conceptions futuristes et la réalité.

Cette réalité c'est la congestion automobile, la circulation anarchique, l'absence de toute politique. Avant de songer à dégager dans les cités des sites propres pour installer les systèmes nouveaux, il faudrait sans doute rétablir un minimum d'ordre et de cohérence. C'est un problème politique. A quoi bon rêver des transports de l'avenir quand les autobus, enlisés dans les Sargasses des embouteillages, ne circulent plus ? Métro et bus n'ont cessé de se dégrader depuis 1900. Ils sont de plus en plus difficiles d'accès, de plus en plus lents, de plus en plus bondés. Tirer le maximum de ces moyens, qui ont l'avantage d'exister, serait un premier objectif raisonnable. Car il s'agit bien d'une question d'organisation. Au cœur de Londres, une série de mesures réglementaires limitant l'usage des véhicules individuels, a permis d'augmenter de 10 km/h la vitesse moyenne des autobus. Dans le même esprit, on pourrait décaler les horaires de travail et diminuer ainsi l'affluence aux fameuses heures de pointe.

Sans doute la technique pourrait-elle être alors d'un bon secours. Les Anglais expérimentent un système qui fait passer les feux au vert quand s'annonce un autobus dans son couloir réservé, en sorte que les bus « effacent » tous les arrêts de carrefour. Voilà une énorme amélioration pour un peu de technique. De même pourrait-on améliorer le fonctionnement du métro pour augmenter considérablement la cadence des rames. On pourrait enfin intégrer dans les plans d'urbanisme et d'aménagement du territoire — pour autant qu'ils existent — les nécessités d'une organisation rationnelle qui réduirait les déplacements des travailleurs, et les encombrements aux heures de pointe.

Sur cette base assainie les nouvelles innovations pourront prendre leur place. Mais prétendre les utiliser sans avoir traité le problème sur le plan politique, c'est se lancer dans une entreprise ruineuse et sans avenir.

Il en va des transports en commun comme de la chasse chez les Ammassalimut. Les moyens techniques ne donnent leur pleine efficacité que s'ils sont utilisés dans un cadre social parfaitement adapté. Croire de même que la télévision élève, par elle seule, le niveau culturel et la participation des citoyens à la vie collective, que les moyens de transport permettent de renouer le contact avec la nature, que les moyens audiovisuels redonneront aux écoliers le goût du savoir, que les drogues psychochimiques feront disparaître l'angoisse de l'homme moderne, tout cela n'est qu'illusion. Dans chaque cas, le refus d'aborder l'aspect politique et social du problème conduit à une fausse solution. Le piège se referme sur lui-même. On enclenche la vitesse supérieure dans la fuite en avant.

Contre le vieil homme

Pour ces raisons historiques la voie technique est devenue ce qu'elle n'avait jamais été : une alternative aux solutions traditionnelles de l'adaptation. Elle ne prétend plus améliorer les mécanismes psychosociaux, elle prétend les remplacer. Entre la voie de la fatalité et celle de la puissance, nous avons fait un choix radical et exclusif. Nous avons même développé un antagonisme entre les deux attitudes. La résignation est mère de la stagnation, le refus est le germe du progrès. Tant que l'homme se forge des raisons pour accepter et pour subir, il ne peut fabriquer les outils pour combattre et pour dominer. Le sous-développement, on l'a souvent remarqué, est d'abord une attitude mentale, une certaine vision des rapports entre l'humanité et sa condition.

Il convient donc de stimuler les forces de l'action, l'instinct de puissance, la confiance en la technique, et de lutter, au contraire, contre les voies de la passivité que sont la valorisation et la symbolisation des contraintes naturelles. Les forces dominantes de nos sociétés écrasent les mécanismes traditionnels de l'adaptation. Ceux-ci, en décadence à l'aube de l'ère industrielle, ont partout cédé. Les murs de nos cités crient le refus. Il ne faut accepter ni la soif, ni la marche, ni la maladie, ni la transpiration, ni aucune nécessité. Chaque jour une nouvelle victoire est placardée en technicolor : on ne fait plus la lessive, on ne fait plus la cuisine, on ne souffre plus de migraines, on ne connaît plus d'échecs en amour. Et ce n'est qu'un début !

Dans quelle mesure l'homme peut-il se satisfaire de ce recours exclusif à la technologie ? Tout est là en définitive. S'il apparaissait que cette solution réponde aux aspirations individuelles, toutes les critiques tomberaient d'elles-mêmes et l'illusion technique se transformerait en un jeu passionnant : une véritable civilisation.

Mais l'expérience quotidienne montre que l'individu ne peut ainsi se projeter dans son environnement matériel, qu'il a besoin de trouver dans son univers affectif les matériaux de son bonheur. Cela signifie concrètement qu'il est bien triste de dîner seul et qu'il vaut mieux partager le pain gris avec des amis que se gaver d'ortolans en solitaire. Qu'il vaut mieux consacrer dix heures par jour à un travail qui vous passionne que six à une tâche stupide et rebutante. Qu'il vaut mieux se reposer chez soi au sein d'une famille unie que de visiter l'Italie dans une atmosphère de mésentente conjugale. Qu'il est préférable de mener une vie saine qui vous évite la maladie, que de disposer des médicaments qui vous guériront. Qu'enfin l'homme qui cherche son bonheur dans les biens dont il dispose le trouvera plus aisément que celui qui l'attend toujours de ceux qu'il désire.

Les richesses ne sont que de simples moyens. Leur valeur dépend du parti que les utilisateurs peuvent en tirer. Une voiture ce n'est rien. Le transport rapide, ce n'est toujours rien. La satisfaction que je peux tirer de ce service a seule de l'importance. Qu'il me permette de passer fréquemment des heures agréables avec un ami éloigné, c'est cela qui compte. Mais j'obtiendrais la même satisfaction par la marche à pied si mon ami vivait près de chez moi.

Or les conditions dans lesquelles nous faisons appel à la science et à la technique ne favorisent nullement, bien au contraire, cette élaboration d'un « vécu » satisfaisant à partir des situations objectives. Nous avons calqué notre organisation collective sur les exigences de nos moyens techniques, sur l'industrialisation. Le paysan est devenu citadin, l'artisan ouvrier, l'enfant est baigné d'informations, le malade est passé dans le milieu hospitalier, parce que les moyens techniques l'exigeaient. Quant à savoir ce que l'homme pourrait tirer comme richesse intérieure de ces mutations, on ne s'en est guère soucié. Chacune ne correspondait-elle pas à une amélioration matérielle ?

Ainsi, l'adaptation technique a-t-elle remplacé peu à peu les mécanismes de l'adaptation traditionnelle. Mais cette substitution correspond à une mutilation de la personne humaine. Toutes les machines ne peuvent apporter les plaisirs vrais d'un monde chargé de sens et de valeurs affectives : le regard d'un chien, le bruit d'un pas familier, les odeurs de la campagne après la pluie, l'éclat des rires enfantins. C'est là que se trouve la première richesse de l'environnement. Le cadre technique offre un pauvre support à ces « charges affectives » qui embellissent la vie. C'est pourquoi il devrait se faire discret, constituer en quelque sorte l'armature de cette chaude réalité vivante et humaine. Quand il s'hypertrophie jusqu'à envahir et recouvrir tout le milieu naturel, alors la vie affective s'appauvrit. L'individu jongle interminablement avec des objets trop précis, trop définis, mais il ne s'y attache pas. Pourtant, cette aliénation n'apparaît guère dans les comportements. Malgré les accès de mauvaise humeur, chacun paraît fort bien adapté à la civilisation technologique. C'est que l'adaptation ne traduit pas une sagesse particulière, elle n'est qu'une série de réactions quasi instinctives. Elle joue aussi bien en situation favorable qu'en situation défavorable : « Par un étrange paradoxe, l'aspect le plus effrayant de la vie, c'est que l'homme est capable de s'adapter à presque tout, même à des circonstances qui détruiront inéluctablement les valeurs mêmes qui ont donné à l'humanité son caractère unique [1]. »

Les civilisations ont pu conduire les hommes à accepter les pires monstruosités. On sait comment les jeux du cirque romain au cours desquels des hommes étaient régulièrement mis à mort finirent par devenir le principal intérêt de tous les patriciens. Lorsque les Espagnols et les Aztèques se rencontrèrent et s'affrontèrent, ils furent horrifiés par leur cruauté réciproque. Les premiers furent scandalisés par les sacrifices humains et les seconds par les tortures infligées aux prisonniers. Et il n'y a pas si longtemps nos ancêtres considéraient une exécution capitale, généralement pimentée de supplices variés, comme un spectacle de choix. Dans tous les cas la société avait adapté les gens à ces cruautés et ceux-ci les considéraient comme parfaitement normales.

Les populations déracinées qui basculèrent de la vie campagnarde à la vie citadine subirent un traumatisme. Elles restèrent en exil dans leurs cités ouvrières. Les générations suivantes, nées dans les faubourgs populeux, n'ayant jamais connu un autre environnement, s'y adaptèrent rapidement. Les ressources de la technique créèrent de nouveaux intérêts dans le milieu urbain : cinémas, boutiques, cafés, bals. Le fils de paysan devenait bientôt un citadin convaincu affichant une condescendance certaine pour les « péquenauds » des campagnes. Sans être satisfaits de leur sort, les habitants des banlieues suburbaines ne voulaient plus vivre la vie de leurs ancêtres.

Cette simple rétroaction de la personne à la technique ne constitue pas une adaptation au sens que les civilisations avaient su donner à cette notion. C'est une fuite

1. René Dubos : *Cet animal si humain*, p. 170.

dans l'objet, un oubli de soi. C'est pourquoi les aptitudes propres de l'individu et du corps social pour affronter les situations diverses de la vie ne cessent de diminuer. Le progrès de l'assistance technique ne fait que compenser cet affaiblissement. Les télécommunications et l'audio-visuel compensent la dégradation des relations humaines et de la créativité personnelle, les nouvelles thérapeutiques compensent la moindre résistance de l'organisme, l'enrichissement général compense l'incapacité de retrouver l'essentiel dans sa propre existence. Ainsi les outils du progrès deviennent-ils progressivement des prothèses. Et l'amélioration de ces dernières ne fait que traduire l'aggravation des infirmités.

Car le recours technique agit à la façon d'une drogue. Il retient l'individu, mais il ne le satisfait pas. Pour éviter le manque, il faut sans cesse augmenter la dose. L'homme vit en état d'assistance permanente.

Privé d'automobile, d'électricité, de moyens audio-visuels, de médecine moderne, le citoyen du XXe siècle s'effondre. Il n'est plus capable de puiser dans ses ressources intérieures pour faire face. De même la société ne se maintient qu'à travers tous les réseaux de production et de services qu'elle assure à ses membres. L'adaptation naît de la dépendance, le besoin de l'infirmité.

L'évidence vécue révèle peu à peu ces vérités. Ce n'est encore qu'une intuition vague, une défense instinctive de l'espèce. Elle s'affirme sans référence, sans discours, sans système, au travers de manifestations disparates. Mais elle existe.

Dans l'assourdissante lumière des néons, dans l'aveuglant fracas des machines, dans l'inquiétante invasion des robots, l'homme cherche l'homme. Le « civilisé » tend peut-être la main au « sauvage » : « Dis-moi ce que tu es, je te dirai ce que je fais. »

Sans le refus de la condition humaine qui a poussé en avant la révolution industrielle, le progrès technique n'aurait pas pu se développer. Il est né de la volonté de puissance qui sommeillait au cœur de l'homme. Il ne pouvait pas naître autrement. Le drame s'est noué lorsque au hasard de circonstances historiques, cette soif de domination s'est détournée du monde pour se reporter sur l'homme. La technologie n'a jamais pu s'épanouir selon sa véritable finalité comme un outil entre les mains de l'humanité. Une élite s'en est emparée qui en a fait une arme de guerre civile. Quant à la majorité, elle l'a subie comme une prothèse paralysante.

Comment s'étonner qu'elle ne soit pas mise au service du bien commun et du bonheur personnel ? Tel ne fut jamais l'objectif de l'entreprise.

Chapitre 3

LA MALADIE DU CHANGEMENT

L'objectif du progrès technique n'est pas de fournir une civilisation ni même une culture, mais des biens et des services. Son développement devrait multiplier les richesses en sorte que chacun puisse disposer des moyens nécessaires à satisfaire ses besoins. La réussite d'un tel programme ne se juge pas à la quantité de la production, mais au contentement des individus. Il s'agit de libérer l'homme des soucis matériels, de généraliser ce désintéressement qui était jadis réservé à une caste privilégiée.

L'évolution des sociétés industrielles paraît se faire en sens contraire. Les Français travaillent toujours plus de 44 heures. De nombreuses catégories sociales, dites « défavorisées », ne peuvent se procurer le nécessaire, le reste de la population vit en état de frustration constante faute de satisfaire ses désirs. En 1973, le travail reste la principale occupation et l'enrichissement la suprême préoccupation.

Faut-il attribuer cet échec à une stagnation des techniques ? Certainement pas. La productivité ne cesse d'augmenter, tant dans l'agriculture que dans l'industrie. En l'espace d'un siècle, les rendements céréaliers ont triplé, le poids du bœuf sur pied est passé de 250 à 500 kg, la production des vaches laitières a crû de 1 à 4 tonnes/an etc. Dans le secteur industriel, la productivité a augmenté de façon constante mais lente, tout au long du xix° siècle et dans la première moitié du xx°. Depuis les années 50, ce rythme a doublé et se maintient à 5 % l'an. Jamais les méthodes et les robots n'ont été aussi efficaces.

Est-ce le dynamisme qui fait défaut pour mettre en œuvre ces progrès ? Certainement pas. Tout producteur est un innovateur qui change constamment ses produits.

Qui les « améliore ». L'environnement matériel vit en état de mutation permanente.

Aux Etats-Unis, 3 000 produits nouveaux ont été lancés en 1970. Le nombre des innovations commerciales est sans doute dix fois plus élevé. Dans le seul secteur de l'alimentation, on a vu apparaître 5 000 articles en un an. La moitié des produits n'ont pas 5 ans d'âge et leur durée de vie ne dépasse pas 7 ans et demi en moyenne.

Cette grande instabilité des techniques est surprenante car les grandes percées ont été accomplies depuis un certain temps déjà. Qu'il s'agisse de produits alimentaires, de matériel électroménager, d'automobiles ou de récepteurs radio, la technologie paraît maîtrisée et ses résultats donnent satisfaction. D'où vient qu'on ne puisse stabiliser cette technologie pour s'efforcer de produire en abondance et à très bas prix ?

Il ne s'agit pas de reprendre ici les mythes abondantistes qui eurent leur heure de gloire avant la guerre. Les gains de productivité ne permettent pas encore de distribuer les biens matériels et les services. Les machines à haut rendement ne se fabriquent pas toutes seules, la productivité du secteur tertiaire ne s'améliore guère, la demande potentielle est beaucoup plus vaste qu'on n'imagine... bref l'abondance ne peut être réalisée aujourd'hui, ni, sans doute, demain.

Il n'en reste pas moins choquant, eu égard aux progrès accomplis, qu'une si grande partie de la population doive encore tant s'évertuer pour obtenir des produits courants. Que les vêtements, les logements, les aliments simples et convenables ne soient pas à la portée de tous.

Ces contradictions entre une incessante agitation industrielle et une irréductible insatisfaction individuelle donnent à penser que ce changement perpétuel n'est qu'un artifice destiné à masquer la perversion de l'entreprise. L'instabilité du progrès technique provient de son asservissement à l'impérialisme politique et industriel. Le service de l'homme demanderait une certaine stabilité, le service des puissances demande le changement. C'est une maladie que l'on retrouve dans tous les secteurs de l'activité économique.

Les solutions sans problèmes

Le téléphone est une technique fort utile. Tous les Français le savent qui souffrent quotidiennement de n'en pas disposer. Cette technique doit normalement se développer et s'améliorer grâce à l'introduction de l'électronique, de l'informatique et de nouvelles voies de communication à grand débit. Tout cela est bel et bon.

Que chacun puisse, à sa demande, disposer d'un téléphone amélioré par rapport aux services existants, que les communications s'obtiennent aisément et soient de bonne qualité, que les bureaux et les entreprises puissent échanger des informations mises en mémoire ou se communiquer instantanément des documents, voilà ce que l'homme moderne peut raisonnablement demander aux télécommunications. Et voilà d'ailleurs ce qu'on nous promet pour demain.

Mais il apparaît à certains que ce demain-là ne saurait être satisfaisant après-demain. Nos petits-enfants ne sauraient communiquer qu'ils ne voient le nœud de cravate de leurs interlocuteurs. On prépare donc des systèmes téléphone-télévision, des visiophones, connectés dans un réseau entre particuliers.

Qui n'aimerait voir ses correspondants si ce service pouvait être rendu par un « petit bidule » simple et bon marché. Malheureusement la technique ne fait pas de miracles. Le visiophone, s'il est parfaitement réalisable sur le plan technique, ne saurait se répandre qu'au prix d'investissements très importants. C'est un problème gigantesque.

Pour le spécialiste des télécommunications, l'image est, tout comme la parole, de l'information, mais elle représente un débit beaucoup plus élevé. On mesure le débit en informations élémentaires ou bits, le téléphone nécessite l'acheminement de 64 000 bits à la seconde, le visiophone, avec une image de mauvaise qualité, représente 14 millions d'informations par seconde !

Ici comme ailleurs, les techniciens ont des solutions. Ils peuvent tout faire, mais il faudra y consacrer du temps, des hommes et de l'argent. Pour le moment les recherches se poursuivent activement dans tous les pays industrialisés. Elles mobilisent des techniciens de très grande qualité et des laboratoires extrêmement modernes.

Les ingénieurs attachés à ces travaux seront scandalisés de voir classer leurs recherches parmi les solutions sans problèmes, mais peut-on sérieusement soutenir que l'humanité a besoin de la visiophonie pour mieux vivre ! Cela ne paraît pas être le cas.

Les solutions sans problèmes sont monnaie courante dans notre système industriel, mais elles ne mobilisent généralement pas un potentiel de recherche aussi important. On pourrait citer tous les gadgets du type ouvre-boîte électrique, brosse à dents automatique. Des industries entières vivent de ces activités. C'est notamment le cas pour l'industrie des cosmétiques et des désodorisants. On veut

persuader les consommateurs — et surtout les consomma-
trices — qu'ils sentiront mauvais s'ils n'utilisent pas ces
produits. En réalité une bonne hygiène doit suffire à éliminer les odeurs corporelles. Ces produits sont donc, au
mieux utiles, au pis dangereux. Voilà pourtant une
industrie qui se porte à merveille et dont le chiffre
d'affaires croît rapidement.

Le nouveau marché

Sur le marché libre et concurrentiel décrit par les pères
de l'économie classique, une telle situation ne devrait pas
être possible, car le système est équilibré entre l'offre
et la demande. Le producteur contrôle la première, mais
le consommateur contrôle la seconde. C'est le champ de
foire étendu à l'échelle d'une nation. Des producteurs
nombreux, indépendants, de faible puissance, sont disposés
les uns à côté des autres et présentent leurs marchandises.
D'éventuels acheteurs, avisés, compétents, âpres au gain,
passent en revue les différentes affaires qui leurs sont
proposées. Ils jugent, jaugent, soupèsent, évaluent. Et
ne s'en laissent pas conter. En définitive, ils portent leurs
choix sur les meilleures occasions, aux meilleurs prix.
Les producteurs, loin de dominer le jeu, ne sont jamais
assurés de vendre et ne connaissent pas à l'avance le
prix qu'ils tireront de leurs productions. Dans une telle
institution l'inutilité n'a point de place. Si un négociant
propose des produits qui ne répondent point à de véritables
besoins, les acheteurs, habiles à juger de leur intérêt, n'en
voudront pas et se reporteront sur les marchandises
concurrentes. L'innovation inutile entraînera donc la faillite de son promoteur. « Tout produit renferme en lui-
même une utilité, note Jean-Baptiste Say... Et il n'est
un produit qu'en raison de la valeur qu'on lui donne, et
on n'a pu lui donner de valeur qu'en lui reconnaissant
de l'utilité [1]. »
Que voilà un système simple et cohérent ! Le libre
achat traduisant le besoin, une solution sans problème
ne saurait conduire qu'à une opération sans rentabilité.
Le marché élimine automatiquement les parasites, ce qui
dispense les pouvoirs publics de toute intervention destinée
à imposer l'intérêt général. Il est préférable de laisser
faire cette « main invisible » dont parle Adam Smith et
qui, dans l'économie marchande, fait converger les
intérêts particuliers vers l'intérêt général. Tel est le capi-

1. Jean-Baptiste Say : *Traité d'Economie Politique.*

talisme de marché dont on peut contester la morale, mais non la cohérence intellectuelle. Mais ce système ne peut fonctionner que si le marché reste un lieu d'échange équilibré entre l'offre et la demande. La première est affaiblie par la concurrence et la seconde renforcée par son discernement. Il faut, en outre, que la demande solvable soit équitablement répartie. Si quelques privilégiés concentrent toute la fortune, l'offre sera orientée vers l'opulence et dédaignera la misère. Le marché ne sélectionne l'utilité que s'il règne une relative égalité qui permet de respecter la hiérarchie des besoins sociaux.

Il est aisé de voir que les conditions du marché libéral ne sont plus réunies aujourd'hui. Toute l'évolution contemporaine vise à renforcer le parti des producteurs aux dépens des consommateurs. Un vigoureux mouvement de concentration a généralisé les situations d'oligopole, voire de monopole. Dans les principales branches quelques leaders peuvent imposer leur loi tant sur le plan national qu'international. Or le consommateur est resté faible et isolé. Il est de moins en moins compétent pour évaluer les produits toujours plus complexes qui lui sont proposés. Il était aisé d'apprécier une chaise ou un pain ordinaire, mais comment juger la qualité de produits synthétiques ou de machines électroniques ou mécaniques complexes. Comment savoir si le « servorégleur » ou le « programmateur automatique » apportent réellement un service correspondant au supplément de prix ?

Tout se passe comme si chaque automobiliste était seul face à Renault ou à General Motors, chaque téléspectateur face à Thomson C.S.F. ou à Philips, etc. L'équilibre est rompu entre les deux parties. Le producteur est maître du jeu, le marché existe toujours, mais ses lois ne sont plus les mêmes.

Malgré les efforts méritoires des associations de consommateurs, le public pèse peu sur l'affrontement des empires industriels. Les producteurs dominent le jeu. Ils peuvent fixer implicitement des règles telles que la lutte tourne toujours à leur avantage.

Cette puissance des producteurs ne se mesure pas seulement à leur taille. Elle est renforcée par le développement des méthodes commerciales et publicitaires. Le consommateur est saisi de tous côtés : la publicité flatte également sa vanité, sa cupidité, sa gourmandise, ses craintes inconscientes, ses désirs inassouvis. Avant même que le produit ne soit lancé, une savante campagne d'espionnage baptisé « marketing » permet de repérer les faiblesses de l'adversaire. C'est sur ce point que la publicité concentrera son tir. Il n'y aura aucune riposte, aucune contre-offensive.

Une lessive peut bien se prétendre « scientifique », une
eau « amincissante », une boisson « virilisante », peu
importe. Nul ne viendra rétablir la vérité. La presse même
ne dispose que d'une latitude de liberté très faible en ce
domaine car elle a besoin des annonceurs pour vivre.
Le consommateur est passif, dominé. Il a été décidé
qu'il achèterait un produit, une stratégie a été longuement
préparée. La capitulation est presque assurée. Le « juge de
l'utilité et de la qualité » n'est plus qu'un pantin dérisoire
manipulé par la partie adverse. Parfois, très rarement,
l'inutilité est vraiment trop évidente. Le public ne marche
pas et l'on doit arrêter des fabrications par trop inutiles.
Mais, pour un échec, que de succès ! Au reste la mévente
est rarement imputée à la faible nécessité du produit.
C'est la mauvaise campagne de lancement qui est généralement mise en cause.

L'industrie se soucie moins des besoins à satisfaire, que
des besoins à créer, ou, du moins, à susciter. Par conséquent elle est maîtresse des objectifs auxquels répondra
l'innovation technique. Tout naturellement la finalité ne
sera pas recherchée dans l'utilité sociale mais dans la
croissance de l'entreprise.

L'avenir du visiophone dépend moins des services qu'il
pourrait rendre que de la politique commerciale qui pré-
sidera à son lancement. Tôt ou tard, de bons vendeurs parviendront à l'imposer. Cette victoire publicitaire ne prou-
vera rien quant à l'utilité du produit.

A la limite, la puissance de la publicité permet de résoudre des problèmes imaginaires. Cette situation présente
même de multiples avantages pour le producteur. C'est un
précepte bien connu qu'on ne résout facilement que les
problèmes fabriqués de toutes pièces pour les besoins de
la démonstration.

La prématuration

De nombreuses innovations qui ne sont pas inutiles
apparaissent de façon prématurée : l'exemple le plus spectaculaire en est le transport supersonique. Tout passager
d'un vol Paris-Los-Angeles, maudit la lenteur des avions. Il
lui serait très agréable de voler à mach 2,5, et de faire
le trajet en cinq heures. S'il était possible de satisfaire ce
désir en apportant de simples modifications aux appareils
existants, il serait bien naturel de le faire. Mais il apparaît
que ce progrès ne saurait s'obtenir qu'à un coût très
élevé : 14 milliards de francs pour Concorde. Une telle
dépense peut-elle être justifiée par son utilité sociale ?
Les usagers de l'avion ne représentent guère que 5 %

des Français et les usagers de Concorde encore moitié moins. Ces passagers effectuent des voyages professionnels ou touristiques. Dans la première hypothèse la fréquence des vols intercontinentaux dépasse rarement un par mois, dans la seconde elle se limite ordinairement à un voyage annuel. Il s'agit donc de faire gagner quelques heures par an à quelques passagers sur un moyen de transport, au reste déjà confortable. Ce n'est certes pas inutile, mais ce n'est assurément pas une priorité sociale susceptible de justifier des efforts importants. Il est évidemment beaucoup plus nécessaire d'améliorer les transports en commun qui sont empruntés quotidiennement par des millions de travailleurs. De ce point de vue, d'ailleurs, la rentabilité commerciale de l'opération ne change rien à l'affaire.

Il ne sera pas toujours absurde de construire un avion de transport supersonique. Il faut espérer que la solution des problèmes plus urgents permettra de s'attaquer raisonnablement au vol rapide. Tel n'est pas le cas aujourd'hui. La priorité accordée aux programmes Concorde et Tupolev 144 est le fruit de la prématuration technique et non de l'utilité sociale.

Il en va de même pour le programme Apollo de conquête lunaire. L'exploration de la Lune par des hommes est un objectif raisonnable de l'astronautique. Mais un objectif à moyen et non à court terme. Lorsque le programme fut décidé en 1961 pour des raisons d'ordre politique, il ne correspondait à aucune priorité rationnelle. Il ne faisait que répondre à une nécessité historique.

Les objectifs naturels de la technologie spatiale : création de nouveaux services et recherche scientifique ont été délibérément ignorés. Apollo, tout comme Concorde, paraît être un exemple caractéristique de prématuration technique.

Un développement rationnel de l'astronautique, en fonction de ses objectifs et des impératifs techniques, aurait commencé par l'astronautique circumterrestre ; stations orbitales et satellites. Celle-ci est, en effet, la plus simple, la moins chère et la plus utile. Quant à l'astronautique lointaine, elle devait être confiée à des robots avant d'être entreprise par des équipages.

Si l'on avait suivi un tel programme — assez voisin de celui qu'adoptèrent les Soviétiques — le débarquement lunaire n'aurait été un problème qu'à la fin des années 80. La création artificielle de ce problème dans les années 60 contraignit les ingénieurs de la N.A.S.A. à un travail beaucoup plus difficile et dont l'utilité aura été très faible en définitive.

Ils ont dû trouver une « technique 60 » pour répondre aux exigences arbitraires de la politique. Cela les a orientés vers des solutions immédiatement réalisables mais sans aucun avenir. Ils ont résolu des problèmes qui ne se posaient pas. L'exemple le plus spectaculaire est celui de la fusée géante Saturne -V. Ce véhicule était le seul qui permettait un atterrissage dans les délais imposés. Il apparaît aujourd'hui — ce que l'on a toujours su — qu'il ne répond en rien aux besoins de l'astronautique opérationnelle. Celle-ci utilisera des avions-fusées, des navettes, récupérables, qui assureront l'essentiel des lancements à partir de 1980. La fusée lunaire est trop grosse pour l'astronautique proche, trop petite pour l'astronautique planétaire. En tout état de cause elle est trop chère et trop compliquée à mettre en œuvre. On a dû abandonner les immenses usines construites à Michoud près de la Nouvelle-Orléans pour construire ce mastodonte de l'espace ainsi que les installations du Mississippi destinées à l'essayer. Le matériel Apollo n'a pas de descendance.

Tout au plus servira-t-il aux expériences Skylab qui préfigureront les stations orbitales de l'avenir. Mais, là encore, on a demandé aux ingénieurs de résoudre un problème artificiel : la transformation d'un matériel d'astronautique lunaire en matériel d'astronautique circumterrestre. On se doute que la rentabilité d'un tel travail n'est pas bonne.

D'une façon générale, l'effort spatial américain des années 60 a été artificiellement poussé. Il n'y avait aucune nécessité de lancer l'entreprise à un rythme aussi rapide. La chute des crédits qui a suivi l'arrivée de l'homme sur la Lune, était la conséquence naturelle et prévisible de cette priorité artificielle.

Mais cette démarche irrationnelle a coûté fort cher. Les Américains payent un prix exorbitant pour l'exploration spatiale. Ils ont mis au point un nombre élevé de fusées : Redstone, Vanguard, Jupiter, Thor, Atlas, Titan I, Titan II, Titan III, Scout, Saturne, etc. Ils ont développé une incroyable panoplie d'engins spatiaux : Explorer, Discoverer, Mariner, Ranger, Orbiter, Pionnier, Viking etc. Tous ces programmes lancés à la hâte pour obtenir des résultats immédiats, n'ont répondu à aucun souci d'économie ou de standardisation. Ils ont assuré le présent sans préparer l'avenir.

Si l'effort avait été étalé sur vingt ans, s'il n'avait répondu qu'à des nécessités rationnelles, il aurait abouti à une véritable astronautique opérationnelle, assurant de nombreux services, permettant d'importantes découvertes et préparant une exploration lunaire à long terme. La prématuration technique coûte cher. Elle crée des déséquilibres dans le développement du progrès, et ne permet pas d'en tirer tout le profit.

Les changements abusifs

Toute l'industrie est en proie à une instabilité technique pathologique qui aboutit à renouveler constamment les produits, soit en imposant prématurément de vraies innovations, soit en prétextant de fausses innovations pour démoder les modèles anciens. Ce fait a été dénoncé par les experts du plan qui n'hésitent pas à parler de « multiplication des fausses innovations ».

« On ne peut manquer de noter, estiment-ils, le nombre de produits nouveaux qui sont créés avant tout pour renouveler le marché sans bénéfice sensible pour le mode de vie. Ceci a pour effet, de déclasser les biens existants et d'accélérer leur obsolescence sociale [1]. »

Trois grandes industries se sont particulièrement illustrées dans l'art de renouveler leurs productions, soit à un rythme exagérément élevé, soit même sans aucune véritable justification : l'automobile, l'aviation et l'informatique.

De nombreux automobilistes roulent encore en 4 CV Renault et s'en portent fort bien. Ces machines étaient excellentes, robustes et économiques, elles auraient pu continuer leur carrière durant des années encore lorsque leur production fut arrêtée. L'exemple de la fameuse Coccinelle montre qu'un bon modèle peut satisfaire la clientèle durant une vingtaine d'années.

Mais la maladie du changement tient l'industrie automobile à l'égal de la haute couture parisienne. Il est généralement, mais pas toujours, vrai que les nouveaux modèles présentent des avantages par rapport à ceux qu'ils remplacent, mais il n'est nullement certain que ces améliorations justifient l'effort énorme que représente le lancement d'un nouveau modèle. Etudes, essais, fabrication de l'outillage, installation des chaînes, campagne de lancement, amortissement accéléré des investissements sur les productions précédentes... tout cela coûte fort cher, mobilise énormément de compétence et d'intelligence pour un bien piètre résultat.

En matière d'informatique, I.B.M. lance une nouvelle génération de machines tous les sept ans. Tous les constructeurs, subissant la « loi I.B.M. », s'épuisent à suivre ce même rythme. Il est indiscutable que chaque nouvelle génération représente un progrès technologique sur la

1. *Plan et Prospectives*. Armand Colin, 1970, p. 32.

précédente. De la première à la seconde on est passé des lampes aux transistors, de la seconde à la troisième, on est passé des transistors individuels aux circuits intégrés. De la troisième à la quatrième, on a vu apparaître de nouvelles possibilités de mémoire et de programmation. Il ne s'agit donc pas de contester la réalité des améliorations et des innovations qui ont été apportées. Il n'est pas douteux que l'on a assisté à de véritables mutations techniques, ce qui ne fut pas le cas pour l'automobile. Tous ces progrès devaient être réalisés et je sais fort bien que l'ordinateur de 1960, pas plus que celui de 1970, ne constitue un aboutissement. Les machines doivent évoluer et se perfectionner, surtout dans une technique aussi jeune. Fallait-il pour autant développer le progrès à une telle allure, fallait-il que le rythme de renouvellement soit deux fois plus court que la vie utile des machines ? Voilà ce qui est contestable.

Cette politique est particulièrement déplorable en matière d'informatique pour plusieurs raisons. Tout d'abord les investissements atteignent dans cette industrie une ampleur inégalée. On a dit, et I.B.M. n'a jamais démenti, que la mise au point de la série 360 avait coûté 30 milliards de francs lourds ! L'amortissement d'une telle somme devrait s'échelonner sur de nombreuses années afin de ne pas grever trop lourdement les coûts. On comprend que les couturiers changent constamment la forme des chapeaux, mais il est plus surprenant que l'on se livre à ce genre d'exercice sur des programmes d'une telle importance. Mais il y a plus grave.

La conduite d'un ordinateur est infiniment plus compliquée que celle d'une automobile. Un changement de modèle ne pose guère de problèmes de conduite à l'automobiliste, il en va différemment avec l'informatique. L'introduction d'un nouvel ordinateur est toujours une opération de longue haleine, parfois une véritable aventure. Il faut écrire les programmes, analyser les problèmes, réorganiser la gestion, modifier l'entreprise... A cette préparation succède une période de mise en route qui dure des mois, voire des années. C'est en fonctionnant que le système révèle ses imperfections. Il faut modifier les programmes, revoir les conditions d'utilisation, corriger les erreurs. Il faut donc attendre plusieurs années avant qu'on ait réussi à tirer tout le parti possible d'une machine. De l'avis de nombreux spécialistes, le renouvellement du matériel au cours des dernières années a été si rapide que les utilisateurs ont dû abandonner leurs ordinateurs avant même d'avoir su les utiliser correctement. Des techniques remarquables, mises au point grâce à des efforts considérables, ont donc été délaissées avant d'avoir rendu tous les services qu'on pouvait en espérer. Mais pour les producteurs, le mieux paraît n'être jamais l'ennemi du bien.

On reproche souvent à l'industrie de fabriquer des machines peu durables afin de les renouveler plus souvent. Ce n'est pas le cas de l'industrie aéronautique. Les normes de sécurité extrêmement sévères qui lui sont imposées la condamnent à ne construire que des avions de qualité. La sécurité aérienne est à ce prix. Mais cette fiabilité étonnante des appareils modernes entraîne comme corollaire naturel une longue durée de vie. Selon le rythme d'exploitation un appareil peut continuer son service durant une ou plusieurs décennies. En outre, lorsqu'un modèle est bien conçu, il peut répondre durant une bonne vingtaine d'années aux besoins du trafic.

En théorie il pourrait donc suffire de renouveler les générations tous les vingt ans environ. C'est un rythme beaucoup trop lent pour les constructeurs. Pour faire tourner normalement leurs bureaux d'études, ils doivent sortir une génération tous les dix ans environ. La nouvelle vague arrive donc sur le marché alors que la précédente n'en est encore qu'à la moitié de sa vie utile. Bon gré mal gré, les compagnies aériennes doivent déclasser des machines en parfait état de vol, afin de s'équiper avec les nouveaux appareils.

Au début des années 60 la génération des jets, Boeing 707 et Douglas D.C.8, a poussé à la fosse commune les Superconstellations qui ne volaient que depuis quelques années. Le même scénario vient de se dérouler avec l'apparition des avions gros porteurs. Toutes les compagnies vont se défaire des Boeing 707 et des D.C.8 pour faire place aux 747, D.C.10 et autres Tristar. Ici encore, comme en matière d'informatique, on ne peut contester le progrès réalisé d'une génération sur l'autre. Il ne fait pas de doute que la technologie devait être développée dans cette direction. Fallait-il pour autant franchir ces étapes à un rythme tel que l'on soit condamné à déclasser des avions en parfait état de marche et capables de voler encore durant plusieurs années ? C'est un gaspillage qui coûte cher et qui diminue l'efficacité de telles réussites techniques.

Les mutations aberrantes

Qu'une technique en supplante une autre, c'est la loi du progrès. Le meilleur exemple de cette évolution est fourni par le passage de la mécanique à l'électronique. La première repose sur le déplacement d'objets macrosco-

piques d'une masse pondérable et possédant une certaine
inertie. La bicyclette, l'automobile, le moulin à légume,
la brouette et la grue sont des machines mécaniques. Mais
la physique a permis de domestiquer des phénomènes
immatériels : particules, ondes ou champs. Il est possible
de les faire fonctionner au sein de nouvelles machines :
des machines physiques, généralement électroniques. Un
ordinateur, un téléviseur, un poste de radio, un microscope
électronique sont des machines physiques.

Le passage des premières techniques aux secondes présente de nombreux avantages : précision, rapidité, absence
de bruit ou d'usure, etc. Il s'agit donc généralement d'une
amélioration sensible dans le fonctionnement des machines. On l'a bien vu en passant des machines à calculer
mécaniques aux machines à calculer électroniques. Toutefois cette mutation ne s'accomplit pas sans de grands
efforts car ces nouvelles techniques sont difficiles à maîtriser. Or la mécanique fait parfaitement l'affaire pour de
nombreuses applications. C'est notamment le cas pour
l'industrie horlogère. Le tic-tac familier de la montre nous
rappelle qu'elle utilise la mécanique. Il suffit d'ouvrir un
boîtier et de regarder les mécanismes pour être saisi
d'admiration devant la perfection de ces techniques.

Depuis des années on s'ingénie à compliquer encore
ces machines en fabriquant des montres de femme aussi
petites que l'ongle et des montres d'homme plates comme
une pièce de monnaie. Voilà qu'on abandonne la mécanique
au profit de l'électronique. Les nouvelles montres utilisent
un quartz vibrant comme étalon de fréquence. Mais la
période du cristal est inversement proportionnelle à sa
taille. Or un quartz de petite taille, et donc de fréquences
élevées, peut seul tenir dans un boîtier. Mais on veut
compter les secondes, c'est-à-dire les Hertz, et non les
MégaHertz. Il faut donc associer au quartz un circuit électronique de division pour passer des MégaHertz aux
secondes. Ce circuit utilise le courant qui lui est fourni
par une pile.

Celle-ci ne saurait être que de petite taille et donc de
faible puissance. On est condamné à utiliser des circuits
intégrés spéciaux à très faible consommation mis au
point pour les satellites. Encore cela ne suffit-il pas à
résoudre tous les problèmes. Mais les ingénieurs venant
toujours à bout de ce qu'ils entreprennent, la montre
électronique a vu le jour.

L'industrie horlogère a effectué cette pénible reconver-
sion afin d'offrir une montre qui ne dévierait pas de plus
d'une minute par an, c'est-à-dire une montre qu'on n'aurait
plus besoin de remettre à l'heure. Il suffira de porter
l'appareil chez l'horloger tous les ans afin qu'il change la

pile et la remette à l'heure. Le grand avantage que voilà ! Les montres mécaniques de qualité doivent être réglées tous les quinze jours ou tous les mois. C'est évidemment une corvée pénible. L'homme moderne, on le sait, n'a jamais l'heure exacte, ni à la radio ni à la télévision. A moins d'efforts pénibles, il risque d'être décalé de deux minutes. Le voilà débarrassé de ce cauchemar. Il va vivre à l'heure électronique.

Ne trouve-t-on pas encore pénible ce système mécanique d'affichage par aiguilles ? Chacun sait comme il est difficile de lire l'heure sur un cadran. Cela demande un fort long apprentissage. Voilà que des horlogers remplacent ces aiguilles absurdes par un affichage électronique. L'heure s'inscrit en chiffres. Sur le plan technique un tel système « tout électronique » représente un joli tour de force. Nul ne doutera que ces recherches n'aient contribué à résoudre un des problèmes vitaux de l'humanité. Il ne s'agit pas de bricolage astucieux et bon marché. On ne peut résoudre ces problèmes que par le recours aux techniques de pointe. Les écrans lumineux feront appel aux derniers nés des laboratoires : cristaux liquides, diodes électroluminescentes. Ce sont des physiciens de très grande qualité qui travaillent à ces futilités. Avec l'industrie horlogère, nous avons pris l'exemple le plus spectaculaire de ces mutations sans progrès. On pourrait en citer d'autres de moindre importance.

Une autre constante du progrès est le remplacement des matériaux naturels par des matériaux synthétiques dont les propriétés ont été spécialement étudiées pour un usage déterminé. Dans de nombreux cas le remplacement du bois, du papier ou du métal par le plastique présente des avantages. Qui ne se réjouirait de voir les enfants jouer avec des soldats de plastique, incassables et bon marché plutôt qu'avec les anciens soldats de plomb coûteux, fragiles et dangereux.

Mais on remplace de même des meubles simples de bois par d'autres en plastique ou en formica qui sont plus chers et pas forcément plus solides. Dans de nombreux cas, l'ancien produit qui donnait toute satisfaction disparaît purement et simplement au profit de la pseudo nouveauté. Les cercueils à leur tour sont faits en matière plastique car il est bien connu que les chers disparus étaient mal installés dans leurs caisses de bois. Par hasard la nouvelle technique se trouve être généralement plus coûteuse. Dans tous les cas le changement de technique ne correspond à aucune transformation véritable du service rendu.

Le parasitisme technique

Une mutation technique est toujours une aventure. Dans la plupart des cas l'industriel s'efforce de l'éviter. Il se contente de faire évoluer son produit, c'est-à-dire de greffer dessus un certain nombre de pseudo-améliorations qui en augmentent le prix sans améliorer fondamentalement la qualité ou le service rendu. C'est le parasitisme technique, c'est-à-dire l'adjonction d'innovations coûteuses et inutiles sur un produit qui, lui, est tout à fait utile. On trouve d'excellents exemples de ce genre dans l'industrie automobile.

Depuis une trentaine d'années, les voitures ne se sont guère transformées ou améliorées si l'on s'en tient à l'essentiel : moteur, châssis, direction, suspension, etc., la technique est restée relativement stable. En revanche les modèles n'ont cessé de se transformer ainsi que nous l'avons rappelé. Ces transformations ont été justifiées par des améliorations qui ont toutes porté sur l'accessoire.

On s'est tout d'abord soucié d'augmenter la vitesse. Dans la plupart des cas il s'agit d'un contreprogrès car la conduite à 150 km/h est dangereuse en l'état actuel du réseau routier et des conducteurs. On s'est encore soucié d'améliorer le confort des véhicules. On a gagné en insonorisation, en climatisation, en esthétique. Les finitions intérieures ont été améliorées dans de nombreux cas. Enfin on a vu apparaître de nombreux accessoires plus ou moins inutiles : remonte-glaces électriques, direction assistée, lumière dans le coffre, pare-brise panoramique. Peu à peu ces accessoires de luxe ont été mis sur les modèles courants. C'est ce que les constructeurs appellent « en donner plus ». Il serait absurde de contester que ces améliorations ont augmenté la satisfaction des automobilistes. Mais il est clair qu'aucune n'apporte de solution aux trois problèmes fondamentaux de l'automobile à savoir : la sécurité, la lutte contre la pollution, la circulation urbaine.

Les ingénieurs ont porté l'essentiel de leurs efforts sur des problèmes mineurs, mais ils ont laissé de côté les principales difficultés.

Selon Ralph Nader, la General Motors ne consacre à la lutte contre la pollution qu'une somme égale à 15 % de son budget publicitaire. Sans doute en est-il de même pour les autres constructeurs, mais l'on sait que l'industrie automobile ne livre pas facilement les informations de cette nature.

Le parasitisme technique permet d'allier un conservatisme technique, facteur de sécurité, avec une apparence novatrice, facteur d'expansion. Les constructeurs ont tout intérêt à déporter leurs efforts de l'essentiel vers l'accessoire. On retrouve ce même parasitisme en matière de téléviseurs. Au lieu de stabiliser les modèles afin de les produire à bas prix, les fabricants se sont efforcés de les « moderniser » en augmentant la surface de l'écran tout en diminuant l'épaisseur du récepteur. La fiabilité ou la longévité des appareils n'en a pas été améliorée, mais les consommateurs ont dû payer fort cher cette amélioration. Comme ils doivent payer toutes les présentations diverses dans lesquelles on vend les mêmes téléviseurs.

Le parasitisme technique est un phénomène très général. Un producteur doit faire évoluer son produit. S'il fabrique constamment la même chose il sera taxé de stagnation et ses concurrents plus imaginatifs prendront le marché. L'important n'est pas de faire « mieux », mais de faire « autre ». Transformer par le détail, sans rien changer au fond, c'est le travail auquel se consacrent de nombreux chercheurs.

On sait que tous les détergents sont les mêmes dérivés du pétrole. Les marques s'efforcent donc d'introduire artificiellement des différences entre leurs produits. Parfums, colorants, etc. Tous les additifs sont bons s'ils permettent de fournir un slogan publicitaire.

L'industrie pétrolière se livre à des jeux de même nature. Les compagnies demandent à leurs chercheurs de trouver le « perlimpinpin » qui permettra de dire « achetez l'essence... avec... » il importe peu que cela soit réellement efficace, car tel n'est pas le but de l'opération.

Même phénomène encore dans l'industrie alimentaire. On ne saurait plus vendre un yaourt naturel. Le « progrès » exige qu'il contienne des parfums, des fruits ou n'importe quel complément, ce qui augmentera par contrecoup inévitable sa teneur en additifs chimiques. C'est ainsi qu'un yaourt aux fruits peut contenir outre ces fruits, des acides borique, salicylique, sorbique, thymique, de l'alcool éthylique, de l'alun de potasse, du carbonate acide de sodium, des phosphates dipotassiques, des sorbates alcalins sans parler des arômes et des colorants ! Qui pourrait nier que cette merveille de la gastrochimie ne constitue un progrès considérable !

Dépêchons-nous de boire le lait naturel pendant qu'il existe encore ! Demain nous ne trouverons plus que des laits vitaminés, écrémés, dégraissés, enrichis, sucrés, colorés, appauvris, etc. On peut parier que l'industrie alimentaire fera des milliers « d'inventions » de ce genre dans les années à venir.

Saura-t-on encore ce qu'est le pain dans une dizaine d'années ? Plus vraisemblablement il faudra choisir entre une dizaine de pains tous différents. Pour une véritable innovation comme le Coca-Cola, combien de mélanges absurdes, de fausse cuisine emballée. Dans quinze ans, estiment certains experts, les matières premières ne représenteront plus que 5 % dans le prix des produits alimentaires ! On finira par ne plus payer que les techniques parasites !

Le parasitisme technique est d'autant plus grave qu'il ne laisse bien souvent aucun choix au consommateur. Peu à peu le produit parasité remplace le produit sain aussi sûrement que la mauvaise monnaie chasse la bonne. Quand le client insiste pour obtenir l'ancien modèle plus simple, il s'entend répondre : « Oh ! Mais cela ne se fait plus depuis longtemps ! » avec le sourire mi-choqué et mi-condescendant du vendeur. Que cela plaise ou non — et généralement cela plaît — il faut prendre le produit « amélioré ».

Les folies de l'emballage

Le comble du parasitisme, la cancérisation pourrait-on dire, est atteint avec l'emballage. Jadis il servait à envelopper la marchandise à seule fin d'en assurer la manipulation et la conservation, désormais il fait partie du produit. Sa fonction primitive étant devenue accessoire — ne serait-ce que parce qu'elle est assurée depuis longtemps — il s'agit, à travers la présentation et le conditionnement, de faciliter ou de camoufler des hausses de prix abusives. Les industriels travaillent en toute clandestinité car le produit n'est plus proposé en vrac et le prix de l'emballage n'est jamais facturé. Les clients « conditionnés au conditionnement » jugent le contenu sur le contenant et quand le marchand ne sait plus améliorer l'un il est toujours possible d'améliorer l'autre. Conçue comme « un support de promotion » et un « vecteur de vente » cette technique a pu se développer jusqu'à l'absurde. Il est vrai qu'elle a fait des progrès étonnants. Il est vrai que les formes, les matériaux et les systèmes se sont améliorés. Il est vrai également que tant d'efforts conduisent à une véritable aberration socioéconomique. On estime que l'emballage à lui seul représente 36 % du prix de vente pour certains produits de beauté et certains médicaments.

Cette technique pervertie en vient à emballer chaque

fruit, chaque clou, chaque morceau de sucre, chaque bouchée de fromage, chaque pastille. Demain on conditionnera dans un subtil emballage plastique chaque grain de raisin, chaque haricot, chaque nouille ! Pour la plus ordinaire des marchandises, il faut prévoir des conditionnements qui deviennent de véritables machines : bombes aérosols ; bouchons verseurs ; bec « autodosant », boîtes « auto-ouvrantes », ampoules « autocassantes », etc. Un emballage ne suffit plus, il en faut généralement deux ou trois superposés : la bouteille dans le coffret, le coffret dans la boîte, la boîte dans le papier et le papier dans le sac. « Faut-il vous l'envelopper ? » Le moindre de nos produits finit par être emballé comme une momie pharaonique. Qu'importe puisque c'est l'accessoire qui fait vendre, c'est lui qu'il faut soigner en priorité.

Dans ces conditions l'industrie de l'emballage connaît une expansion remarquable. On estime qu'en 1975 elle créera pour 7 millions de tonnes d'objets divers. Chiffre énorme si l'on considère qu'elle utilise principalement des matériaux légers. Chiffre d'autant plus énorme si l'on pense aux problèmes que poseront ces déchets. Car la collectivité ne sait plus comment éliminer cet amoncellement de boîtes, de sacs, de bouteilles, de bidons, de capsules, d'ampoules, de cartons, de flacons, etc. Au total 18 milliards d'unités dont une dizaine en emballage perdu. Evidemment celui qui produit ces objets ne supporte aucune taxe d'enlèvement, c'est à la société de se débrouiller. Or ces emballages sont extrêmement gênants pour les services de nettoiement au point que certains Etats américains en viennent à limiter la pratique de l'emballage perdu. L'industrie de l'emballage crée donc une « déséconomie » considérable, pour utiliser le jargon des économistes. Mais en dépit de son inutilité, et de ses inconvénients elle continue et continuera à « progresser ».

Que ne pourrait-on dire de l'industrie pharmaceutique, de l'industrie du jouet, de l'industrie de l'habillement. Passons, passons. Il ne s'agit pas de dresser un inventaire exhaustif de ces faux progrès, mais d'en comprendre les causes et d'en percevoir les conséquences.

La société technicienne n'est pas au service de l'homme, mais de la puissance. C'est le fait de base. Cette volonté de domination et d'expansion se retrouve dans toutes les structures et dans toutes les mentalités. Mais elle peut prendre des formes très diverses. C'est elle que nous retrouverons comme cause première de tous ces détournements d'objectifs.

Au service de la puissance

On serait bien en peine d'incriminer la recherche du profit dans des programmes comme Concorde ou Apollo. Dans ces deux cas les gouvernements ont investi à fonds perdus. Au reste l'Aérospatiale qui construit Concorde est une firme nationalisée et l'on sait que l'Union soviétique construit son propre Concorde : le Tupolev 144. Ainsi l'enrichissement privé ne paraît pas avoir été le moteur de ces programmes, la puissance politique a pesé d'un poids beaucoup plus grand.

Quand le général de Gaulle s'est prononcé en faveur du Concorde — et, du même coup, a condamné Super-Caravelle — il a été certainement sensible au prestige qu'une telle réalisation ferait rejaillir sur la France. En cédant à cette fierté nationale, le chef de l'Etat traduisait — assez justement si l'on en croit les sondages — le sentiment populaire. Le Français voit encore dans les grandes réussites techniques le symbole et la matérialisation de son identité nationale. C'est un drapeau.

Le programme Apollo est le plus bel exemple de ces choix politiques. Il a été choisi pour sa puissance émotive car il devait permettre aux Etats-Unis de restaurer leur prestige mis à mal par le lancement du premier Spoutnik. Les autres options possibles qui étaient plus rationnelles, plus utiles à long terme, n'avaient pas ce caractère dramatique et spectaculaire.

La France gaullienne a mis un certain nombre de ces réalisations prestigieuses à son actif... ou, plus exactement, à son passif. Ainsi le progrès se trouve-t-il asservi aux impératifs politiques. Il est normal que sa rentabilité sociale soit faible.

Le progrès peut encore être détourné de ses fins naturelles par les chercheurs et les techniciens lorsque ceux-ci font passer leur propre satisfaction avant celle du public. Les ingénieurs qui ont conçu le projet Concorde dans les bureaux de l'Aérospatiale, ceux qui étudient la transmission des images par visiophonie ne travaillent ni dans un esprit nationaliste ni par sentiment de lucre. Ils obéissent à une motivation toute différente : l'amour de la technique. Le progrès est une aventure, une marche en avant. Ses meilleurs artisans ne s'y lancent point pour gagner leur vie, mais pour satisfaire une passion. Ils sont naturellement attirés par les solutions audacieuses et les techniques avancées. Indiscutablement les pères de Concorde appartiennent à cette race. Ce sont des amoureux de l'aviation.

Pour un pays, de telles équipes constituent à la fois une richesse et un danger. Une richesse car elles sont faites de gagneurs, de trouveurs et non d'éternels chercheurs. Un danger car leur passion risque de les entraîner au-delà de ce qui est socialement désirable. Un bon ingénieur de l'Aéronautique doit vouloir toujours mieux : toujours plus vite, toujours plus haut, toujours plus gros, toujours plus sûr. De ce point de vue les ingénieurs soviétiques ne doivent pas réagir autrement. En l'absence d'un arbitrage politique efficace, cette pression, purement professionnelle, peut déséquilibrer le cours du progrès.

Le progrès contre le chômage

Le perfectionnement incessant des techniques est encore imposé par les travailleurs qui veulent conserver leur emploi et leur profession. C'est un désir parfaitement légitime, mais qui n'est pas toujours compatible avec un développement équilibré. Cette volonté de maintenir l'activité dans tous les secteurs interdit toute pause, toute stabilisation des techniques. Si l'on ne change pas d'avions tous les dix ans, il faut licencier le personnel employé dans les bureaux d'études. Celui-ci est donc partisan d'un renouvellement accéléré des techniques.

La crainte du chômage constitue aujourd'hui une véritable névrose collective. N'a-t-on pas vu des syndicats français déplorer l'embargo mis sur les hélicoptères à destination de l'Afrique du Sud, ceux de BAC demander la transformation de Concorde en bombardier nucléaire. Entre l'utilité sociale et la sécurité de l'emploi, le travailleur n'hésite jamais. Qu'il soit royaliste ou communiste, qu'il fabrique des bombes ou des vaccins, il veut d'abord conserver son emploi.

Cette attitude sera tout à fait naturelle tant que le chômage restera une déchéance économique et sociale. On ne saurait demander au travailleur de considérer l'intérêt général s'il doit en faire les frais. Dans la mesure où nos sociétés ne savent pas conjurer ce fléau, où elles ne peuvent éviter que le licenciement soit un traumatisme injustifié, elles ne peuvent non plus équilibrer l'activité de manière à répartir les efforts d'innovation selon les besoins réels. Tant que chaque citoyen s'accrochera à son emploi comme à une bouée de sauvetage, tous les secteurs de production seront condamnés à maintenir leur activité coûte que coûte.

Cette obligation « d'occuper le personnel » tend à devenir la première préoccupation des chefs d'entreprise. Certes le patron craint la diminution des profits qui peut lui coûter sa place, voire sa fortune, mais il craint tout autant la diminution d'activité qui impose des compressions d'effectif et déclenche des crises sociales. Lorsque l'intérêt général conduit à stabiliser la production, il entre en conflit avec celui des producteurs.

Poussé par cette nécessité sociale, l'impérialisme industriel d'organismes publics ne le cède en rien à celui des firmes privées. Pour ne prendre qu'un exemple bien connu, il est évident que les dirigeants du C.E.A. doivent lutter par tous les moyens contre l'inévitable diminution des effectifs. Il leur faut trouver des activités nouvelles, faute de quoi les problèmes sociaux vont s'envenimer. Cette nécessité est très fortement ressentie dans les entreprises publiques, car le travailleur estime que « l'Etat-patron » doit lui assurer la stabilité de l'emploi. Par conséquent toute compression de personnel prend les allures d'un scandale. On comprend, dans ces conditions, que l'E.D.F. veuille développer l'électricité, le C.E.A. l'énergie nucléaire, Renault, l'automobile, etc. Fût-ce au prix de l'utilité sociale.

L'innovation pour l'expansion

Dans la plupart des cas, c'est l'impérialisme industriel qui explique ces aberrations. Impérialisme industriel et non loi du profit, puisque le profit est davantage recherché comme facteur de croissance que comme rémunération du capital. Alain Chenicourt — fonctionnaire payé pour savoir de quoi il parle — a magistralement analysé ces mécanismes dans son ouvrage *l'Inflation ou l'anticroissance*.

« Les cadres — en tout cas la technostructure — note Chenicourt, ont pour objectif, afin d'assurer leur propre promotion, de développer la croissance de l'entreprise. Ils recherchent ainsi peut-être moins de risques et moins de profit que dans une entreprise industrielle de type classique, mais ne subissent pas moins de concurrence [1]. »

Cette concurrence devrait avoir pour résultat de faire baisser les prix. Mais, si les prix baissent trop, le marché risque de se saturer et l'activité de stagner. C'est inac-

1. André Chenicourt : *L'inflation ou l'anticroissance* (L'Usine Nouvelle).

ceptable. Il faut maintenir la hausse. Il existe sur ce point un accord général de tous les partenaires rivaux. Le système industriel qui s'est libéré du pouvoir consommateur grâce aux techniques commerciales, reste prisonnier de la concurrence. Celle-ci le condamne à accroître sa production et à maintenir ses bénéfices.

Élargir le marché est nécessaire au bien de l'entreprise. On préférera le conditionnement sous forme d'aérosol qui augmente de 40 % la quantité de produit utilisé. On connaît l'histoire de ce fabricant de dentifrice qui cherchait le moyen d'augmenter ses ventes. Une étude de comportement révéla que les consommateurs avaient pour habitude d'étaler la pâte sur toute la longueur de la brosse. Il était tentant d'allonger les brosses. Malheureusement la bouche humaine est ce qu'elle est et il n'était guère possible d'aller plus avant dans cette voie. On imagina d'élargir la section des tubes afin de faire déposer une quantité plus grande à chaque prise. Les clients augmentèrent leur consommation, sans même s'en rendre compte.

Dans le même esprit on choisira toujours l'objet à jeter. Qu'il s'agisse de mouchoirs en papier, de bouteilles en plastique, de briquets à gaz ou de vêtements, toute innovation qui permet de remplacer le produit de longue durée par le produit d'une seule utilisation, sera la bienvenue. Au contraire les techniques qui accroissent la longévité sont redoutées comme des malédictions. La mise au point d'une bouteille en plastique pour plusieurs utilisations successives serait une catastrophe. Jetez ! Jetez ! Nous produirons. On appelle cela de l'activité, dans certains cas on pourrait parler d'agitation.

Dans cette frénésie du renouvellement, une seule loi se vérifie généralement : le nouveau doit être plus cher que l'ancien ! C'est ce que l'on constate par exemple avec la montre électrique. Étrange loi en vérité ! La compétition impitoyable qui oppose les empires industriels ne devrait-elle pas avoir l'effet inverse ? Les concurrents ne devraient-ils pas s'efforcer de produire au plus bas prix possible afin de s'emparer des marchés ? Et tel est effectivement l'effet de la concurrence classique, celle dans laquelle le consommateur impose son intérêt par son libre choix. Mais l'effacement de cet arbitre a profondément transformé les mécanismes du marché. Désormais la concurrence est un facteur de hausse et non plus de baisse. De nombreuses innovations ne s'expliquent que par la volonté des producteurs de lutter contre cette loi inexorable du progrès : l'avilissement des coûts.

Le progrès pour l'abondance

Parlant du progrès technique, il faut distinguer — assez arbitrairement il est vrai — deux processus différents : le progrès des méthodes et le progrès des produits. Les méthodes de production tout d'abord. Bien souvent la nature des produits n'a pas fondamentalement changé depuis l'aube de l'ère industrielle. C'est notamment le cas de tout ce qui est fourni par l'agriculture. La campagne nous approvisionne toujours en œufs, en beurre, en fruits ou en lait. Mais le progrès technique a permis d'obtenir ces denrées pour un moindre travail. Dans les pays arriérés, un travailleur de la terre ne nourrit qu'une ou deux familles, il parvient à en alimenter 18 aux Etats-Unis.

On observe le même phénomène en ce qui concerne les produits manufacturés. Les vêtements, les meubles, les ustensiles ménagers étaient fabriqués bien avant l'apparition du machinisme. L'effet du progrès technique a été de les produire à meilleur prix. On trouve sans doute la meilleure analyse de cette évolution dans l'étude de Fourastié : *Machinisme et bien-être* [1]. L'auteur observe : « Le nombre des produits qui, à partir de 1830, on commencé à baisser sensiblement par rapport au salaire horaire est considérable et comprend presque tous les produits manufacturés. La tonne d'acier valait sur le marché mondial 80 dollars en 1873, elle tombe à 20 dollars en 1886 par suite de l'emploi du procédé Bessemer... Un mètre de laine mérinos se vendait à Reims 16 francs en 1816 et 1 franc 45 en 1883. Le nitrate du Chili revenait en France à 187 francs la tonne, le nitrate artificiel fut offert à 125 francs. Le kilo de sucre se vendait 5 francs en 1811 date à laquelle furent établies en France par Delessert les premières sucreries de betteraves ; il valait 0 franc 60 en 1910. »

Le résultat est plus spectaculaire encore si l'on considère certains produits connus de toute antiquité comme le verre. Fourastié évoque la très lente amélioration des techniques de fabrication tout au long de l'histoire. Il rappelle qu'au XVIIᵉ siècle une glace de 4 mètres carrés, la plus grande qu'on savait faire à l'époque, représentait 40 000 heures de travail et coûtait environ 100 000 francs lourds. Les glaces étaient donc des objets de grand luxe et la fameuse Galerie des Glaces à Versailles était un comble de munificence. A l'époque les voleurs avisés qui s'intro-

1. Jean Fourastié : *Machinisme et bien-être*, p. 138. (Editions de Minuit, 1969).

duisaient dans les châteaux dérobaient les glaces à l'égal de l'argenterie.

En 1845 la glace vaut déjà mille fois moins cher. En 1862, elle ne vaut plus que 262 francs les 4 mètres carrés. Au début du XX° siècle, elle ne coûte plus que 60 francs. Les ouvrières peuvent se coiffer dans les miroirs des reines. Cet abaissement des coûts a correspondu à l'introduction de nombreux procédés nouveaux qui, tous, ont eu pour résultat d'augmenter la productivité, partant de diminuer les prix.

On trouve une évolution parallèle dans le progrès des produits. Il s'agit ici d'inventions qui apportent bien souvent un service radicalement nouveau, comme l'automobile, les plastiques, la télévision ou la photographie. Le progrès passe habituellement par un certain nombre de phases successives au terme desquelles la nouveauté doit être offerte à bon marché.

Le premier prototype est hors de prix, surtout si l'on tient compte de toutes les recherches qui ont été nécessaires pour le mettre au point. Les méthodes de fabrication sont purement artisanales, donc fort coûteuses. C'est ainsi que l'aluminium, lors de sa découverte était considéré comme un métal précieux. Les premiers lingots coûtaient plus cher que de l'or et étaient enfermés dans des coffres-forts.

Ce prototype n'est pas commercialisé. Les ingénieurs se livrent à un travail fort long et fort ingrat pour diminuer le prix, faciliter la fabrication et l'utilisation. Le produit est complètement transformé durant cette phase ; il devient commercialisable. Tout se gagne ou tout se perd durant le développement ; durant la bataille des prix.

Le progrès contre l'abondance

Au terme du développement, le nouveau produit apparaît sur le marché. Il est encore très cher, car il s'appuie sur des techniques jeunes et qu'il doit amortir dans son prix toutes les recherches qui ont été nécessaires pour le mettre au point.

Mais sa vie ne fait que commencer. L'effort de progrès ne s'arrête pas. En réalité il va se poursuivre pendant très longtemps, sinon toujours. Les innovations peuvent aboutir, soit à abaisser le prix, soit à améliorer le service. C'est ici qu'apparaît l'ambiguïté fondamentale. Toute la vie du produit ne sera qu'une lutte incessante entre ces deux tendances. Le génie inventif des techniciens pourra également faire la même chose à moins cher ou bien faire mieux, soit à prix constant, soit pour un coût plus élevé. Laquelle des deux tendances va l'emporter ? C'est toute la politique du progrès.

La tendance à l'avilissement des coûts est à la base de la révolution industrielle, c'est elle qui confère au progrès moderne son caractère le plus précieux : la démocratisation. Les hommes ont toujours été capables de réaliser des chefs-d'œuvre. Mais ils n'étaient pas capables de les reproduire. C'est la technique moderne, qui a mis le chef-d'œuvre à la portée de tous en dissociant la conception de l'exécution. L'invention moderne ne réside pas dans un objet, mais dans des informations, c'est-à-dire dans des formules et des plans qui permettent de lancer une fabrication. Jadis les réalisations exceptionnelles des plus habiles artisans se retrouvaient dans les demeures des princes. Elles ne pénétraient pas dans la chaumière du paysan.

Le nouveau produit n'est accessible qu'à certains privilégiés, étant donné son prix élevé. Mais on n'a guère d'exemple que l'évolution des techniques n'ait réussi à faire diminuer ces prix. Aujourd'hui tous les citoyens ont vocation au progrès.

Les premiers transistors au germanium mis au point, il y a 25 ans dans les Bell Laboratory par Snockley, Brattain et Bardeen n'étaient guère commodes et coûtaient des dizaines de dollars. Ces dispositifs étaient malaisés à fabriquer, fragiles et coûteux. L'électronique n'en resta pas longtemps là. En quelques années elle découvrit de nouveaux procédés pour obtenir des cristaux de grosse taille, de nouvelles techniques de purification, des méthodes de fabrication plus perfectionnées. Surtout elle passa du transistor à pointe au transistor à jonction, plus facile à réaliser et plus solide. Le produit s'améliorait, les prix baissaient, la révolution ne faisait que commencer. Au début des années 60 commence l'ère du silicium. Les techniciens fabriquent des dizaines, puis des centaines de transistors sur une minuscule pastille de silicium. Les prix s'effondrent. Il n'en coûte plus que quelques cents pour un transistor individuel, que quelques dizaines de dollars pour un circuit intégré comprenant plusieurs centaines de transistors. Le prix d'une fonction élémentaire a été divisé par 10 000 environ en vingt-cinq ans.

Certes, il s'agit d'un exemple extrême. Mais on retrouve ce même phénomène pour toutes les techniques modernes.

Ces mêmes ressources de l'invention technique permettent de faire évoluer les produits, de les améliorer. On passe du transistor au circuit intégré, mais également de l'ordinateur de première génération à celui de seconde puis de troisième, de l'avion à hélices au jet, de la télévision en noir et blanc à la télévision en couleurs, etc. Dans tous les cas, le produit change, il se perfectionne. Toutes ces transformations se payent. Sur le plan des prix, cette deuxième tendance a donc des effets inverses de la première.

Si l'on considère l'utilité sociale, on constatera bien souvent qu'il est préférable de renoncer à des améliorations possibles. En effet l'instabilité des fabrications contrarie le développement de l'automatisation et des autres méthodes à haute productivité qui permettraient d'abaisser au maximum les coûts. Dans bien des cas, la première exigence conduirait à stabiliser les techniques en abandonnant les perfectionnements possibles afin de faire les investissements lourds que nécessiterait une production à très bas prix.

Qui plus est, l'intérêt général inciterait à faire des objets aussi solides que possible, de très longue durée, quitte à ne pas adopter certains raffinements qui compliquent la fabrication, diminuent la solidité et interdisent l'automation.

Une telle évolution n'est pas facile sur le plan technique. On risque toujours de figer les techniques au mauvais moment. Il eût été catastrophique, pour ne prendre que cet exemple, de s'arrêter au stade du transistor sans attendre celui du circuit intégré. Il faut donc faire un pari risqué sur le développement du progrès en anticipant sur des découvertes à venir. Ce n'est pas aisé.

Mais la véritable difficulté est économique. Supposons que l'on adopte délibérément une telle politique. On décide, dans chaque domaine, de se fixer sur un palier et de concentrer tout l'effort sur la solidité des produits et la diminution des coûts. Dans de nombreux cas on va rapidement aboutir à saturer le marché. Quoi que l'on dise et quoi que l'on fasse, les besoins ne sont pas indéfiniment extensibles. Les consommateurs ne peuvent pas boire quatre litres de Coca-Cola par jour, écouter trois chaînes de radio et porter quatre chaussures. Ces limitations pourraient contraindre les entreprises à ralentir leur activité en se contentant d'assurer le renouvellement des produits. Ce serait assurément une grande victoire sociale, mais on imagine difficilement un P.-D.G. expliquant à ses actionnaires que la récession du chiffre d'affaires correspond à un important succès puisque la firme a pu faire bénéficier toute la population de ses produits.

Une entreprise, quelle qu'elle soit, est condamnée à la croissance. Elle doit redouter l'avilissement des coûts. Pourtant elle s'y soumet pour tenir la concurrence. Il lui faut donc jouer sur la deuxième tendance du progrès afin de contrecarrer la première.

L'évolution des produits joue contre l'évolution des méthodes. Quand la seconde avilit par trop les coûts, la première permet de renouveler les productions et de remonter les prix. Ainsi le producteur peut-il constamment brouiller les cartes. Les inépuisables ressources de l'innovation lui permettent d'introduire une telle instabilité dans les articles offerts sur le marché que le consommateur ne s'y reconnaît plus. Entre les vraies et les fausses innovations, entre les changements de présentations, les changements de modèles et les véritables nouveautés, il ne peut suivre l'évolution des prix qui changent à chaque modification, réelle ou imaginaire.

En définitive on entretient chez le client l'illusion de lui en donner plus afin de le faire payer plus. C'est le grand recours des producteurs pour maintenir la croissance dans la concurrence.

Selon les économistes américains Fisher, Grillignes et Kayeen, les changements annuels de modèles que connaît l'industrie automobile américaine, ont entraîné un gaspillage d'un milliard de dollars par an. Gaspillage est évidemment une notion relative. Il serait exact de dire qu'ils ont permi à l'industrie automobile d'augmenter d'un milliard de dollars son chiffre d'affaires. Ce qui paraît un gâchis du point de vue du client est un facteur de croissance pour les constructeurs.

Le parasitisme technique a permis de prévenir la baisse des automobiles. Selon Chenicourt leur prix a augmenté à un rythme inférieur de 1 % seulement par an à l'indice moyen. Le même auteur cite l'exemple des pneus qui « de « perfectionnements » en « perfectionnements » ont augmenté de 60 % depuis dix ans » mais, ajoute-t-il « aucune des améliorations ne concerne la durée d'utilisation qui semble même avoir diminué en contrepartie des autres progrès ».

Si le prix des composants électroniques a diminué de façon spectaculaire, ce phénomène a été compensé par « l'amélioration » constante des ordinateurs. Au total le matériel informatique a maintenu sa courbe de prix. Chaque fois qu'un médicament ancien est remplacé par un nouveau, ce dernier est plus coûteux ; ce qui ne signifie nullement qu'il soit meilleur. L'emballage est également un excellent moyen pour dissimuler les hausses de prix. Toutes les techniques parasites de conditionnement servent également à dissimuler des hausses de prix. Le consommateur n'a aucune liberté. Le produit ancien disparaît et le prix du conditionnement n'est jamais facturé à part.

En dépit de toutes ces manœuvres, il est vrai que les prix des objets manufacturés ont tendance à baisser. Mais le public n'est généralement pas conscient de cette évolu-

tion que masque l'inflation généralisée. Si l'on calcule en
monnaie constante, on constate que le prix des réfrigérateurs a diminué de 75 % en vingt ans. Celui des téléviseurs a baissé de 30 % et celui des machines à laver de
45 % en dix ans. On arrive à des résultats encore plus
spectaculaires si l'on fait le calcul sur des périodes plus
longues. Jean Fourastié a montré qu'en 1914 le prix d'une
automobile Renault représentait le salaire de 25 000 heures de manœuvre. Aujourd'hui une voiture améliorée ne
représente plus que 1 500 heures. Pour un salaire correspondant à un même travail, on se payait, hier, un vélo,
aujourd'hui une automobile d'occasion. L'élévation du
niveau de vie, on l'oublie trop souvent, dépend autant de
la baisse des prix que de l'augmentation des salaires.

Le joug de la croissance

Ce trop rapide survol conduit à inverser la question
posée en début de chapitre. Il ne s'agit pas de se demander : « Pourquoi ne progressons-nous pas plus vite vers
l'abondance en dépit de toutes ces innovations techniques ? » mais : « Comment se fait-il que nous progres-
sions encore vers l'abondance en dépit de toutes ces innovations inutiles ? » Car le plus surprenant est bien qu'une
telle déperdition d'énergie n'empêche pas les progrès très
réels que nous constatons tous les jours. Pourtant la
fausse innovation coûte cher, effroyablement cher, si l'on
raisonne en comptabilité sociale.
Tout d'abord elle mobilise, ou, plus exactement, elle
immobilise une énorme force créatrice. Non pas seulement
dans les centres de recherche aéronautiques, électroniques
ou automobiles, mais dans toutes les entreprises. Car
l'ingénieur qui trafiquotte un bouchon verseur pour augmenter les doses, le chimiste qui étudie la coloration des
petits pois, l'électronicien qui met des circuits intégrés
sur des briquets ou le directeur commercial qui imagine
des pièges à consommateur, n'ont pas une créativité moindre que les aérodynamiciens de Concorde, les informaticiens d'I.B.M. ou les techniciens d'Apollo.
D'autre part cette innovation stérile, par son effet infla-
tionniste, exclut du progrès toute une partie de la population. La vocation démocratique de la technologie moderne
a été trahie. Il a fallu attendre l'avènement de la télévision en couleurs pour qu'on voie apparaître des téléviseurs
en noir et blanc à 700 francs. De ce fait, les citoyens qui
avaient le plus besoin de la télévision, c'est-à-dire les

vieux qui se morfondent dans la solitude et l'ennui, les pauvres qui ne peuvent se payer les loisirs modernes, les malades coupés du monde extérieur, ont été privés de télévision. Il ne fait guère de doute qu'en l'absence de parasitisme technique, si l'on avait stabilisé la technique sur un modèle simple produit en grande série, les prix de revient auraient été suffisamment bas pour que l'aide sociale puisse distribuer ces appareils à ceux qui en avaient réellement besoin.

En définitive, le véritable progrès qui a l'abondance pour objectif naturel est entravé par un contre-progrès qui a précisément pour objectif de lutter contre l'abondance, du moins contre cette forme particulière d'abondance. Alors que l'une est libératrice, l'autre est asservissante. L'une délivre l'homme des besoins à mesure qu'elle les satisfait, l'autre l'enchaîne à de nouveaux désirs à mesure qu'elle augmente son avoir.

Le cheval emballé

En dépit de tous ces gaspillages, de tous ces inconvénients, il reste que nos sociétés industrielles sont capables de diffuser largement les fruits du progrès. En 1971, 53 % des ménages possédait un aspirateur, 60 % une automobile, 71 % un téléviseur, 80 % un réfrigérateur, 57 % une machine à laver, 42 % un électrophone, etc.

Il existe bien une sorte d'abondance, non pas généralisée, mais largement distribuée. Ces résultats donnent la mesure de ce qui aurait pu être accompli en l'absence de ces erreurs. Mais ils montrent également la prodigieuse inefficacité du socialisme bureaucratique. Celui-ci étant libéré de l'impérialisme industriel ne devrait guère souffrir de la contre-innovation. Il est vrai que ce bien-être ne mesure pas le succès d'une société. Mais les pays de type soviétique ont précisément choisi de s'engager dans cette voie. Ils ambitionnent d'atteindre le niveau de vie américain. Il est donc normal de les juger sur des critères assez comparables.

Cette première analyse de l'illusion technique au niveau des objectifs permet de mieux comprendre ce décalage surprenant entre les résultats très brillants et une insatisfaction persistante sinon croissante. Encore n'a-t-on pas abordé le plan psychologique et culturel sur lequel se trouvent d'autres aberrations qui accentuent les défauts du système.

Il apparaît que les sociétés industrielles puisent dans

l'impérialisme industriel la source de leur dynamisme, mais que cette force tend naturellement à dépasser toute mesure à se mettre à son propre service et non plus au service de l'homme. Ainsi les objectifs du progrès sont-ils largement négligés, l'utilité sociale est oubliée dans cette folle chevauchée.

Peut-on reprendre en main ce cheval emballé, le remettre dans la bonne direction, sans pour autant basculer dans la stagnation ? C'est une des questions fondamentales auxquelles il faudra répondre.

Chapitre 4

LE RECOURS TECHNIQUE

Appliquer les ressources du progrès à de faux problèmes conduit naturellement à des résultats illusoires. Il ne suffit pas cependant de fixer avec justesse les objectifs pour faire une sage utilisation de la technique. L'illusion peut encore se glisser au niveau des moyens, en particulier chaque fois que le recours technologique se substitue à l'action politique. Les problèmes abordés dans le chapitre précédent paraissent artificiels, ils sont créés de toutes pièces par les entrepreneurs publics ou privés en un temps où ils ne se posent pas. Au contraire ceux qui vont être évoqués maintenant sont bien réels. Mais les sociétés industrialisées s'obstinent à vouloir les résoudre avec des moyens purement techniques, alors que les véritables solutions nécessitent une heureuse combinaison des outils techniques et des ressources sociopolitiques. Faute d'adopter une telle approche, on ne trouve jamais que de fausses solutions qui corrigent les effets sans remonter aux causes. Ces remèdes sont toujours insuffisants et doivent être constamment renforcés. C'est l'illusion technique. Dans une société libérale cette déviation est particulièrement fréquente. Elle permet à l'Etat de prétendre assumer les responsabilités que lui impose la vie moderne sans sortir de sa réserve. « Laisser faire les techniciens et les marchands » c'est la voie de la facilité. Prendre en main l'organisation de la vie collective pour ne laisser à la technique que sa part dans l'action, c'est, au contraire, la voie étroite de la volonté politique. C'est la démission des responsabilités politiques que nous allons découvrir maintenant. Elle prétend être justifiée par le respect de la liberté individuelle. En réalité elle revient à laisser le champ libre pour tous les affrontements de puissances et toutes les perversions d'une technologie utilisée tantôt comme une arme, tantôt comme une prothèse. Jamais comme un outil.

L'automobile qui tue

La moitié des Français qui meurent entre quinze et trente-quatre ans sont tués par la route, la moitié des enfants qui naissent seront impliqués dans un accident de la circulation. 16 617 Français ont trouvé la mort dans des accidents de la circulation, 388 067 ont été blessés, en 1972. Vivre avec l'automobile, c'est d'abord un problème politique, il est loin d'être résolu.

Il serait commode, bien sûr, de demander aux techniciens d'apporter une solution. C'est ce que les Américains avaient tenté avec le projet de « voiture de sécurité » : le projet E.S.V. (Experimental Safety Vehicle). Les prototypes présents à l'exposition Transpo 72 à Washington étaient de pures merveilles technologiques ! Pare-chocs énormes montés sur vérins amortisseurs, châssis renforcés, carrosseries blindées, intérieur capitonné, structures renforcées, pneus élargis, sacs gonflables de protection, rétroviseurs périscopiques. Tout avait été conçu pour assurer la sécurité et l'on avait vérifié au cours d'essais qu'un tel véhicule protégerait les occupants dans les collisions frontales à 80 km/h. Faut-il ajouter que ces tanks pesant plusieurs tonnes, coûtant des milliers de dollars n'avaient aucune chance d'être construits en série ? C'était le comble de l'illusion technique, une illusion si grossière que les Américains ont dû abandonner ce projet par la suite. On voulait résoudre par l'automobile, c'est-à-dire par la technique, le problème de l'automobiliste ; un problème politique.

Depuis lors, tous les gouvernements ont dû se rendre à l'évidence : 90 % des accidents sont imputables aux conducteurs et non aux véhicules. Il faut changer le comportement de l'automobiliste et non le châssis des automobiles.

Mais dans nos sociétés, ce genre d'observation est automatiquement classé dans la catégorie « Yaka ». Les gens sérieux considèrent qu'elle ne débouche sur aucune solution applicable. De fait, le problème de la sécurité routière paraît insoluble dès lors qu'il est posé correctement. Il constitue l'exemple type de cette impuissance politique qui rend illusoires les plus grands progrès de la technique.

De ce point de vue, il est intéressant de comparer le taux d'accidents dans les différents pays. Les voitures sont à peu près partout les mêmes et les routes assez comparables.

Alors si l'on se tue volontiers dans certains pays, il faudra vraisemblablement attribuer cette anomalie au comportement des conducteurs. Précisément l'O.C.D.E., dans son annuaire mondial de l'automobile publie de tels renseignements. Les statisticiens calculent le nombre de morts pour 100 millions de véhicules/kilomètre.

En 1971, les taux les plus bas sont atteints par les Etats-Unis : 3,2. La Grande-Bretagne : 3,8. Le Canada : 4,1 puis le taux monte progressivement : 5,5 pour l'Italie, 7,1 pour l'Allemagne, 7,8 pour le Liban, 10 pour le Japon. Viennent ensuite les pays sous-développés avec des taux effarants : 28,8 aux Indes, 76,6 au Chili, 71 au Maroc, 66 en Côte d'Ivoire, 172,9 en Ethiopie, etc. On distingue donc assez nettement les pays de vieille civilisation anglo-saxonne qui se tuent relativement peu sur les routes, puis les pays européens et industrialisés où le péril est plus grand. Et enfin les pays sous-développés dont les routes sont de véritables cimetières.

Le « bon conducteur »

Quant à la France, elle est encore, Dieu merci ! un pays civilisé, mais tout juste. Son taux varie entre 8 et 9 selon les années. Concrètement cela signifie qu'on a entre deux et trois fois plus de chances de se tuer en roulant sur une route française que sur une route anglaise ou américaine. En somme si les conducteurs français se comportaient comme leurs homologues anglo-saxons, on sauverait chaque année la vie de 6 000 Français et on protégerait la santé de 150 000 autres. Cela sans aucun progrès technique, uniquement en transformant le conducteur français en un conducteur anglais ou américain.

Comment se fait-il donc que l'automobiliste américain soit plus raisonnable ? Il faut avoir circulé aux Etats-Unis pour le comprendre.

Les gens ne se vantent pas de leurs prouesses au volant et ne se gaussent pas des maladresses des autres. Conduire une automobile est une activité normalisée, banalisée que l'on accomplit correctement. Ni bien ni mal. Qui se vanterait de bien conduire son poste de télévision ou son téléphone ? Alors pourquoi se vanter de bien conduire son automobile ? Voilà un comportement primitif, français

hélas ! Les adultes de l'automobile n'ont pas de ces
vantardises puériles.

Certes, tous les Américains ne conduisent pas correctement. Il existe, là-bas comme ici, des fous du volant, des
ivrognes, des novices mais l'automobiliste moyen est différent là-bas et ici.

Contre la religion de l'automobile

Le problème n'est pas de construire des véhicules, ni
même de construire des routes, il est de définir une véritable « civilisation de l'automobile ». Sur ce plan les
sociétés industrielles, et la société française en particulier,
ont complètement échoué.

Selon le schéma classique, ce domaine est abandonné aux
vendeurs. Ce sont eux qui prennent en compte cette symbolisation qui déterminera l'expérience vécue et le comportement des individus.

Ainsi s'est créée la religion de l'automobile. De véhicule
utilitaire elle est devenue symbole de puissance, moyen
d'expression. Le conducteur au volant affirme sa valeur
personnelle, son statut social, sa virilité même : plaisir
de dominer un robot surpuissant, de se dépasser, d'éprou-
ver la griserie de la vitesse. « Plaisir de conduire ».
Chacun conduit aussi vite qu'il peut... ou qu'il croit pouvoir. Le Français est tout entier saisi par ce démon de
l'automobile. Avant les limitations, il roulait à 10 km/h
plus vite que tous les conducteurs européens.

Il en va de la liberté de vitesse comme du libéralisme
économique, ces systèmes transforment toute la vie sociale
en rapports de force. Le travailleur qui emmène sa famille
dans une modeste voiture, difficilement payée, et qui
entend l'avertisseur trois tons annonçant le bolide qui va
le doubler à 160 km/h, se sent dominé, humilié. Il doit se
tasser sur le bas-côté pour laisser passer la voiture de
rêve qu'il ne peut s'offrir. Psychologiquement, il s'établit
une relation de riche à pauvre, de puissant à misérable,
de possédant à possédé, avec toutes les rancœurs et les
frustrations qui peuvent en résulter.

Il importe peu de savoir si le conducteur rapide est ou
non un pilote expérimenté. Il laisse derrière lui un sillage
d'amertume et de sourde agressivité. Sentiments particulièrement dangereux quand ils s'expriment à travers un
volant. Voilà ces automobilistes aux aguets derrière le
volant, attendant l'occasion de « sauter » la voiture qui
précède, craignant l'apparition du bolide qui les ridiculi-

sera. On pourrait montrer à travers de nombreux autres exemples que la route de libre vitesse est un monde de force à l'image de nos sociétés.

Au contraire, ces réflexes d'humiliation et d'agressivité diminuent quand tout le monde doit rouler à la même allure. Sans doute une telle mesure commence-t-elle par provoquer l'impatience et l'irritation, mais chacun finit par se calmer. La société de la route devient plus douce, plus sereine, plus humaine. Plus sûre aussi comme le prouvent les statistiques étrangères. Les automobilistes ne cherchent plus à se dépasser, le nombre des manœuvres dangereuses diminue, la sécurité augmente.

Longtemps les gouvernements français n'eurent pas le courage d'appliquer cette mesure pourtant indispensable et d'application très générale à l'étranger. De même que les belligérants ne se résignent à négocier qu'après avoir accumulé un nombre suffisant de morts — c'est ce qu'on appelle « laisser mûrir la situation » — de même les pouvoirs publics ont attendu 1973 pour limiter la vitesse à 100 km/h sur le seul réseau routier [1].

Des « fonctions-transport » il en est d'autres et qui sont bien remplies, la comparaison pourrait être instructive. Prenons le cas de la circulation aérienne. Le pilotage d'un avion moderne exclut tout « plaisir » et laisse peu de place à l'inspiration du pilote. Celui-ci doit avoir fait vérifier que son véhicule est en bon état, il se conforme strictement aux règles de pilotage et suit les indications des contrôleurs au sol. Il n'est maître ni de sa route, ni de sa vitesse, ni de son altitude, ni de ses manœuvres. C'est à ce prix seulement que le transport aérien peut atteindre cette surprenante sécurité.

Il en va de même pour le transport sur rail. Le conducteur doit suivre son plan de route et effectuer sans cesse des opérations imposées par la locomotive pour surveiller la vigilance de l'homme. Nous voyons bien par ces deux exemples que la sécurité ne s'obtient pas seulement par des moyens techniques, mais par l'utilisation de ces moyens selon un code rigoureux.

Ces principes devraient être appliqués encore plus strictement sur la route puisque les conducteurs sont des amateurs et qu'ils ont nécessairement une marge de liberté beaucoup plus grande. Concrètement, cela signifie que la limitation de vitesse ne suffit pas, qu'elle doit s'accompagner de mesures politiques et techniques propres à éviter

---

1. Il aura fallu attendre l'embargo pétrolier pour voir les pouvoirs publics prendre une mesure générale de limitation, mesure qui sauvera un certain nombre d'automobilistes.

que la conduite automobile ne soit détournée de sa
« fonction-transport ».

Sans doute faut-il renforcer la répression, mais quelle
répression ? L'amende injuste qui pénalise également le
pauvre et le riche ? Ne vaudrait-il pas mieux rechercher
des sanctions plus spécifiques qui viseraient les automobilistes aux points sensibles ? On pourrait apposer sur
l'automobile du contrevenant l'inscription : « conducteur
dangereux : 90 km/h », ou bien interdire la conduite des
voitures rapides, faire repasser le permis de conduire.
Mais il faut également agir préventivement en imposant
le contrôle annuel des véhicules comme cela se pratique
en Allemagne et aux Etats-Unis, en faisant repasser périodiquement le permis de conduire. Toutes mesures qui
paraissent des brimades aux automobilistes... qui les estiment du reste justifiées, quand elles sont appliquées aux
conducteurs de transports en commun.

Il faudrait encore lutter contre l'alcoolisme. Mais peut-on
seulement parler de ce drame en France ? Les Anglais
ont mené une action vigoureuse contre l'alcoolémie au
volant et ont obtenu des résultats remarquables. Mais les
Français ? Leur cas n'est-il pas désespéré ?

Ces seules mesures permettraient déjà de sauver de
nombreuses vies humaines sans qu'il en coûte un sou,
mais la technique pourrait également être très efficace
pour peu que son utilisation s'intègre dans une politique
d'ensemble. On découvrirait alors que de nombreux dispositifs, simples et peu coûteux, pourraient augmenter considérablement la sécurité. Le plus connu est la ceinture de
sécurité. Une invention qui remonte à 1908, mais dont le
port n'a été rendu obligatoire sur les routes françaises
qu'en 1973. Tous les chiffres prouvent son efficacité. Les
Suédois ont effectué une enquête portant sur 28 780 accidents. Ils ont découvert qu'on n'enregistre aucun accident
mortel dans les collisions à moins de 90 km/h lorsque les
automobilistes sont ceinturés. Au contraire les conducteurs non ceinturés peuvent se tuer à partir de 20 km/h.
Pourtant les autorités françaises ont attendu 1970 pour
rendre obligatoire l'installation des ceintures et les statistiques prouvaient que moins du quart des automobilistes
les bouclaient avant que l'obligation leur en ait été faite.

Reste à savoir s'il est matériellement possible de vérifier
la bonne application de cette mesure. Ne vaudrait-il pas
mieux alors installer des systèmes qui interdisent le
démarrage tant que la ceinture n'est pas bouclée ? Ce
dispositif va être généralisé aux Etats-Unis. Pas en France.

On pourrait imaginer encore de nombreuses techniques
qui viseraient moins à limiter les conséquences des accidents qu'à modifier le comportement des conducteurs.

Par exemple, la sirène qui se déclenche dans la voiture quand la vitesse approche de 20 ou 30 km/h l'allure maximale, en sorte qu'il serait impossible de rouler en croisière avec le pied au plancher, ce qui permettrait en outre d'avoir toujours une réserve de puissance. Qui ne sait qu'une telle réserve est indispensable à la sécurité ? Dans le même ordre d'idée, on expérimente en Californie un système à trois voyants lumineux, vert, orange et rouge, disposés à l'extérieur du véhicule. Le premier s'allume à 60 km/h, le deuxième à 80 et le troisième à 100. Ainsi la voiture annonce elle-même la vitesse éventuellement excessive. Ou bien multiplier le long des routes les stations automatiques équipées de radars doppler.

Peut-être même faudrait-il généraliser le changement de vitesse automatique. A priori cette innovation relève du parasitisme technique, car elle n'améliore guère l'automobile. Mais elle peut être justifiée pour des raisons psychologiques. Le changement de vitesse manuel permet de personnaliser la conduite ; c'est au levier que commence le plaisir de conduire. La boîte de vitesses automatique transforme la voiture en un « veau » aux yeux du fanatique.

Cette approche sociopsychologique ne prétend pas se substituer aux solutions techniques classiques. Il est vrai qu'il faut améliorer la tenue de route, le freinage, la résistance aux chocs, etc., mais il est clair que ces recherches resteront vaines en l'absence d'une organisation efficace de la circulation routière et, plus généralement, de la civilisation automobile.

Mais il n'est nullement assuré que l'illusion technique ait dit son dernier mot en cette matière. Les progrès de l'électronique laissent entrevoir la possibilité d'une conduite entièrement automatisée. L'automobile, toute bardée de systèmes opto-électroniques assurerait elle-même le freinage en présence d'obstacles. C'est séduisant en théorie. En pratique cela revient à se lancer dans une aventure technique aussi coûteuse que complexe. Qui plus est l'automatisme absolu néglige les possibilités de la plus fantastique de toutes les machines : l'homme. Aucun robot ne peut avoir ses facultés de jugement et d'improvisation. Faut-il renoncer à les utiliser, faute de pouvoir en contrôler le bon usage ? Peut-être finira-t-on par être acculé à une telle solution : nier l'homme faute de pouvoir l'éduquer.

Il est fort heureux que la « voiture de sécurité » soit irréalisable. Sans doute aurait-elle sauvé de nombreuses vies humaines, mais elle aurait donné une sorte d'assurance-irresponsabilité aux automobilistes. L'effet psychologique eût été déplorable. L'agressivité des conducteurs aurait été exacerbée et les routes seraient devenues de véritables foires d'empoigne. Or le comportement forme un tout, l'agressivité au volant se retrouve fatalement dans la vie.

La voiture idéale

Si l'on s'amuse à combiner les exigences contradictoires des usagers, de la sécurité, de la propreté et de la ville, on arrive à concevoir une voiture idéale dont la réalisation sera sensiblement plus difficile que celle d'un vaisseau spatial interstellaire.

L'usager, c'est clair, veut que sa voiture, quelles que soient ses vertus par ailleurs, soit une routière 4-6 places. Mais il souhaite qu'elle soit de dimension réduite quand il circule en ville. Comme il répugne à acheter une petite voiture urbaine à deux places et à faibles performances, il faut donc que le même véhicule cumule ces propriétés contraires.

Nous avons vu quelles sont les exigences techniques de la sécurité, celles de la propreté sont tout aussi radicales. N'est parfaitement propre que la voiture électrique. On en vient donc à imaginer une voiture blindée à propulsion électrique qui se couperait en deux. En semaine Monsieur n'utiliserait que la partie avant. Il aurait ainsi une petite deux places urbaine. Pour le week-end il y accolerait la partie arrière et pourrait ainsi loger toute sa famille. Le cahier des charges devrait encore préciser : forme élégante, vitesse 160 km/h, reprises fulgurantes, autonomie 400 km et prix ne dépassant pas 15 000 francs. « Messieurs les ingénieurs, au travail ! » Il « suffirait » de fabriquer un tel véhicule pour que tous les problèmes de l'automobile soient résolus sans que les pouvoirs publics aient le moindre effort politique à faire. Ce serait si simple !

D'ores et déjà l'industrie automobile américaine se déclare incapable de respecter « les normes 1975 » en matière de pollution. Les constructeurs font justement remarquer qu'il est absurde d'imposer des normes « urbaines » à des voitures « routières ».

Une approche sociotechnique conduit à séparer la circulation urbaine et la circulation routière. Pour cette dernière, il suffirait d'apporter des améliorations « raisonnables » aux modèles existants. En revanche, il faudrait être très strict pour les véhicules urbains. Or tant que la voiture individuelle reste la propriété exclusive des particuliers, elle doit être à la fois urbaine et routière. Le problème est insoluble.

Faut-il renoncer purement et simplement au transport individuel dans les cités ? C'est une solution bien décevante par rapport aux possibilités du progrès. Ne pourrait-on créer un parc de petites voitures municipalisées que les particuliers emprunteraient à l'intérieur des villes ? Affectées à la seule circulation urbaine, elles en épouseraient toutes les nécessités sans poser des problèmes insolubles mais il faudrait mettre sur pied une organisation collective efficace pour accueillir de tels véhicules.

Ainsi et quel que soit l'aspect du problème abordé, on bute toujours sur des problèmes politiques. Les possibilités de l'automobile pour améliorer la vie des hommes sont immenses, il n'empêche qu'elles resteront illusoires aussi longtemps que les sociétés modernes ne sauront pas s'organiser pour en tirer parti.

Les porteurs d'eau

On aurait pu croire que le remplacement des porteurs et marchands d'eau par un service public de distribution constituait la voie normale du progrès. Quelle erreur était la nôtre ! Le progrès consiste à équiper de bouteilles et de camions les marchands d'eau. Il est désormais entendu que les Français s'en remettent à l'emballage individuel pour obtenir leur eau potable. Ils achètent ainsi 2,5 milliards de bouteilles chaque année à des prix tels que le bon paysan s'étonne de voir l'eau claire vendue plus cher que le lait de ses vaches. Au total le Français boit en moyenne 36 litres d'eau en bouteilles par an contre 18 à l'Allemand ou à l'Italien.

Nul ne saurait contester que l'approvisionnement en eau constitue une fonction sociale et que la collectivité doive l'assurer par une sage utilisation des possibilités techniques. Cela ne peut se faire que si les pouvoirs publics sont capables d'assumer leurs responsabilités, c'est-à-dire d'organiser la purification et la distribution de l'eau publique. Pour peu que le service ne soit pas correctement assuré, l'eau du robinet n'est pas bonne et le public se rabat sur l'eau emballée.

Cette fonction représente un fardeau bien lourd pour le gouvernement ou les autorités locales, c'est pourquoi les pouvoirs publics préfèrent l'abandonner à l'initiative privée. La moitié des Français achètent leur eau de table en bouteilles. Ce qui est économiquement aberrant car le transport en emballage individuel coûte mille fois plus cher que le transport par canalisations publiques. Peu importe, les entreprises qui font ce commerce connaissent une brillante expansion.

Au reste les marchands ont très habilement joué des différents mythes. L'eau curative tout d'abord. Initialement l'eau en bouteilles était de l'eau minérale. Les marchands en vantaient les propriétés réelles ou imaginaires. Certains allaient jusqu'à proclamer que leurs eaux étaient « les plus radioactives de France ». Depuis lors le public a découvert les périls de la radioactivité et le slogan a disparu.

Les mythes réunis de l'eau pure et de la médecine poussent à la consommation. La publicité n'hésite pas à recommander l'usage quotidien d'eaux minérales qui sont des médicaments et ne répondent pas aux critères de l'hygiène publique en matière d'eau potable.

Dans de nombreux cas, le caractère médicinal a été oublié. C'est la pureté qui est seule recherchée et l'étiquette paraît en être le symbole magique. Le consommateur n'a aucun moyen réel de la mesurer. Sans doute le produit est-il contrôlé lors de sa mise en bouteilles, il est alors exempt de bactéries. En est-il encore de même lorsque l'on boit le dernier verre trois jours après avoir débouché la bouteille d'un litre et demi ? Voilà ce que nul ne peut vérifier. D'ailleurs tout est irrationnel en cette matière. N'a-t-on pas vu un temps, un habile marchand vendre en bouteilles de l'eau publique ? Aujourd'hui ce sont les mots « sources » et « naturelle » qui inspirent confiance. Ils impliquent que l'eau a jailli directement de terre et qu'elle n'a pas été prise en compte par la collectivité, dont on se méfie. On voit même des promeneurs du dimanche remplir leurs bidons à des sources naturelles reconnues non potables.

Quant aux particuliers, ils boivent n'importe quoi sans avoir la moindre idée du produit qui leur est vendu. Quel consommateur sait que les eaux de Volvic ou Charrier sont très douces, que Contrexéville Pavillon, Vittel Hépar, Vittel Grande Source et Saint-Galmier Badoit sont très dures. Quel consommateur surtout, connaît les indications médicales de ces différents types d'eau ? Ne voit-on pas les mères donner indifféremment à leurs bébés Volvic ou Vittel Hépar alors que le taux de dureté est de 5° pour la première et 203° pour la seconde ? Telles sont les conditions aberrantes dans lesquelles est assuré le service public de l'eau potable.

Objectera-t-on que la vente de l'eau en bouteilles est le seul moyen d'assurer une qualité suffisante ? Eh bien non ! Il existe aujourd'hui des techniques de purification qui permettent de fournir une eau de très bonne qualité. En France même ont été mis au point les procédés de traitement par l'ozone qui permettent de boire une eau puisée directement à la Seine. Certes on pourra toujours soutenir que la sécurité d'une eau courante traitée n'est pas égale à celle d'une eau de source ; encore faudrait-il certifier que la prolifération des marques ne risque pas de faire apparaître sur le marché des produits de faible qualité. Et le faudrait-il même si le risque infime encouru lorsque les installations sont correctement entretenues et la pollution bien contrôlée, justifie les énormes dépenses d'une distribution individualisée.

Le progrès technique permet une purification rigoureuse de l'eau qui garderait au robinet le même goût qu'au sortir de l'usine, à condition d'avoir une organisation collective sans faille, des équipements en parfait état, un contrôle rigoureux des rejets agricoles et industriels, un entretien constant des canalisations, bref à condition de résoudre aussi politiquement le problème.

Prétendre organiser l'approvisionnement en eau potable sans ce préalable politique c'est céder une fois de plus à l'illusion technique. Car les fausses solutions soulèvent toujours de nouveaux problèmes qui appellent un surcroît de technologie.

Le plastique miracle

Connaissez-vous les plastiques biodégradables ? Ce sont des substances admirables. Elles ont la bonté naturelle — ou, plus exactement, artificielle — de n'exister que pour servir. Tant qu'elles sont nécessaires, elles conservent leur réalité, sitôt qu'elles deviennent inutiles, elles s'évanouissent comme des apparitions célestes. Ajoutez qu'elles ne coûtent pas cher, qu'elles se produisent en abondance, se travaillent avec facilité, que leur apparence est aussi flatteuse que celle d'un cristal de Bohême, et vous conviendrez qu'elles ont toutes les qualités, toutes, sauf une : l'existence. En effet, ce matériau miracle, inaltérable comme l'or, évanescent comme le rêve, n'existe pas. Mais les chimistes le cherchent, ils finiront bien par inventer la molécule qui apparaît et disparaît à volonté.

Tous les matériaux naturels, bois, papier, cuir, sont biodégradables, car le monde vivant détruit toujours d'une main ce qu'il construit de l'autre. Ainsi, tous les matériaux d'origine biologique sont constamment menacés

par l'armée des micro-organismes qui constitue le service
de nettoyage et de recyclage de la biosphère. Il faut les
entretenir, les protéger, faute de quoi ils se dégradent.
Les chimistes ont remporté une grande victoire en par-
venant à mettre au point des matières synthétiques qui
déjouent la vigilance de la nature. Les plastiques furent
hautement appréciés pour leur non-dégradabilité. On savait
que sans précaution particulière, ils pouvaient résister aux
attaques du monde vivant. A condition de ne point en
abuser, cette découverte représentait assurément un grand
progrès technique.

Mais, précisément, l'innovation technique conduit toujours à l'abus quand elle n'est pas accompagnée d'une
saine organisation politique. C'est ce qui est arrivé avec
l'emballage de l'eau. Les marchands commencèrent par
utiliser le verre, matériau hélas lourd et cassant. Les
consommateurs se lassèrent de transporter de pesants char-
gements, d'autant plus pesants qu'il leur fallait effectuer
des aller et retour avec le système de la bouteille consi-
gnée. Vint alors le polychlorure de vinyle, qui permettait
de faire des bouteilles légères, incassables, à bas prix.
C'était un progrès. Appliqué à l'huile de table, il rendit un
bon service. Appliqué à l'eau, il provoqua un amoncellement de déchets. Comment se débarrasser de toutes ces
carcasses de méduses qui flottent sur les rivières, poussent
dans les sous-bois, ou dorment sur les plages ?
Solution technique : il faut les rendre dégradables.
Sans rien leur faire perdre de leurs qualités antérieures.
La dégradabilité ne devra se manifester qu'après usage.
Voyez comme c'est simple ! Pourtant, les chimistes cherchent. Ils espèrent en la photodégradabilité. On sait que
certaines molécules peuvent être dissociées par les rayons
ultraviolets du soleil. Il suffirait d'inclure de telles molécules dans les longues chaînes moléculaires des plastiques.
Encore faudrait-il que ladite photodégradation n'intervienne qu'après une longue exposition au soleil afin d'éviter qu'elle se produise en cours d'emploi. Toujours est-il
qu'un chimiste britannique a déjà présenté à la presse
sa petite tasse en plastique qui s'effondre en poussière
blanche quand elle est soumise un certain temps au
rayonnement ultraviolet.
Voilà donc la solution, il faut fabriquer les bouteilles
et les emballages avec ce nouveau matériau.
Mais il faudra résoudre encore quelques petits problèmes
annexes, celui par exemple du prix jusque-là exorbitant !
Il faut également savoir ce que deviendra la poudre
blanche dispersée dans la nature. Ne va-t-elle pas se révéler nocive ? N'aura-t-on pas remplacé une pollution esthétique par une pollution chimique ? Autant de problèmes

qui seront assurément résolus. Il ne restera plus ensuite
qu'à changer les installations actuelles qui permettent de
fabriquer le P.V.C. et les bouteilles. Cela fera beaucoup
« d'activité » économique et n'est-ce pas l'essentiel ?

La mort de l'eau

Tandis que les Français se ruinent pour l'eau potable
ils laissent mourir leurs cours d'eau et leurs mers côtières.
Etrangement, les deux problèmes ont été complètement
dissociés. Priorité a été donnée, et c'est fort logique, à
l'eau potable ; quant à l'eau courante, à l'eau publique en
général, et c'est fort regrettable, elle a été largement délaissée. On ne peut tout faire.

Aujourd'hui les Français dépensent 35 francs par an
pour l'eau en bouteilles et 45 pour l'eau collective. Dans
ces conditions il n'est pas question d'épurer les eaux
usées avant de les rejeter. Ainsi les rivières se transforment en égouts, la mer reçoit les rejets du littoral.

A l'heure actuelle on n'épure pas plus de 25 % des
eaux. Il suffirait pourtant de dépenser 55 centimes par
habitant et par an pour tout épurer à condition naturellement que les installations existent. Ce n'est malheureusement pas le cas. La France est si démunie en stations
d'épuration que, si l'on consacrait à ce problème tout
l'argent dépensé pour l'eau emballée on ne retrouverait
qu'en 1985 la pureté, toute relative, de nos rivières en
1945.

Un tel projet est évidemment utopique. Les usines
d'embouteillage tournent. Elles font partie de puissants
empires industriels, et il ne saurait être question de
changer le système. L'inertie des infrastructures s'y
oppose. Nous sommes donc condamnés à boire de l'eau
en bouteilles et à nous baigner dans une eau douteuse.
Sans doute l'emballage offre-t-il une relative sécurité,
mais la non-épuration présente des risques certains. Nous
buvons en toute sécurité et nous nous baignons avec
crainte. Si l'ensemble des sommes consacrées au problème
de l'eau avait été utilisé dans le cadre d'une politique
cohérente afin que les ressources de la technique assurent
la purification en amont et l'épuration en aval, l'eau
publique serait suffisamment propre pour que nous puis-
sions et la boire et nous y baigner. Pour le même prix,
à cause de la démission politique, nous n'avons l'eau
propre qu'à la bouteille, au lieu de l'avoir à la rivière.

Les mœurs de l'adoucissement

L'eau rigoureusement pure possède une activité chimique telle qu'elle est impropre à la consommation. L'eau dont on dispose, si pure soit-elle, est toujours chargée d'éléments minéraux dont l'un des plus fréquents est le calcium, généralement sous forme de carbonate et de bicarbonate. Il suffit qu'une région soit riche en calcaire pour que l'eau de pluie se charge de carbonates en s'infiltrant dans le sol.

La présence du bicarbonate présente des inconvénients quand elle atteint des proportions importantes. Les canalisations, les appareils domestiques et les bouilloires s'entartrent, le savon ne mousse pas, la peau est plus rugueuse, le linge est moins souple. On a donc inventé des techniques pour lutter contre le calcaire : des techniques d'adoucissement.

Les unes utilisent des polyphosphates qui empêchent la précipitation du bicarbonate, les autres du chlorure de sodium, du sel, pour remplacer le calcium par le sodium, d'autres encore procèdent par effets électriques.

Aujourd'hui les techniques permettent d'avoir une eau équilibrée en corrigeant les excès de minéralisation ou de déminéralisation qui se rencontrent dans la nature. Car une eau trop adoucie peut devenir corrosive et même dangereuse pour certains organismes.

Fort heureusement, le problème n'est pas général. Si nous prenons le cas de la France, il existe, certes, des régions trop calcaires, comme les pourtours du Bassin Parisien ; il en existe d'autres comme la Bretagne où l'eau est trop douce, donc trop agressive, mais dans de très nombreuses régions, l'eau est naturellement équilibrée en composants minéraux et n'a pas à subir de traitements particuliers, sauf pour quelques applications spéciales.

Pour rétablir l'équilibre, il faudrait minéraliser ou adoucir l'eau collective dans des stations de traitement chaque fois qu'il existe un déséquilibre grave. Dans les autres cas, il suffirait que certains utilisateurs, les blanchisseries, par exemple, s'équipent d'adoucisseurs individuels. Et, là encore, c'est affaire d'organisation collective. Faute de quoi, les citoyens, bien conditionnés, achètent sans raison des appareils individuels. Cette pratique est généralisée en Amérique et se répand en France.

Les marchands laissent entendre que l'eau calcaire est dangereuse pour la santé. Les autorités médicales se sont toujours refusées à cautionner de telles affirmations car elles suspectent les eaux douces d'être nocives pour les cardiaques. Mais l'usager est sensible à ces arguments alors même qu'il ne boit pas l'eau du robinet. Il s'équipe donc en adoucisseurs individuels. Et comme il fait cet achat pour des motifs irrationnels, de confort, de standing ou de crainte sans aucune véritable connaissance du problème, on constate que la vente des appareils est très florissante dans des régions où l'eau est naturellement si douce qu'on doit la minéraliser dans les usines de purification ! A San Francisco, par exemple, l'eau est minéralisée par la municipalité mais de très nombreux foyers sont équipés d'adoucisseurs. Si bien que les tuyauteries et les robots ménagers ne s'entartrent plus, mais qu'ils sont corrodés par l'eau trop adoucie, surtout quand l'adoucissement est réalisé au sodium. Et quand cet adoucissement se révèle nécessaire, le fait de le réaliser à l'échelon individuel multiplie environ par dix le coût de l'opération.

Et voilà que les lessives à leur tour font de la lutte contre le calcaire leur cheval de bataille. Concrètement, cela signifie qu'elles ajoutent une quantité de polyphosphates aux détergents. Aussi les eaux rejetées augmentent-elles encore la teneur en phosphates des lacs et des rivières. Or l'on sait que cet enrichissement est à l'origine du phénomène de l'euthrophisation, c'est-à-dire du pullulement des algues microscopiques qui finissent par tuer toute vie aquatique.

Evidemment de tels rapprochements paraissent absurdes aux spécialistes. L'épuration de l'eau est une chose, la fourniture d'eau potable en est une autre. La technique, réductionniste de nature, traite ces problèmes séparément ; c'est le niveau politique, le niveau de la synthèse, qui devrait les réunir. Peut-il encore le faire ?

Des techniques existent qui permettraient d'avoir l'eau potable au robinet, l'eau propre dans les rivières ; seulement elles ne peuvent être pleinement efficaces que dans le cadre d'une action politique. Faute d'une telle volonté, le développement du progrès est abandonné à l'initiative privée, assujetti aux impératifs de l'impérialisme industriel. De ce point de vue les objectifs sont parfaitement atteints. Les marchands d'eau et d'adoucisseurs sont florissants. Et quand le marché sera saturé, ils lanceront les eaux « personnalisées ». Après avoir vanté les vertus de l'eau « naturelle », ils vanteront celles des eaux « rééquilibrées », qui auront subi une minéralisation artificielle. On peut également prévoir que ces eaux seront plus chères que le produit actuel. Quant à nos rivières elles seront toujours aussi sales, mais ne désespérons pas d'acheter demain de l'eau en tonneau pour remplir les piscines.

108

LE BONHEUR EN PLUS

L'extraordinateur

Il dirige les entreprises, il établit les horoscopes, il contrôle les machines, il donne le tiercé, il soigne les malades, il marie les cœurs solitaires. C'est l'ordinateur. Parce qu'il calcule plus rapidement que l'esprit humain, on dirait qu'il possède des vertus surhumaines. Le robot devient « cerveau » et l'ordinateur, « l'extraordinateur ». Encore adoré, déjà redouté, l'ordinateur est devenu le totem magique de nos modernes illusionnistes.

Que l'on se soit trompé sur les capacités de ces machines, c'est pardonnable. Que l'on se soit un peu trop pressé d'annoncer qu'elles pourraient prévoir le temps, lire l'écriture humaine, traduire les langues, battre les champions d'échecs ou faire des inventions, c'est excusable. Que la mise en route des systèmes informatiques ait donné lieu à de nombreuses bévues, que la logique rigide des circuits ait conduit à des résultats aberrants, c'est encore admissible.

Mais que l'on ait tenté d'utiliser les ordinateurs pour éviter de corriger les mauvaises structures, que l'on ait voulu en faire les prothèses d'organisations défectueuses, voilà l'illusion technique. Et voilà où précisément commencent les désillusions.

L'ordinateur n'est véritablement efficace que dans une organisation saine. Lorsqu'on prétend l'introduire sans avoir effectué les réformes politiques à l'intérieur de l'entreprise ou de l'Etat il n'est, au mieux qu'une bonne machine de bureau, au pire qu'un « ordigêneur » qui empêche les mauvaises structures de claudiquer en rond.

Les préalables oubliés

Certes, si l'on ne considère que le développement technico-commercial, la réussite semble brillante. 3 000 ordinateurs dans le monde en 1959. 25 000 en 1964, 75 000 en 1969, près de 150 000 aujourd'hui. Dans le même temps, on a vu se succéder quatre générations de machines et apparaître le traitement en temps partagé, la téléinformatique, la représentation graphique, la lecture. Bref, c'est l'une des plus grandes victoires de la technologie depuis la dernière guerre.

Pourtant les résultats d'un tel effort sont décevants. Des enquêtes faites, tant aux Etats-Unis par McKinsey, qu'en Angleterre par « Management Today » montrent que dans 70 % des cas environ l'introduction de l'informatique dans les entreprises s'est révélée déficitaire. Il ne fait guère de doute que le bilan est le même dans les autres pays. En outre les industriels sont largement suréquipés, les machines ne fonctionnent généralement qu'à temps partiel et elles sont affectées à des opérations élémentaires qui seraient aussi bien faites par des machines de bureau ordinaires.

Pourtant les promoteurs de cette technologie n'étaient ni des rêveurs ni des escrocs quand ils chantaient merveille. Ils avaient raison d'affirmer qu'elle pourrait transformer la vie des hommes. Ils eurent seulement le tort de ne pas préciser qu'elles ne changeraient rien d'essentiel si l'on ne faisait pas l'effort de réorganisation nécessaire.

Par lui-même l'ordinateur n'apporte en effet qu'une amélioration quantitative. Il permet de traiter plus vite et de façon plus complexe un plus grand nombre d'informations. Un point c'est tout. Certes il peut être intéressant d'avoir une capacité accrue de calcul. Mais l'amélioration qui en résulte ne va pas très loin. Quand on fait journellement et non plus mensuellement les relevés de compte cela ne change pas grand-chose au fonctionnement général du système bancaire. Comme le constate justement Georges Elgozy dans son *Désordinateur* [1] : « Condition parfois nécessaire, l'informatique est rarement une condition suffisante. Sans doute suffirait-elle dans les cas où la complexité découlerait exclusivement d'un relatif gigantisme, générateur d'opérations multiples et répétitives. Dans presque tous les cas, cependant, le facteur quantitatif ne représente que l'un des nombreux éléments qui font la complexité d'un problème en général, d'une gestion en particulier. »

Lorsqu'on veut calculer avec une grande précision la trajectoire d'un engin spatial, l'ordinateur fait merveille puisqu'on ne peut obtenir la précision nécessaire en temps réel qu'en intégrant un très grand nombre de paramètres. Malheureusement — ou heureusement — les hommes et les sociétés humaines n'ont pas la simplicité d'un vaisseau Apollo filant vers la Lune. Les problèmes de toutes natures qui les assaillent ne sauraient être résolus à coups de calcul. Or l'ordinateur ne fait et ne fera jamais que cela : jongler inlassablement avec des milliards de zéros et de un. Il se trouve que l'intelligence humaine est capable d'analyser les problèmes complexes jusqu'à les ramener à une succession de telles opérations élémentaires. La machine ainsi programmée peut donc toujours trouver

1. Georges **Elgozy** : *Le désordinateur.* (Calmann-Lévy), 1972.

la solution optimale. Mais cette « optimisation » est une notion toute relative. Elle dépend de l'analyse humaine et non du travail électronique. Si la question est mal posée, la « bonne » réponse sera, en fait, mauvaise.

Longtemps, les responsables de la circulation dans les cités américaines ont tenté d'organiser rationnellement les infrastructures urbaines selon les méthodes de l'informatique. Ils introduisaient inlassablement les nouvelles données du trafic dans la machine et celle-ci préconisait la construction de nouvelles autoroutes, l'élargissement des voies existantes, l'édification d'échangeurs complexes, la multiplication des parkings. Et plus on se fiait à ces recommandations, plus les dépenses d'équipement augmentaient et plus les encombrements paralysaient les villes. Pourtant les programmes étaient corrects et l'ordinateur donnait toujours les bonnes réponses. On avait simplement omis d'envisager les solutions sociales qui permettraient d'étaler dans le temps le trafic et de développer les transports en commun. Dans le contexte américain de ces dernières années, le problème des transports urbains ne se posant qu'en termes de technique et d'automobile, les programmes ne pouvaient permettre que de trouver le meilleur tracé pour la nouvelle autoroute urbaine, non d'améliorer la circulation.

Telle est la première règle de l'informatique : en l'absence d'une réforme préalable du système « informatifié » elle ne fait qu'en faciliter le fonctionnement sans en éliminer les défauts. Aux organismes infirmes, elle apporte une canne et non la guérison.

L'ordinateur inconfortable

En outre, l'informatique possède sa logique propre. Elle ne se conçoit pas sans une certaine rationalisation, une certaine normalisation. Dans toute collectivité complexe, il existe de nombreuses unités plus petites qui, chacune, remplissent une fonction différente. Si l'on veut réunir l'ensemble dans un réseau informatique, il faut nécessairement effectuer une profonde réorganisation. En effet, chaque unité a développé ses propres méthodes pour traiter l'information, méthodes qui sont, bien souvent, incompatibles entre elles. L'information ne circule pas, les duplications sont fréquentes, et le rendement de l'ensemble est mauvais. Si l'on prétend regrouper tout l'organisme autour d'un même système informatique, il faut obligatoirement coordonner, organiser, normaliser l'activité de ces différents secteurs afin qu'ils puissent s'y intégrer. Il s'agit là d'une nécessité propre à la technique. L'ordinateur ne peut pas intégrer dans ses programmes des méthodes trop dispersées. Ainsi ne peut-on développer toutes ses possibilités sans heurter bien des habitudes, bien des routines, bien des privilèges. C'est là que se pose le problème politique. Et dans la plupart des cas, on veut l'ignorer.

Il y a quelques années, on parlait volontiers de gestion intégrée pour les entreprises. Autrement dit de la centralisation dans une unité de calcul de toutes les opérations nécessaires à la bonne marche des différents services. L'ordinateur était programmé pour organiser dans les meilleures conditions la circulation de l'information et la prise de décision au sein de l'entreprise. On imagine aisément le bouleversement que peut apporter une telle réorganisation. Il s'agit de repenser tout le système en faisant abstraction des habitudes acquises. Déterminer les informations utiles, techniques, sociales, financières, préciser leur mode d'appréhension, leur mise en forme, leur circulation dans le réseau ; prévoir l'élaboration des informations secondaires en fonction des différents besoins. Autant dire réorganiser l'entreprise de fond en comble. Selon que l'opération aura été bien ou mal conduite, l'opérée se retrouvera rajeunie ou infirme. Les risques sont aussi grands que les espérances.

Dans la pratique l'introduction de l'informatique s'est effectuée bien différemment. Elle s'est essentiellement fondée sur les situations existantes. Il s'agissait tout d'abord d'acheter — ou plus exactement de louer — une machine. Une sorte de snobisme industriel a beaucoup joué dans le suréquipement actuel. A la fin des années 60, il n'était pas possible de visiter une entreprise sans faire le crochet par la salle de calcul. Il y avait les sociétés modernes qui avaient des ordinateurs et les autres qui n'en avaient pas.

On demandait alors à cette machine d'effectuer certaines opérations bien limitées en se contentant, pour l'essentiel, de faire électroniquement ce qui se faisait manuellement. La machine faisait donc la paye, la facturation, la gestion de stocks comme une super-machine de bureau. Dans la mesure où les machines modernes coûtent fort cher, mais peuvent rendre des services autrement importants, une telle utilisation, même si elle accapare tout le temps de la machine est absurde. Non pas quantitativement peut-être, mais qualitativement. La rentabilité est donc mauvaise.

Pour l'améliorer, il faudrait franchir un pas de plus dans la voie de la rationalisation et de l'intégration. Non plus faire la même chose autrement, mais véritablement changer d'organisation.

Rares sont les entreprises qui s'y risquent, à moins que la direction ne soit prise d'une rage « rationalisatrice » et ne fasse appel à ces nuées d'informaticiens et de spécialistes en organisation imposant d'en haut et parfois même de l'extérieur la révolution de la logique et de l'efficacité. Et là encore, les résultats sont décevants.

L'ignorance, ou simplement la négligence manifestée à l'endroit des réalités humaines et des difficultés concrètes crée des résistances qui finissent par bloquer toute la réforme.

Ce qui est clair, dans tous les cas, c'est que la qualité des machines et l'art de traduire les problèmes en programme n'influencent que faiblement le résultat final. Il existe et il existera toujours de bonnes et de mauvaises directions, les unes seront meilleures avec l'appui des systèmes informatiques, les autres seront un peu moins médiocres.

Bien souvent l'informatique ne sert qu'à conforter pour un temps un pouvoir trop autoritaire. On connaît de ces entreprises toutes bardées de machines électroniques, dans lesquelles l'autorité, sous des formes modernes, a entièrement conservé son caractère féodal.

Il ne faut donc pas s'illusionner sur les possibilités de la gestion intégrée, elle ne résout nullement le problème crucial des entreprises, à savoir l'exercice de l'autorité.

La sottise logique

Si l'on considère maintenant la prise de décision, on retrouve des illusions du même ordre. Les procédures modernes nées de la recherche opérationnelle, couplées avec les systèmes informatiques en ont fait, nous assure-t-on une science. Désormais les choix ne sauraient se faire sans études quantifiées des options possibles, des évaluations en fonction des différents objectifs, des analyses avantages-inconvénients. Le tout à grand renfort de calcul électronique évidemment. Ainsi doit-on éliminer les facteurs humains et les informations erronées qui induisent les mauvaises décisions. Mais on peut constater aujourd'hui que cette prétention de maîtriser l'avenir est entièrement illusoire.

La société Dassault a décidé de construire l'avion court-courrier *Mercure*, après que ses ingénieurs aient mis sur ordinateurs toutes les lignes commerciales du monde, tous les types d'avions possibles, tous les appareils existants, en sorte qu'ils ont découvert le seul créneau libre et rentable. Il existait un marché pour *Mercure* : « l'ordinateur l'avait dit ». Pourtant l'appareil attend toujours ses nombreux clients.

La Villette, Concorde, la tour Montparnasse, Fos, pas un programme qui ne réserve des désillusions, pas un qui n'ait été analysé au préalable par la machine.

A la limite ses méthodes d'analyse peuvent donner une fausse impression de certitude. Entre l'expert qui dit : « Je pense que le coût devrait être de tel ordre, mais c'est une évaluation sous toutes réserves », et la machine qui fixe un chiffre après avoir accumulé des heures de calcul, qui hésiterait ? Qui ne céderait à la magie de la logique électronique, sans toujours voir que ce calcul est fondé sur des hypothèses et des évaluations arbitraires ? L'ordinateur est aussi un amplificateur de sottises. Il donne de l'assurance à ceux qui auraient toutes raisons de douter. Que l'on ajoute les possibilités de l'informatique aux qualités humaines, c'est parfait, que l'on croie pouvoir utiliser les unes pour se dispenser des autres, c'est catastrophique.

Et encore n'évoque-t-on pas les facteurs humains si importants dans toute prévision, et que l'ordinateur saisit aussi efficacement qu'une fourchette le bouillon.

La guerre sur ordinateur

Les militaires sont grands amateurs et consommateurs d'informatique. De tous temps, les états-majors ont fait des jeux de guerre pour s'entraîner à utiliser la meilleure parade dans tous les cas de figure. L'ordinateur constitue la machine idéale pour le Kriegsspiel et les experts militaires, notamment les experts américains, ne se font pas faute de l'utiliser. Selon Andrew Wilson des milliers de chercheurs d'un niveau équivalent au doctorat travaillent aux Etats-Unis à rédiger les programmes de ces jeux. C'est ainsi qu'on pouvait lire dans le *Times* de Londres en 1963 : « Le ministère de la Défense vient de terminer un « Jeu de Guerre » sur ordinateur qui, d'après les rapports, confirmerait les Américains dans la conviction selon laquelle les Etats-Unis auraient l'avantage dans une guerre atomique totale. »

« Ce *Jeu de Guerre*, connu sous le nom de Simulation of Total Atomic Global Exchange ou STAGE, a nécessité, dit-on, près de trois années de préparation et il a fallu cinq mois pour le jouer [1]. » Telles sont les ruineuses âneries auxquelles conduit l'illusion informatique. Pourtant, six mois auparavant, s'était déroulée la fameuse crise de Cuba. Qu'avait-elle démontré ? Tout simplement qu'à l'ère de la dissuasion nucléaire tout repose sur la crédibilité humaine des chefs d'Etat.

En effet, dans le poker terrifiant qui opposa Khrouchtchev à Kennedy, chacun s'est efforcé de faire céder l'autre, c'est-à-dire de persuader son adversaire qu'il ne céderait pas, qu'il était résolu à aller jusqu'au bout. Cette volonté était largement indépendante des résultats d'un éventuel échange nucléaire. Le problème n'était pas de savoir si la Russie se retrouverait détruite à 35 % et l'Amérique à 45 % ou le contraire, il était de savoir lequel des deux chefs aurait la détermination suffisante pour aller jusqu'au conflit, quelles qu'en soient les conséquences. Tout au long de la crise, chaque partenaire a tenté d'évaluer la volonté de son partenaire. Si le personnage de Kennedy, son comportement, avaient pu faire douter de son engagement, Khrouchtchev n'aurait pas cédé. En dépit des mégatonnes accumulées de part et d'autre, tout se jouait sur le caractère de deux hommes. Comme dans les bons westerns. Avec quelques bombes un chef d'Etat résolu peut faire trembler le monde. Tel autre avec le plus terrifiant arsenal ne parviendra pas à rendre crédibles ses menaces. Or tout le jeu de la dissuasion se joue avant, sur les crédibilités réciproques.

Comment l'ordinateur peut-il pondérer le facteur de crédibilité que représente MM. Brejnev, Nixon, Mao Tsé Toung ou Pompidou ? Toutes les savantes analyses resteront vaines tant qu'elles ne pourront appréhender l'essentiel : la volonté humaine. L'informatique permet d'organiser une force nucléaire, pas plus.

Au secours de la bureaucratie

Que les économies de type soviétique soient peu efficaces, c'est un fait que les dirigeants communistes sont bien souvent les premiers à reconnaître et à déplorer. Le temps n'est plus où les responsables chantaient, quoi qu'il arrive « les grandes victoires du socialisme ».

Il est vrai que ces pays ont accru considérablement leur production, il est également vrai qu'ils ont entrepris l'expérience socialiste à partir d'un état de sous-industrialisation et qu'ils ont connu les ravages de la guerre ; pour-

1. Andrew Wilson : *La Guerre et l'ordinateur.*

tant les progrès réalisés ne correspondent pas aux espoirs qu'on pouvait fonder sur un système libéré du gaspillage capitaliste. Indiscutablement l'organisation de la production et de la distribution n'est pas satisfaisante. Elle ne parvient qu'à remplacer le gaspillage capitaliste par le gâchis communiste.

Le grand projet consistait à remplacer l'économie de marché dominée par les intérêts privés en quête de profits, par une économie planifiée dont l'activité serait rationnellement organisée en fonction de l'intérêt des travailleurs. Qui ne souscrirait à un si généreux dessein ?

Mais l'économie d'un grand pays représente une masse de fonctions diverses, imbriquées, dont la résultante forme un ensemble d'une extrême complexité. Ensemble d'autant plus difficile à faire fonctionner harmonieusement qu'il ne cesse d'évoluer, tant en raison de ses propres résultats, que des progrès accomplis dans les techniques productives. Dans la mesure où tous les mécanismes se rattachant au système de marché et de libre entreprise étaient idéologiquement pervers, il a fallu mettre en place un énorme appareil bureaucratique hiérarchisé et verticalisé pour faire tourner la machine depuis le stade des grands objectifs nationaux jusqu'à celui des plus simples tâches productives ou distributives. Il s'est alors produit le phénomène bureaucratique remarquablement analysé par Marc Paillet dans son ouvrage : *Marx contre Marx* [1]. La bureaucratie, fortement structurée autour d'un centre de décision, a pris en main l'ensemble du pouvoir économique ne laissant aux techniciens de la production, à la technostructure, qu'un rôle de simple exécution : « Le Centre bureaucratique qui compte selon les cas de quelques centaines à quelques milliers de personnes possède, par les moyens de l'étatisation, et par elle seule, tous les attributs de la propriété des moyens de production. Cela comportait notamment dans la période classique — et comporte encore largement — les pouvoirs suivants : la détermination des objectifs du plan s'imposant de manière plus ou moins autoritaire à toutes les activités économiques ; la manière d'atteindre ces objectifs, souvent d'ailleurs en entrant dans de tels détails que la technocratie « locale » devait considérer cela comme une immixtion abusive ; les affectations de matières premières et de main-d'œuvre, la politique des investissements en gros comme en détail ; item la politique des prix... bref tout ce qui concerne le fonctionnement et l'expansion, la production et la distribution, la rentabilité, l'allure technique, et ainsi de suite [1]. »

Cette organisation a buté sur un double obstacle : le

1. Marc Paillet : *Marx contre Marx* (Denoël, 1971).

détournement des objectifs, et l'impossibilité technique. Le premier n'est qu'un cas particulier d'un mécanisme plus général : l'impérialisme des structures. Toute structure organisée finit par se mettre à son propre service. Selon les cas, elle tendra à se survivre ou bien à croître, mais, dans tous les cas, elle finira par faire passer ses propres intérêts avant ceux qu'elle était chargée de défendre. Témoin la bureaucratie soviétique, qui a fini par s'ériger en classe détentrice du pouvoir politique et du pouvoir économique. Comme toute classe au pouvoir, elle a exercé son action en fonction de sa propre satisfaction. « Ce centre bureaucratique gouvernait et gouverne au nom et en faveur de tous les bureaucrates... » C'est-à-dire qu'il doit éviter tout partage de son autorité et diriger l'économie de façon à pouvoir dresser des bilans favorables. Peu importe que ces bilans correspondent ou non à l'intérêt réel des citoyens. Il s'agit de fabriquer des statistiques de la même façon que les grandes firmes capitalistes font du chiffre d'affaires.

A ce détournement d'objectif s'ajoute une impossibilité technique. Prétendre remplacer les innombrables inter-actions qui s'exercent en permanence sur le marché par une organisation rationnelle qui prendrait en compte la totalité des facteurs en cause relève de l'utopie. L'esprit humain n'est certainement pas capable d'un tel travail en comparaison duquel la préparation du programme Apollo n'est que jeu d'enfant.

Ainsi les directives centrales ne correspondent-elles généralement pas aux situations concrètes et aux besoins réels. Le résultat n'est jamais conforme aux prévisions. Certains critiques soviétiques ont cité l'exemple des casseroles. Comment déterminer les normes de productions que les usines devront respecter ? S'attachera-t-on au nombre d'ustensiles ? Alors les producteurs ne fabriqueront que des articles de petite taille pour atteindre plus aisément les quotas. Fixera-t-on une surface globale ? Alors ils ne s'intéresseront qu'aux articles de très grand diamètre. Si enfin on essaye de fixer la production en quantité et en qualité, il faut autant de bureaucrates pour la définir que de travailleurs pour la réaliser.

Voilà donc les sociétés de type soviétique dans le piège de l'illusion idéologique. Elles ont ignoré la réalité au nom des principes, cette dernière se révélant décidément trop coriace, il ne reste plus qu'à se jeter dans l'illusion technique pour la mater.

Il faudrait que la classe dirigeante desserre son étreinte paralysante et accepte de partager son pouvoir. Mais elle ne s'y résigne pas.

L'ordinateur de sauvetage

Elle tend naturellement à penser que le problème est purement technique. Aussi les Soviétiques ont-ils poussé très avant les études économiques. Ils ont, en particulier, fait appel à toutes les ressources des mathématiques appliquées, domaine dans lequel ils sont particulièrement avancés. On retrouve constamment associées les notions d'économie, de mathématique, et même de cybernétique, dans les recherches soviétiques. Toutes ces études sont sous-tendues par l'illusion que l'économie d'une nation pourrait être considérée comme un système complexe de machines qu'on dirigerait et régulerait grâce à une bonne modélisation mathématique.

Depuis 1965, et avec dix ans de retard sur l'Amérique, l'U.R.S.S. a découvert toutes les possibilités de l'informatique en matière économique. Des chercheurs communistes, notamment Kornaï et Liptak ont même fait accomplir des progrès considérables à l'utilisation de ces techniques, notamment dans le domaine de la programmation linéaire. Ils se sont efforcés de penser l'économie comme un système à plusieurs niveaux dans lequel le niveau supérieur se contenterait de fixer des objectifs globaux par secteurs, les échelons inférieurs conservant une grande liberté d'action dans le choix des moyens propres à atteindre ces objectifs. Cette programmation linéaire qui n'est pas encore opérationnelle à ce niveau donnerait l'outil nécessaire pour effectuer une véritable décentralisation économique. Mais ces techniques sont inséparables d'une profonde mutation politique. Il faudrait renoncer à l'illusion d'un système centralisé pouvant remplir les fonctions d'un marché pour rétablir dans un cadre nouveau les notions d'entreprise, de prix, de rentabilité, de compétition. C'est ce que préconisent des hommes comme Ota Sik, l'un des penseurs du Printemps de Prague, cité par Paillet :

« ... De nos jours, aucun organe central n'est capable de fixer avec souplesse et objectivement tous les changements potentiels intervenant dans les prix de revient de tous les produits individuels... C'est pour cette raison qu'aucun organe central ne saurait se substituer au jeu vivant du marché...

« ... L'essor technique, le développement des valeurs d'usage produites ne saurait avoir lieu que dans les entreprises productrices... Seul le concours des entreprises et leur conscience réelle que la vente future de leurs marchandises et les mouvements de leurs revenus par travailleur dépendent des conditions bien préparées dans la sphère de la production, peuvent pousser le producteur à la recherche des variantes les plus propices à l'évolution et donner naissance aux plans macro-économiques quinquennaux les mieux adaptés [1]. »

Tel est le préalable à une saine utilisation de l'informatique en économie socialiste. Il implique, on le voit, une redistribution des cartes politiques. Pour une bureaucratie mal résignée à un tel changement, l'informatique peut apparaître comme une bouée de sauvetage. Est-ce que des possibilités accrues dans le traitement de l'information ne donneraient pas la cohérence nécessaire aux directions centrales ?

La centralisation autoritaire n'a-t-elle pas surtout buté sur un obstacle technique, l'impossibilité d'appréhender un ensemble trop complexe d'informations ?

Alors l'U.R.S.S. s'est équipée en ordinateurs de gestion. On a parlé d'accords portant sur plus d'un millier de machines I.B.M. 360 aujourd'hui déclassées, mais encore très utilisables. Mais dans quel esprit ces systèmes seront mis en place ? Veut-on les mettre au service d'une centralisation aujourd'hui menacée [2] ? C'est à nouveau tout le dilemme de l'illusion technique. Si les décisions politiques interviennent, l'Union soviétique pourra prouver qu'avec l'aide de l'informatique une économie socialiste d'abondance est possible. Dans le cas contraire, il y a gros à parier que les difficultés actuelles se retrouveront d'autre manière et que l'inefficacité se maintiendra dans l'avenir.

La maladie des feuilles

Ce serait grande injustice de dénoncer les entreprises privées, les états socialistes et de blanchir l'administration française. Elle mérite absolument d'être citée en exemple pour l'art et la manière de transformer un ordinateur en boulier ou en étagère. C'est sans doute la Sécurité sociale qui sait le mieux mésuser de l'informatique. Non qu'elle l'ignore. Elle dispose même d'un parc impressionnant de machines, qui, pour la seule région parisienne

1. Cité par Marc Paillet.
2. En Union Soviétique la réforme de 1965 transférait une partie du pouvoir économique des ministères aux entreprises. Six années plus tard commençait une contre-réforme qui paraît accroître à nouveau l'autorité centrale.

produisent 40 km de bandes perforées chaque jour pour apurer 60 000 dossiers individuels. Mais nul n'oserait affirmer que la Sécurité sociale fonctionne mieux depuis qu'elle a mis des circuits intégrés dans ses rouages. On sait depuis longtemps que cet organisme ne parvient plus à appliquer ses règlements. Le ministère des Affaires sociales n'a-t-il pas accouché de 25 000 textes de toute nature entre 1945 et 1972 ? Chacun ayant encrassé un peu plus la machine, celle-ci est devenue une construction absurde et inefficace que symbolise parfaitement l'immeuble vert de la rue Viala à Paris. Là, dans l'immense hall, stationnent à longueur d'année des assujettis de toute sorte qui espèrent qu'on pourra étudier leur cas.

Le système marchait tant bien que mal, car on sait les réserves inépuisables de patience et de soumission des Français à l'égard de l'Administration, jusqu'au jour de la réforme salvatrice, ou, plus exactement jusqu'à l'intrusion du grain de sable dévastateur. Quand le gouvernement décida en effet de limiter aux moins riches le bénéfice de certaines allocations, il fallut savoir qui y avait droit, qui n'y avait pas droit, établir des dossiers, examiner des requêtes, vérifier des déclarations. Le système explosa. Fin 1972, il y avait des centaines de milliers de lettres en instance ; tout fut bloqué. Le ministre dut intervenir politiquement pour tenter de résoudre la crise. Il était enfin évident qu'il faudrait changer l'institution et non les ordinateurs pour sortir de cette impasse.

Il n'est certes pas facile de mettre sur pied une politique de solidarité nationale. Quatre organismes ont été mis en place. L'un pour payer les allocations familiales, l'autre pour verser les retraites, le troisième pour rembourser les frais médicaux et le quatrième pour prélever les cotisations patronales. Chacun a voulu préserver jalousement son indépendance, définir ses propres règles, tenir ses propres archives. Or l'on constate que chaque caisse s'occupe à peu près des mêmes personnes et qu'elle a besoin des mêmes informations ! La saine logique voudrait donc que l'on crée une banque d'information commune aux différents organismes pour éviter les duplications inutiles.

Malheureusement, pour la saisie de l'information, on a jugé préférable d'utiliser les administrés comme coursiers. Ce sont eux qui doivent fournir des renseignements, qui pourraient être obtenus directement au sein de l'administration.

Dans ces conditions, chaque caisse peut toujours demander à des informaticiens d'automatiser telle ou telle opération, le fonctionnement de l'ensemble n'en sera guère amélioré. En réalité, l'informatique n'apportera une amé-

lioration que si l'on repense complètement le problème,
quitte à heurter certains principes. Mais la méfiance généralisée, la sclérose des structures et la démission de l'autorité politique s'y opposent. Ne prenons qu'un exemple.
95 % des Français sont couverts par l'assurance maladie
sous une forme ou sous une autre. Or, à cause des 5 %
qui restent, il faut rechercher, dans chaque cas, si le
requérant a bien droit aux remboursements des frais médicaux. Il paraîtrait raisonnable de décider une fois pour
toutes que l'assurance couvre tous les Français. Sans doute
une telle mesure se révélerait-elle rentable par les économies qu'elle permettrait de réaliser, mais elle est en contradiction avec les sacro-saints principes juridiques. Elle ne
pourra être prise.

Imaginons maintenant les services que pourrait rendre
l'informatique si elle était mise en œuvre avec une véritable volonté politique d'améliorer les choses. Il faudrait
commencer par poser le principe d'une banque de données
unique pour les différentes caisses. Ensuite, on l'alimente-
rait directement, et non plus par le canal archaïque des
interrogations épistolaires. Or cela est parfaitement possible.

Puisque la Sécurité sociale a besoin de renseignements
d'état-civil, il suffirait de demander à l'administration
qui enregistre ces informations d'en reverser un double
dans la banque de données de la S.S. Par voies électroniques, évidemment, et non par la poste. Quant aux renseignements professionnels, on les obtiendrait en rendant
automatique la communication par les employeurs de
leurs feuilles de paye. Or l'on sait que, de plus en plus,
la paye est faite par ordinateur. On peut même estimer
que près de la moitié des salariés français sont aujourd'hui
payés par traitement sur machine. Il serait donc possible
d'introduire directement ces données en mémoire en restant dans le circuit informatique. Les revenus enfin sont
connus — du moins en théorie — de l'administration
fiscale qui pourrait en reverser directement le chiffre
dans la banque de données.

Ainsi, les différentes caisses auraient en permanence
un dossier à jour sur tous les citoyens qui n'auraient plus
à assurer la transmission de l'information dans les différents rouages de l'Etat.

Il suffirait alors de mettre en programme, après un
travail de simplification préalable, les règles de paiement.
Celles-ci, dans la plupart des cas, se ramènent à quelques
opérations et vérifications très simples, aisément automatisables.

A partir d'un tel ensemble on pourrait créer de très

nombreux centres de paiements, organisés autour d'un ou plusieurs terminaux reliés à l'ordinateur central ou régional. L'administré se présenterait avec sa feuille de maladie et son ordonnance ; l'employé introduirait dans le système les données ; une minute après la machine fournirait les instructions de paiement. Il ne resterait plus qu'à passer à la caisse.

Ces centres de très petite taille pourraient être multipliés de telle sorte que les administrés en trouveraient toujours un à proximité de leur domicile ou de leur travail. Ils traiteraient tous les cas, puisqu'ils ne feraient qu'interroger l'administration centrale.

On ne manquera pas d'observer qu'une telle automatisation retire tout caractère humain à l'administration. Voilà bien un mythe éculé, mais qui a la vie dure. En réalité, une telle réorganisation libérerait une partie très importante du personnel aujourd'hui débordé par la paperasse. Plutôt que de procéder à des licenciements massifs, on pourrait affecter ces employés au contact direct avec le public. Chaque fois qu'un administré aurait un renseignement à demander, un problème particulier à traiter, il serait assuré de trouver immédiatement un fonctionnaire ayant tout le temps d'étudier son cas et de l'aider.

Le bon usage de l'ordinateur

Un tel projet est si peu utopique qu'il a été étudié très sérieusement par des informaticiens. Ils ont même tenté d'évaluer l'économie qui serait ainsi réalisée. On ose à peine donner le chiffre... 200 millions de francs lourds. Voilà ce que permet d'accomplir le progrès technique quand il est intégré dans une véritable organisation sociopolitique.

Certes, nous avons outrageusement simplifié la réalité. Dans les faits, la mise en place d'un tel système se heurterait à de nombreuses difficultés, elle prendrait de nombreuses années, des années difficiles, tant pour les fonctionnaires que pour les citoyens. Cette réforme ne saurait être menée à son terme sans un grand courage politique et une détermination sans faille. Si grandes seraient les tentations de multiplier les arrangements et compromis pour plaire aux uns et aux autres que l'entreprise aurait peu de chances d'être menée fidèlement à son terme.

On continuera donc à utiliser les ordinateurs de plus en plus massivement à l'intérieur de la désorganisation présente. Cela coûtera de plus en plus cher, pour des résultats de moins en moins intéressants. Car c'est la loi de l'illusion technique que l'utilité apportée par un surcroît de technologie diminue constamment jusqu'à tendre vers zéro.

Une semblable mésaventure s'est produite avec les contraventions parisiennes. Leur nombre n'a cessé de croître au point d'engorger bientôt les services de recouvrement. La préfecture de police a appelé l'informatique à la rescousse. Cependant, les procédures de recouvrement ont gardé leur caractère juridictionnel avec toutes ses lourdeurs : lettre recommandée, jugement, appel. Et cela, pour 4,5 millions de contraventions annuelles. A ce petit jeu, l'informatique finit par s'engorger à son tour. La technique ne pouvait permettre d'utiliser une procédure juridictionnelle, donc exceptionnelle, dans un acte aussi répétitif.

Les autorités ont enfin décidé d'abandonner les voies juridiques ordinaires, de renoncer au jugement et d'envisager les prélèvements direct et automatique sur les comptes des automobilistes. Grâce à ces réformes, il sera possible de préparer des programmes simples — relativement, car il y a tout de même 1 870 cas de contraventions pour automobiles — permettant « d'écluser » régulièrement le flot des papillons. Mais il est clair que, dans une telle amélioration, la réorganisation administrative jouera un rôle beaucoup plus important que l'appel à des moyens techniques renforcés.

La santé des malvivants

On ne saurait se livrer à une critique de la médecine moderne sans commencer par chanter ses victoires : l'espérance de vie est passée de 33 ans au début du xix' siècle à 71 ans aujourd'hui. Les plus graves maladies, diphtérie, variole, typhoïde, tétanos, poliomyélite, sont non point guéries mais définitivement éliminées par la vaccination. Voilà des succès bien réels, et chacun d'entre nous a une dette envers le progrès médical.

Cela posé, il est intéressant de suivre l'évolution de la mortalité depuis le début du siècle pour observer, selon les causes de décès, les grands moments de cette fantastique bataille. On découvre alors que des progrès remarquables ont été accomplis dans les années 40-45, mais que, curieusement, ils ne furent qu'éphémères. Voyons ces chiffres, arrondis pour simplifier.

Cause de décès	1940	1944	1954
Diabète sucré	5 750	3 400	5 100
Alcoolisme	1 300	650	4 100
Hémorragies cérébrales	69 000	58 000	62 000
Cirrhoses	6 500	3 000	12 000
Suicides	7 300	2 800	7 000

A cette époque l'armée allemande occupait la France, le progrès médical était arrêté et les services médicaux assurés tant bien que mal dans les pires difficultés. Mais c'est au lendemain de la Libération que certaines maladies qui avaient régressé durant les jours sombres de l'occupation retrouvèrent leur niveau d'avant-guerre. Pourtant, les conditions médicales s'amélioraient.

Les raisons de cette « anomalie », chacun les connaît : les Français ne pouvaient plus boire, ni fumer ; les incommodités de la vie les condamnaient à faire de l'exercice physique, et les restrictions leur interdisaient tout excès alimentaire. Ainsi, cette période d'austérité forcée, dont certains prévoyaient qu'elle aurait des effets désastreux sur la santé, eut également des effets bénéfiques dans certains domaines, à tout le moins pour les adultes.

De cette observation, retenons qu'un très grand nombre de maladies proviennent de notre mode de vie et que leur guérison ne passe point par la thérapeutique, mais par un changement radical dans notre comportement et nos habitudes. Il est vrai que l'espérance de vie a augmenté de façon spectaculaire depuis deux siècles, mais ce progrès est dû à trois causes bien précises : la vaccination, qui s'étendit progressivement, à partir du XVIIIe siècle, l'hygiène, à la suite des découvertes pastoriennes au XIXe siècle, et les antibiotiques qui vinrent à bout des maladies infectieuses à partir de 1945. Ce sont là des victoires absolues et indiscutables. Il faut d'ailleurs noter que deux d'entre elles, l'hygiène et la vaccination, ne purent donner leur plein effet que dans la mesure où l'organisation sociale permit d'en étendre l'application. C'est pourquoi ceux-ci furent relativement lents. Le vaccin à lui seul n'est pas suffisant, encore faut-il diffuser la vaccination sur le plan collectif.

Mais ces succès sont acquis depuis un certain temps déjà, et leur influence sur la longévité est maintenant négligeable. Du reste, celle-ci n'augmente plus. Depuis une dizaine d'années l'espérance de vie des Français est d'environ 68 ans et celle des Françaises de 75 ans. De ces chiffres, on peut conclure, sans trop s'aventurer que notre façon de vivre joue un rôle déterminant. La médecine a beaucoup progressé en vingt ans, et si l'espérance de vie n'a pas suivi, c'est que les progrès ainsi réalisés n'ont fait que compenser les effets contraires de la vie moderne. Les statistiques de la Sécurité sociale sur les traitements de longue durée révèlent une progression très rapide des affections qui dépendent manifestement du mode de vie.

Nature de la maladie	1964	1968
Diabète sucré	9 700	14 000
Psychoses Psychonévroses	32 300	45 600
Troubles du comportement	20 800	32 100
Lésions vasculaires cérébrales	4 100	9 150
Artériosclérose	10 700	19 100
Maladies du cœur	8 850	15 700
Hypertension	7 100	8 200
Cirrhoses	3 350	4 800
Malformations congénitales Maladies de la petite enfance	1 700	5 050

Pour certaines maladies, les cancers en particulier, il est bien difficile d'incriminer une cause sociale définie. Mais il n'en va pas de même pour les maladies mentales par exemple qui ont quadruplé en vingt ans. Les indemnités journalières auxquelles elles donnent droit représentent aujourd'hui le quart des prestations. D'une façon générale, la confrontation de ces chiffres avec ceux de la période 40-45 montre clairement le rapport entre le mode de vie et l'état sanitaire. Cette comparaison est d'autant plus spectaculaire que les conditions d'existence sous l'occupation n'avaient évidemment pas été conçues pour améliorer la santé des Français. On imagine les résultats qu'on pourrait obtenir en recherchant délibérément à éliminer de notre monde les causes premières de toutes ces maladies. Telle serait évidemment la voie d'un progrès authentique. En quoi consiste donc la médecine actuelle ?

Les garagistes médicaux

Elle se cantonne essentiellement dans la thérapeutique. Son objet, c'est le malade. Pas le bien-portant. Elle laisse venir à elle les organismes endommagés et tente de les réparer sans rechercher l'origine des dommages. Tant que le médecin se contente de remettre sur pied son patient, il se cantonne dans une action purement technique. Il est le garagiste du corps humain, se conformant ainsi aux normes de l'illusion technique. Si d'aventure il prétendait remonter à la source première de ces maladies, il déboucherait sur le plan politique. Il devrait remettre en cause une certaine organisation sociale. C'est ce qui est impossible dans notre société industrielle.

Lorsque le professeur Jean Bernard tente cet exercice il doit commencer son analyse par « rêvons », car il sait que son analyse va à l'encontre de notre civilisation : « Rêvons. Trois lois sont promulguées. La première loi limite aux quantités raisonnables la consommation de boissons alcoolisées. La deuxième interdit la vente des cigarettes. La troisième loi réduit la fabrication, la vente et partant la circulation des automobiles. « En peu de temps tout change. Les cirrhoses, les névrites, les psychoses provoquées par l'alcool disparaissent... La dramatique ascension des cancers du poumon est interrompue, bientôt sa fréquence diminue. Le nombre et la gravité des accidents de la route diminuent aussi, à la fois parce qu'il y a moins d'automobiles en circulation et moins d'alcool dans le sang des automobilistes. Tout un peuple de condamnés, de futurs misérables, de futurs infirmes mène désormais une vie normale cependant que, fortement soulagé (un homme sur trois dans les hôpitaux est victime directe ou indirecte de l'alcool) le budget de la santé de la nation peut être orienté vers des tâches plus raisonnables [1]. »

L'éminent hématologue se contente de citer les fléaux modernes les plus évidents : alcool, tabac, automobile, mais on pourrait en citer beaucoup d'autres : l'absence d'exercices physiques, la suralimentation, la vie sous tension, la dégénérescence des relations humaines, etc.

Telles sont aujourd'hui les causes premières de cette mauvaise santé croissante. Car les chiffres prouvent clairement que le développement de la médecine ne correspond plus à une amélioration de la santé. Les victoires, même les plus authentiques ne sont bien souvent que des demi-succès. Empêchant la mort, elles ne peuvent restaurer intégralement la santé. Il est normal que les progrès de la médecine néo-natale s'accompagnent d'une augmentation des malformations. Il est possible de faire vivre un enfant affecté d'une anomalie plus ou moins grave, il n'est généralement pas possible de supprimer cette anomalie. Mais, dans la plupart des cas, la cause n'est pas « endogène », mais « exogène ». Les malades ne sont pas des « demi-miraculés » de la médecine, mais des « demi-tués » de la société.

Ramener le problème de la santé à la thérapeutique, c'est donc se condamner à ne remporter que des succès illusoires. Sans doute enregistre-t-on des progrès, et des plus estimables. C'est ainsi que le nombre des décès par diabètes sucrés, par cirrhoses, par alcoolisme n'augmente pas malgré la croissance constante de ces maladies. C'est ainsi que la psychochimie soulage de plus en plus efficacement les malades mentaux. Que l'utilisation du lithium ouvre de nouveaux espoirs dans la thérapeutique chimique des dépressions nerveuses et névroses etc. Mais ces succès limités représentent le maximum de ce que peut faire la technique médicale face aux troubles d'origine sociale. Elle a pu, grâce à la vaccination, supprimer les grandes maladies. Peut-être pourra-t-elle, demain, supprimer le cancer par l'utilisation des techniques immunologiques, mais elle ne peut trouver le vaccin contre les effets nocifs de la vie moderne. Tout ce qu'elle peut faire c'est limiter les dégâts. Mais ce ne sont pas les ambulances équipées de caissons hyperbars qui éviteront les infarctus aux citadins trop sédentaires, ni les drogues qui éviteront les dépressions aux citoyens solitaires et mal dans leur peau.

Pour toutes ces maladies, le « vaccin » est politique. Il consiste à lutter contre les formes de vie malsaines, à favo-

1. Jean Bernard : *Grandeurs et tentations de la médecine*, p. 224. (Buchet-Chastel, 1973).

riser le développement de relations humaines, plus riches, plus équilibrées, plus sécurisantes. Il est clair qu'un tel programme est infiniment plus difficile à réaliser que la découverte du vaccin contre l'hépatite virale.

La drogue nationale

Il n'est que d'observer l'attitude des pouvoirs publics face au problème de l'alcoolisme pour se rendre compte

COMPARAISONS INTERNATIONALES DES TAUX DE MORTALITÉ DUE A L'ALCOOLISME (ET PSYCHOSE ALCOOLIQUE)

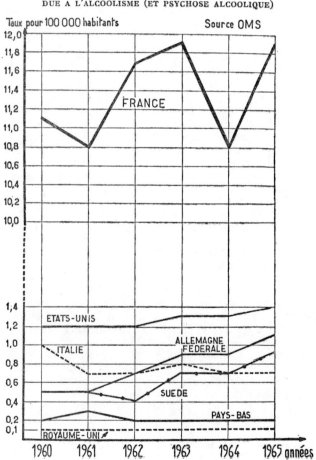

qu'ils sont radicalement incapables du moindre progrès en ce domaine.

Voilà donc un document [1] (p. 127) qui nous fait honte d'être Français. (Il en existe heureusement d'autres qui doivent faire honte d'être Anglais, Américain, Russe ou Japonais.) Il montre qu'on ne peut réunir en un même tableau l'alcoolisme en France et dans les pays étrangers. Les statisticiens ont dû interrompre la graduation pour que la courbe française ne sorte pas de la page.

Est-il bien utile de rappeler maintenant que le Français boit deux fois plus d'alcool que le Belge, l'Anglais ou l'Américain ?

Face à ce drame national, que font les gouvernements ? Rien. Ou plutôt si : ils prélèvent leur dîme sur la consommation d'alcool. Plus on se saoule plus le ministre des Finances voit augmenter les recettes fiscales. Encore ne faut-il point taxer exagérément le vin. Cela pourrait ralentir la consommation, déclencher la surproduction et provoquer la colère des vignerons. Pour soulager sa conscience, le gouvernement subventionne des organismes chargés de faire la propagande antialcoolique. Mais face aux pressions conjuguées de la tradition culturelle et des intérêts économiques, les effets de ces campagnes sont dérisoires. Comment peut-on d'ailleurs persuader les Français de boire un jus de fruits plutôt que du vin tant que la première boisson est beaucoup plus chère que la seconde ?

Le comble de l'hypocrisie est sans doute atteint avec la lutte contre la drogue. La France compte 6 000 toxicomanes confirmés et probablement 4 millions d'alcooliques. Il est vrai que les drogues majeures sont encore beaucoup plus dangereuses que l'alcool. Il est également vrai que les dérivés du cannabis ne sont probablement pas plus nocifs. Il est normal de lutter contre les toxicomanies, contre toutes les toxicomanies, en commençant par celles qui représentent le plus grand danger social. Or que voiton ? Que le Conseil des ministres a délibéré à plusieurs reprises sur la lutte contre la marijuana et l'héroïne. Ce qui est fort sage. Mais quel gouvernement a proposé un plan véritable de lutte contre l'alcoolisme ? Quel Conseil des ministres y a été consacré ? Aucun ! Alcool et tabac sont des drogues « admises ». On vit avec. Le seul problème est de n'en pas tolérer d'autres. Depuis un siècle, les gouvernants évitent le problème et tentent de se racheter en s'attaquant aux drogues « nouvelles ».

Certes, les techniques médicales soulageront bien un jour les alcooliques, et l'on finira par soigner les cirrhoses, les

---

1. Rapport sur l'état sanitaire de la population française publié en 1970 par le ministère de la Santé publique.

polynévrites et les psychoses. Mais combien cela coûtera-
t-il ? Quels drames cette fausse solution laissera-t-elle subsister ? Que fera-t-on pour empêcher les enfants d'alcooliques guéris de glisser vers la délinquance ?
On pourrait multiplier les exemples de la sorte en
matière de circulation routière, de tabagie, d'accidents du
travail, de troubles cardiaques, de maladies mentales, etc.
Partout et toujours on trouve des racines sociales. Partout
le premier remède doit être politique. Jamais il n'est appliqué.

Le gouffre de la santé

Engagés dans cette fausse voie les médecins font ce
qu'ils peuvent, ils réalisent même des tours de force ;
mais leurs exploits sont fort coûteux et la rentabilité en
est bien faible.
En fait, les Français payent de plus en plus cher pour
vivre en mauvaise santé sous assistance médicale constante. La consommation médicale des ménages estimée
sur la base 100 en 1959 est passée à 408 en 1970 alors que
la consommation globale n'est passée qu'à 281. C'est au
rythme double de l'accroissement du niveau de vie. Il est
clair que ce décalage ne peut se maintenir longtemps. Nous
en viendrions rapidement à dépenser tout ce que nous
gagnons pour nous soigner. Ainsi la voie illusoire du progrès médical conduit à une impasse totale. Non seulement la santé ne s'améliore pas, mais les dépenses
nécessaires à la mauvaise santé s'accroissent au-delà du
raisonnable.
Au cours de la décennie 60, la consommation pharmaceutique a plus que triplé. Cette inflation tient tout à la
fois à l'impérialisme de l'industrie pharmaceutique qui
multiplie fausses innovations, parasitisme technique et
autres subterfuges inflationnistes, à l'attitude du corps
médical qui prescrit de façon souvent excessive ; aux
malades enfin qui démissionnent devant la médecine et
finissent par voir dans les médicaments des sortes d'amu-
lettes qui protègent d'autant mieux qu'elles sont plus
nombreuses. Le tout aboutissant à une surconsommation
pharmaceutique effarante.
C'est donc à tous les niveaux qu'il faudrait corriger une
telle situation. Créer des entreprises publiques qui produi-
raient les médicaments de base, modifier le statut du
médecin pour l'inciter à limiter la consommation et non à
l'accroître et enfin changer la mentalité du malade. C'est-

à-dire lui faire assumer sa santé. Présentement l'individu vit en état d'illusion totale. Les problèmes de sa santé ne le concernent pas. C'est une affaire qui regarde son médecin. S'il est malade, ce dernier doit le guérir. Rapidement, totalement et sans douleur. Au reste il est entendu qu'on ne meurt plus. La mort n'est plus une nécessité naturelle, mais une défaite de la médecine. Le défunt a eu le tort de contracter son mal dix ou vingt ans trop tôt. S'il avait pu attendre, le progrès médical l'aurait sorti de là.

Je connais un journaliste qui, durant des années a mené une vie très active, beaucoup trop active ; s'efforçant toujours de mener plusieurs travaux de front et n'ayant jamais le temps d'une vraie détente. Le pauvre homme digérait mal. Migraines et douleurs d'estomac deux fois par semaine. Périodiquement il allait voir un médecin. Avalait une ribambelle de pilules. Se portait mieux. Rechutait. Consultait un autre praticien, prenait d'autres médicaments et recommençait d'examens — toujours négatifs, en thérapeutique — toujours inefficaces. Par bonheur, un médecin refusa de lui prescrire des médicaments et l'envoya suivre un traitement de relaxation. Depuis lors, il respecte ses deux séances de relaxation quotidiennes. Et cet effort sur lui-même lui procure l'amélioration vainement cherchée dans l'assistance chimique.

Ce malade, je le connais bien. C'est moi. La solution que j'ai trouvée n'est pas forcément celle qui conviendrait à d'autres, mais dans de très nombreux cas une nouvelle hygiène de vie apporterait une amélioration sensible. Malheureusement, cette meilleure hygiène ne se ramène pas à un simple « training autogène » ; elle suppose un changement radical des conditions de travail, de logement, de transport. Une fois encore, le problème individuel est un problème de société.

Le budget de la Sécurité sociale est accablé par les indemnités journalières correspondant à des congés maladies plus ou moins abusifs. Or il est d'expérience courante qu'un individu intéressé par son travail évite de se reposer alors même que son état l'exigerait. Au contraire, un travailleur insatisfait recherche la mise en congé comme une aubaine. Par conséquent une amélioration du travail peut faire diminuer la « déséconomie » du mauvais travail que constitue l'absentéisme. Même s'il y a baisse de productivité d'un côté, il y a bénéfice de l'autre.

Seulement le bénéfice des actions culturelles, sociales ou politiques qui permettraient d'améliorer les conditions de santé n'apparaît nulle part. L'entreprise comme le particulier cherche son avantage dans une perspective limitée qui exclut les répercussions sanitaires. C'est une autre caisse qui se charge de ce poste, et elle peut intervenir autrement qu'en « payant la casse ». Seul le pouvoir politique pourrait faire la synthèse qui commanderait une action efficace. Mais il ne le fait guère.

L'illusion existe donc à tous les niveaux. Au niveau des objectifs : l'industrie pharmaceutique, les cliniques privées et une partie du corps médical mêlent dans leur action les motivations d'intérêt privé et le souci de la santé publique. Au niveau des moyens : l'amélioration de la santé est recherchée par le développement des techniques thérapeutiques mais ne comporte pas de politique d'ensemble. L'individu devient plus que jamais un assisté de la technique pour qui les outils du progrès sont des prothèses qui masquent ses infirmités croissantes.

Un progrès authentique ne renoncerait pas, bien au contraire, à développer et améliorer la recherche médicale. Il est des maladies bien réelles qui sont d'abord justiciables d'une approche scientifique et technique. Les vaccins en sont la preuve. Il est clair que la leucémie ne sera pas guérie par un décret. Il n'en reste pas moins qu'à ce stade du développement médical, il existe un décalage effarant entre l'efficacité des techniques thérapeutiques et la nocivité des conditions de vie. C'est sur ce dernier point que doit porter prioritairement l'effort de santé. Et là encore des progrès techniques sont nécessaires pour développer la prévention sous toutes ses formes, trouver des moyens économiques d'améliorer la vie. Sinon on verra se creuser toujours davantage le gouffre de la médecine.

Chapitre 5.

L'ESPERANCE DES PAUVRES

Le progrès scientifique et technique est admirable en ceci qu'il peut étendre ses bienfaits à toute une population. La société capitaliste originelle ne permettait pas cette diffusion du bien-être. La seconde révolution industrielle l'a rendue possible. L'élévation du niveau de vie a succédé à la paupérisation. Il suffit de maintenir en état les facteurs de la croissance économique pour que, peu ou prou, chacun y trouve son profit.

Doit-on pour autant s'abandonner aux mécanismes économiques, se contenter d'assurer un bon fonctionnement de l'appareil productiviste en laissant à la croissance le soin d'assurer le progrès social ? Il apparaît que les choses ne sont pas si simples. Au sein même des sociétés industrialisées la liaison entre l'élévation de la production et du niveau de vie joue, mais de façon inégalitaire, pour l'ensemble de la population active. Malheureusement, toute la population n'est pas active. Le sort des exclus de la prospérité est d'autant plus misérable que leur dénuement côtoie l'aisance générale. Et encore, si l'on passe du cadre national au cadre mondial, on découvre que la seconde révolution industrielle n'a pas eu lieu et que l'enrichissement des peuples riches n'entraîne pas celui des peuples pauvres bien au contraire.

En fait la technique nous donne dès à présent la possibilité de supprimer toute la misère du monde, sans nous permettre pour autant de généraliser l'abondance ou même l'aisance. Pourtant, cet objectif, plus modeste, reste hors de portée et le restera aussi longtemps que le progrès politique ne suivra pas le progrès technique.

De mieux en mieux

Ils sont dix à douze millions en France, qui ne sont pas tout à fait des Français. Ces derniers, comme l'on sait, sont gens prospères. Chacun d'entre eux dispose en moyenne d'un revenu supérieur à 1 000 francs par mois si l'on en croit les statistiques. C'est-à-dire que la famille-type de quatre personnes a 4 000 francs pour vivre. Elle se trouve nantie — statistiquement parlant —, d'une automobile, d'un téléviseur, d'un réfrigérateur et d'une machine à laver. Pas de quoi pleurer misère ni même parler de pauvreté. Certes la situation ne serait pas plus mauvaise si elle était meilleure, mais précisément, elle s'améliore. Le revenu moyen croît, bon an, mal an, de 5 %. C'est-à-dire qu'il a doublé au cours des deux dernières décennies.

Tels sont les Français, excepté les dix à douze millions qui vivent résolument en marge de ce modèle statistique. C'est l'autre France, anachronique et hétéroclite, celle des vieux, des chômeurs, des ouvriers agricoles, des O.S. féminins, des travailleurs immigrés, des délinquants, des malades, des infirmes. Eux doivent se débrouiller avec quelques centaines de francs par mois. Ils végètent à l'écart de l'environnement technique. C'est la France triste et laide : une tache sur l'image brillante d'une société en plein développement.

La société française n'abandonne plus complètement les vaincus. Une certaine solidarité nationale leur tient la tête hors de l'eau. Assurance maladie, assurance vieillesse, assurance chômage, aide sociale, soupe populaire, autant d'institutions qui visent moins à supprimer la misère qu'à la rendre à peu près supportable. La thèse stricte de la paupérisation absolue dans les sociétés industrielles est une absurdité que nul ne soutient plus. Le bas de l'échelle est moins inconfortable aujourd'hui qu'il y a un siècle ou même dix ans.

L'écart entre les plus riches et les plus pauvres n'a pas sensiblement diminué si l'on se réfère aux fortunes et non seulement aux salaires. Il se trouve aujourd'hui des propriétaires de très grosses entreprises dont les revenus sont des centaines de fois plus élevés que la retraite des vieux travailleurs. Mais entre ces deux niveaux extrêmes se répartit l'essentiel de la population, alors qu'autrefois ces échelons intermédiaires étaient peu peuplés. En ce sens, il est vrai que l'inégalité ne cesse de diminuer. La catégorie la plus misérable représentait 75 % de la population en 1800. Elle ne représente plus que 10 %.

Enfin plutôt que s'en tenir à une photographie statique
de la population, il vaut mieux suivre les tendances évolu-
tives qui peuvent également paraître favorables. Le nombre des salariés pauvres tend à diminuer, en simple valeur
relative. Si selon le CREDOC le seuil de pauvreté correspond à la moitié du salaire moyen, en 1965, 17,6 % des
travailleurs étaient dans ce cas, alors qu'en 1968, ils
n'étaient plus que 14,6 %.
Cependant, la société française se veut « sociale ». C'est-à-
dire qu'au processus général d'augmentation des parts,
elle prétend ajouter un processus volontariste de redistribution. Ces institutions de transferts ont beaucoup fait
pour améliorer le sort des plus démunis, puisque l'ensemble des prestations sociales représente aujourd'hui 22 %
du revenu des ménages. Cette proportion n'était que de
18 %, dix ans plus tôt. Si l'on tient compte du double
courant du transfert qui enlève aux riches par l'impôt et
donne aux pauvres par les prestations sociales, on constate
que les revenus initiaux des cadres supérieurs étaient
diminués en 1965 de 2 % et que ceux des ouvriers s'en
trouvaient augmentés de 35 %. Il existe donc bien une
redistribution qui compense les inégalités naturelles engen-
drées par le système économique.

La maîtrise de la croissance

Telle est donc la situation à première vue, et l'on serait
tenté de s'en réjouir. La cause de cette évolution favorable
est d'ailleurs évidente : c'est l'expansion économique.
L'accroissement de la richesse peu ou prou, profite à tous.
On ne chantera jamais assez les mérites de ce miracle.
Il nous paraît naturel que la production croisse au rythme
de 5 % par an, sans heurts, sans crises, sans stagnation.
Telle est effectivement la situation actuelle, mais songeons
qu'il a fallu un demi-siècle, de 1900 à 1951 pour doubler la
production française. Les deux guerres n'expliquent pas
tout. De 1900 à 1910, l'indice de la production n'a progressé
que de 7 points, alors qu'il est passé de 184 (base 100 en
1929) à 300 durant les années 60. Sait-on que de 1929 à
1939 la production n'a pas augmenté d'un point et qu'elle a
diminué de 10 points durant la crise ? A partir du renouveau des années 50, la France n'a pas connu une seule
année de régression, ou même de stagnation. Ainsi est-on
passé en vingt ans de l'indice 107, en 1949, à l'indice
295, en 1969.
Ce miracle économique propre à l'ensemble du monde
industriel sous-tend et nourrit l'évolution favorable des

revenus. Nous avons réussi à faire marcher correctement l'appareil de production que nos pères conduisaient si mal. Non seulement nous n'avons plus de pannes ou de ratés, mais nous assurons une accélération constante. Or cette prise en main de l'économie paraît largement indépendante des politiques suivies par les gouvernements. Si l'on observe les taux de croissance annuels depuis vingt-cinq ans, il est impossible d'y déceler une coupure correspondant au passage de la IV° à la V° République. La machine a continué à tourner comme si son conducteur n'avait pas changé.

Les causes de cette croissance restent bien mystérieuses. Au terme de 600 pages de leur ouvrage, MM. Malinvaud, Dubois et Carré concluent : « Après les études auxquelles nous avons procédé, nous en sommes personnellement arrivés à la conclusion que la croissance française de l'après-guerre résultait de la conjonction de nombreux facteurs favorables qui ont cumulé leurs effets [1]. »

Mais si les facteurs favorables expliquent les périodes de grande prospérité, ils ne permettent pas de comprendre la continuation de cette prospérité. Longtemps l'économie a été un radeau dérivant au gré des facteurs favorables ou défavorables. Ainsi alternaient les phases d'expansion, de récession ou de stagnation. Le fait nouveau n'est pas que l'on ait connu cette expansion après la guerre, c'est que la croissance — dans toutes les sociétés industrielles — semble avoir été normalisée. N'oublions pas pourtant que toute notre prospérité repose sur le pillage du Tiers Monde. Si nous devions payer les matières premières au juste prix tout changerait. Rien ne prouve que nous ayons définitivement conjuré le spectre de la crise.

La maîtrise des phénomènes économiques au sein des sociétés industrielles est probablement le plus grand progrès accompli depuis un demi-siècle. Faut-il y voir aussi un progrès politique, c'est-à-dire une action entreprise en fonction d'une certaine vision de l'homme. On peut en douter car il s'agit essentiellement d'un progrès technique : meilleure compréhension des phénomènes de production, de distribution et de consommation, calcul plus juste des équilibres financiers, analyse plus exacte des flux monétaires, le tout débouchant sur une organisation propre à assurer un meilleur rendement du système économique. La croissance étant donnée comme un objectif en soi, nos sociétés ont su mettre en œuvre les structures propres à l'assurer. Dans cette politique, le ministre des Finances n'est qu'un supertechnicien, le commandant de bord du

---

1. J.J. Carré, P. Dubois et E. Malinvaud : *La croissance française,* (Seuil 1972, p. 616).

grand navire. Avec l'aide de son équipage, il sait faire tourner les machines à toute vapeur. Mais la politique doit s'intéresser à la route à suivre plus qu'à la seule marche du moteur. En fait, ce n'est pas la création des richesses, mais leur partage qui constitue le véritable problème politique, et c'est de cette répartition que dépend la rentabilité sociale du progrès.

Les impératifs techniques d'une forte croissance entraînent automatiquement un partage très inégalitaire dans les sociétés capitalistes. Ils tendent même à exclure purement et simplement de l'enrichissement général certaines catégories qui ne participent pas directement à la production. Dans ces conditions, le bilan social est médiocre puisqu'il est incapable de satisfaire les plus pressants besoins et de soulager les plus grandes misères. C'est la solution de facilité : on sert un festin trop copieux afin que les mendiants puissent se satisfaire des restes. Par les espoirs qu'elle entretient et le mauvais parti qu'elle tire de ses succès, une telle politique présente bien toutes les caractéristiques de l'illusion technique, laquelle marque d'autant plus une société que la répartition de la richesse suit de plus près la répartition inégalitaire née de la croissance.

Ce n'est que la disparition des trop fortes inégalités et des îlots de pauvreté, fruit d'une politique délibérée de redistribution, qui peut apporter un véritable progrès.

Les champions de l'inégalité

Il est intéressant de comparer la répartition des revenus dans les sociétés industrielles. Considérons tout d'abord l'éventail des salaires non point entre les premiers et les derniers barreaux de l'échelle, les moins occupés, mais entre les cadres supérieurs et les ouvriers. Le rapport des rémunérations avant impôt est de 2,8 aux Etats-Unis, 3 en Allemagne, 3,9 en France. L'effet de l'impôt sur le revenu ne modifie guère la situation en dépit de son caractère progressif : 2,6 aux Etats-Unis, 2,7 en Allemagne, 3,5 en France. Paul-Marie de la Gorce, présentant ces chiffres, conclut : « Dans tous les cas, c'est aux Etats-Unis que l'éventail des salaires est le plus resserré, puis c'est en Allemagne et aux Pays-Bas. On ne peut s'empêcher de le remarquer : l'Amérique est la patrie du grand capitalisme et l'Allemagne est le seul pays d'Europe qui fut gouverné pendant vingt ans par un parti réputé conservateur...

« C'est-à-dire que, sans changer de régime social, sans

rompre avec l'univers économique, idéologique, intellectuel et moral auquel notre pays se rattache, il lui reste à faire un considérable effort vers plus d'égalité pour établir simplement les rapports de salaire qui existent en Amérique, en Hollande ou en Allemagne [1]. » Ce jugement est d'autant plus intéressant qu'il est porté par un observateur, lucide certes, mais se rattachant à la majorité gaulliste.

Le plus inquiétant est que cette inégalité des revenus, loin de diminuer tend à augmenter. Le rapport du Commissariat général au plan souligne que « le coefficient d'ouverture de l'éventail des revenus primaires moyens par ménage et par catégorie socioprofessionnelle est passé de 8,8 en 1956 à 10 en 1965 [2] ».

Les statistiques des Nations Unies montrent qu'en France 30 % de la population n'a droit qu'à 4,8 % de la richesse ; en Allemagne ou dans les Pays scandinaves, ces mêmes 30 % possèdent 10 % des revenus. Fait plus inquiétant cette classe pauvre française disposait de 6,2 % des revenus au début des années 50. Ainsi sa part ne cesse de diminuer.

En haut de l'échelle, on assiste au phénomène inverse. Les 10 % les plus riches de la population française accumulent 37 % de la fortune. En Norvège, ils n'ont que 25 %. Là encore l'inégalité ne fait qu'augmenter car la part de ces nantis s'est accrue de 3 % en dix ans.

« En résumé, conclut Jean Baumier, 10 % des Français les plus riches disposent d'une part du revenu national représentant près de huit fois celle de 30 % des Français les plus pauvres. Or ce rapport n'est que de quatre fois en Allemagne et trois fois seulement en Grande-Bretagne [3]. »

On pourra, certes, contester ces chiffres et en avancer d'autres conduisant à des résultats un peu différents. Cela ne changera pas beaucoup la conclusion : La France n'a pas de véritable politique sociale. Les gouvernants ne font qu'entériner, ou presque, le partage des richesses imposé par les mécanismes de la croissance.

Il ne suffit pas de constater des inégalités, ce qui est un fait purement objectif, il faut savoir si elles correspondent bien à des injustices. Car les deux notions ne sont pas liées. Une société peut être inégalitaire et juste — dans une certaine conception de la justice — si ces inégalités traduisent bien le mérite individuel. Hélas toutes les études mon-

1. Paul-Marie de la Gorce : *Pour un nouveau partage des richesses,* p. 46-48 (Grasset, 1972).
2. *Plan et prospective,* p. 39 (Armand Colin, 1970).
3. Jean Baumier : *La France riche,* p. 35 (Hachette Littérature, 1972).

trent que les inégalités sont essentiellement héréditaires. Trois P.-D.G. sur quatre sont issus de familles aisées. 10 % d'entre eux seulement sont fils d'ouvriers tandis que le tiers de ceux-ci n'ont fait que reprendre la profession de leur père. Tous les exemples prouvent que les structures inégalitaires correspondent à un véritable déterminisme social. Il ne faut pas jouer sur les mots : notre société n'est pas seulement inégalitaire, elle est injuste.

La France de la misère

Telle est la pauvreté relative ; elle est choquante, mais elle n'est guère significative. Qu'importe, après tout, que certains aient le superflu, si chacun a le nécessaire. Serait-il scandaleux que les riches aient un téléviseur par chambre, si les pauvres en avaient au moins un par foyer, que les premiers fassent des safaris en Afrique, si les enfants des autres passaient leurs vacances en Bretagne ? Malheureusement, la prospérité française ne peut encore assurer le luxe des uns et le nécessaire des autres. En réalité, le gaspillage des riches est prélevé sur le minimum vital des pauvres.

C'est ce que l'on découvre facilement si l'on considère les conditions de vie des catégories dites défavorisées. En 1973, 2 300 000 vieillards devaient survivre avec 12 francs par jour. Encore a-t-il fallu attendre 1972 pour que le revenu minimal atteigne 300 francs par mois. On devine pourquoi 30 % des personnes âgées qui achètent de la nourriture pour chiens et chats n'ont pas d'animaux. Dans tous les groupes à la dérive se retrouvent de semblables situations. En 1968, la moitié des ouvriers agricoles non qualifiés gagnaient moins de 500 F par mois pour un travail hebdomadaire dépassant souvent 50 heures. 200 000 handicapés physiques ne touchent que 240 F par mois pour vivre.

Mais les statistiques monétaires ne disent pas tout. Parfois même elles cachent l'essentiel. La misère ce n'est pas seulement la pauvreté, c'est également l'absence de logement décent. Selon Jean-Pierre Launay[1] plus d'un million et demi de personnes occupent des locaux totalement insalubres : bidonvilles, baraquements, bâtiments divers, garnis meublés sans hygiène, etc. Et près de 40 % de la population vit dans des conditions d'hygiène insuffisantes.

1. *La France sous-développée : 15 millions de pauvres*, p. 117. (Dunod Actualité, 1970).

Tout aussi grave est l'insécurité, la crainte de perdre son toit du jour au lendemain. Telle est pourtant la situation de 1,5 million de personnes vivant à l'hôtel, en sous-location, dans des habitations provisoires.

En revanche, il existe un million de logements, de 3 pièces et plus, occupés par une seule personne, 1,2 million de logements vacants, 1,1 million de résidences secondaires.

La situation des personnes âgées, par exemple, est d'ailleurs encore plus pénible que ne le laisserait supposer le simple aspect comptable. Rien d'efficace n'est fait pour leur faciliter l'existence. Aucune organisation véritable n'est mise à leur service pour les intégrer dans la population active et leur éviter le drame de la solitude. Songeons que deux millions sont des veuves, et qu'elles doivent accomplir des formalités longues et compliquées pour obtenir à soixante-cinq ans le versement de la moitié de la pension que touchait leur mari. Dans de nombreux cas, elles renoncent à leurs droits ou même les ignorent. Pour obtenir une aide dérisoire de la mairie, elles doivent demander et redemander chaque mois. Leurs logements sont généralement vétustes et sans confort, leur état de santé nécessite des frais médicaux et pharmaceutiques élevés. Enfin 42 % seulement des ménages de plus de soixante-dix ans ont la télévision, la seule distraction de la vieillesse aujourd'hui, alors que la proportion est de 73 % pour les ménages de quarante à cinquante ans. Voilà la détresse du troisième âge.

Celle des handicapés et de leur famille n'est pas moindre. Les moyens font défaut pour construire tous les centres qui seraient nécessaires pour les accueillir, les soigner, les assister. Pour les débiles profonds, les besoins ne sont satisfaits qu'à 25 %. Les riches trouvent toujours une institution privée, les pauvres gardent l'enfant anormal au foyer. Toute la vie de famille est bouleversée, les frères et sœurs risquent d'être profondément traumatisés.

La pauvreté dans notre société, c'est encore l'avortement dans les pires conditions parce qu'on ne peut payer la clinique complaisante ou le voyage à l'étranger, le bonheur familial impossible dans les taudis surpeuplés, l'insécurité permanente quand les « coups durs » sont toujours des catastrophes ; le « mauvais départ » pour les jeunes, la pente vers le chômage et la délinquance, une administration pénitentiaire à l'abandon qui fabrique des criminels à partir de délinquants primaires.

Tel est le vrai visage de l'autre France, celle de la misère et du sous-développement. Certes, on pourra rappeler que ce tableau est souriant par rapport à ceux que traçaient les témoins de l'Ancien Régime. Il suffit de lire les récits d'un

Vauban ou de saint Vincent de Paul pour découvrir un monde encore plus misérable que celui de l'Inde aujourd'hui. Un monde dans lequel la malnutrition chronique était aggravée de famines et d'épidémies dévastatrices. Les images de notre passé sont souvent fausses, car l'histoire ne s'est guère intéressée au sort du peuple. Mais comme le faisait remarquer Vauban : « Il n'y a pas plus de dix mille familles petites ou grandes qu'on puisse dire fort à leur aise », les six dixièmes de la population ou bien sont réduits à la mendicité et mendient effectivement, ou bien « ne sont pas en état de faire l'aumône parce qu'eux-mêmes sont réduits, à très peu de chose près, à cette malheureuse condition [1] ».

Autre fait historique : la répression exercée contre les pauvres. Il n'est pas exagéré de dire que tout système judiciaire consacre la plus grande partie de son activité à faire condamner des pauvres par des riches. Dans la seule année 1785, 97 personnes furent exécutées à Londres et dans le Middlesex pour diverses sortes d'atteintes à la propriété. De nombreux enfants furent pendus pour vol, témoin ce garçon de quinze ans accusé d'avoir falsifié les comptes du bureau de poste de Chelmsford. Heureusement, dans les prisons de France le nombre des détenus a diminué des trois quarts en un siècle. Et les prisons, pour inhumaines qu'elles soient encore, sont devenues hospitalières comparées aux galères ou au bagne de Guyane.

La situation des pauvres n'a donc cessé de s'améliorer depuis l'aube de l'ère industrielle ; mais faut-il pour autant se satisfaire de la situation actuelle ?

Le courage politique

Faisons un rêve ou un cauchemar. Imaginons que l'innovation technique qui vivifie l'économie, se tarisse, que nos managers, nos cadres et nos ingénieurs ne soient plus capables d'entretenir l'expansion, que le sacré P.N.B. ne puisse plus augmenter. Nous voilà en progrès nul, en croissance zéro. Faudrait-il admettre alors que la situation sociale est fixée, ne varie plus jusqu'à la fin des siècles ? Nos gouvernants n'auraient-ils plus aucun moyen de rendre notre société plus juste et plus humaine ? Non bien sûr. Il faudrait entreprendre une véritable politique sociale, de s'opposer aux tendances naturelles du système économique. Celui-ci repose sur un rapport de

1. Cité par Fourastié.

force entre producteurs, autrement dit entre patrons et travailleurs. Chacun est payé en fonction du poids qu'il représente dans le système. Ceux qui ne pèsent rien n'ont que des miettes. Ceux qui ont les moyens de se défendre empochent le gros morceau. D'où la répartition fortement inégalitaire. Il est probable que la relative équité, disons plutôt la moindre iniquité du partage qui s'effectue en Amérique et en Allemagne provient du poids plus grand que les ouvriers ont pu se donner grâce à leurs organisations syndicales, tandis que le syndicalisme français, politisé et divisé, est moins bien armé pour défendre les intérêts matériels de ses membres.

Cette constatation est importante, car elle révèle que le partage actuel n'est nullement arbitraire. Il correspond bien selon le schéma marxiste à la logique profonde du système. En sorte qu'il sera très difficile de le modifier. Car il ne s'agit plus de s'attaquer à quelque « 200 » familles. Il faut faire payer une minorité aisée et pourtant insatisfaite.

En effet, il ne suffit pas de récupérer et de distribuer les revenus du capital au sens strict. Ceux-ci représentaient encore le quart des revenus au début du siècle. Aujourd'hui ils n'en constituent plus que 4 %. Si l'on considère qu'une partie est réinvestie nécessairement du reste pour maintenir l'expansion, on voit qu'une telle récupération, à supposer même qu'elle se fasse sans indemnisation, ne libérerait absolument pas les sommes énormes nécessaires pour effectuer de véritables transferts sociaux et améliorer l'existence de 12 millions de personnes.

Prendre à quelques « gros » pour donner à tous les « petits », c'est une utopie, voire une imposture. Une redistribution de masse implique des prélèvements de masse.

Le plus élémentaire calcul le prouve. Supposons que l'on prétende attribuer 100 francs de plus chaque mois aux personnes âgées. Elles sont aujourd'hui 4 millions, et leur nombre est en constante augmentation. Il faudrait donc dégager un budget annuel de 4,8 milliards de francs actuels. De telles sommes ne sauraient être dégagées au prix de prétendues économies sur les dépenses publiques, ni par des prélèvements qui ne toucheraient que les revenus de la classe dirigeante ; elles exigent une redistribution générale des richesses qui affecterait progressivement tous les revenus à partir de 5 000 francs par mois. C'est-à-dire qu'on attaquerait de front les privilèges du quart peut-être de la population ; ce quart qui détient, en fait, tous les leviers de l'activité économique.

Une telle action se heurterait évidemment à des résistances considérables, puisqu'elle irait à l'encontre des lois économiques et de la volonté des producteurs. Ces derniers disposent de mille moyens, plus ou moins conscients, plus ou moins organisés, pour contrecarrer une telle évolution. Voilà pourquoi les tentatives faites dans cette direction n'ont pas donné les résultats qu'on escomptait. Prenons le cas des accords de Grenelle. Le S.M.I.G. a donc été relevé de 35 %, le 1er juin 1968. On n'aurait jamais cru pouvoir obtenir pareil résultat en l'absence d'une révolution, et pourtant il a suffi d'une pseudorévolution. Mais ses effets ont été décevants, précisément parce que la redistribution fut limitée à une simple opération monétaire, sans toucher aux structures. Commentant cet accord, Paul-Marie de la Gorce note qu' « ... il en résulta un accroissement très sensible des rémunérations. Mais on vit aussitôt après que, pour rétablir les équilibres économiques ainsi compromis, l'Etat dut, d'abord en 1969, puis surtout en 1970, réduire les équipements collectifs. Très naturellement, c'est l'action entreprise en faveur des « laissés-pour-compte » de l'expansion qui s'en trouvait retardée : les hôpitaux ou les installations de rééducation pour les handicapés de toute nature [1]... ».

Dans d'autres cas les mesures monétaires prises en faveur des pauvres seront rapidement compensées par l'inflation déclenchée par les producteurs. Car la croissance contemporaine semble inséparable d'une hausse des prix qui tend même à s'accélérer. Or c'est le secteur de production qui contrôle largement l'inflation en fixant les prix et en déterminant l'essentiel des revenus. Par conséquent, la population active — ou plutôt dynamique, pour en exclure le sous-prolétariat — peut toujours récupérer par le jeu des prix et des salaires cette part de richesse qu'on prétendait transférer à d'autres catégories. Ce ne sont d'ailleurs pas des gauchistes qui dénoncent ce phénomène, mais les experts du Commissariat général au Plan : « On constate que, dans le passé, tout l'effort de redistribution a été compensé par des écarts accrus entre les revenus primaires. Cela se traduit par un maintien approximatif des positions relatives des différentes catégories sociales dans l'échelle des revenus... » d'où cette conclusion qui me paraît être la condamnation la plus radicale de l'illusion actuelle : « Rien ne permet de penser que l'évolution « naturelle » ne se fera pas dans le sens d'une ouverture croissante de cet éventail [2]. » La croissance entretenant les inégalités, les inégalités entretenant la croissance, tout va pour le mieux dans le meilleur d'un certain monde...

---

1. Paul-Marie de la Gorce : *op. cit.*, p. 35.
2. *Plan et prospective*, p. 39. (Armand Colin, 1970).

Les privilèges

La société française a si bien intégré les nécessités de la croissance dans ses structures qu'elle a en quelque sorte, institutionnalisé l'inégalité, créé des privilèges.

La fiscalité ne contrebalance que faiblement les injustices de l'économie marchande. Elle frappe les biens plus que les personnes, perdant ainsi son effet discriminatoire. Selon les statistiques de l'O.C.D.E., l'impôt direct ne fournit à l'Etat français que 26,5 % de ses ressources contre 42,7 % en Allemagne, 44,1 en Belgique, 56 % aux Pays-Bas. Mais le plus déplorable est que l'évolution, loin de se faire dans un sens favorable à l'imposition des personnes, s'opère en sens contraire. C'est ce qu'a constaté le Conseil des impôts dans son rapport de septembre 1972. Les magistrats fiscaux notent que « le poids de l'impôt sur le revenu a diminué au cours de la dernière décennie ».

Cet impôt frappe essentiellement les revenus salariaux. En dix ans, leur pourcentage dans la masse totale des revenus imposables est passée de 61,5 % à 74,1 %. Or, chacun sait que les véritables fortunes ne s'édifient pas sur des salaires, si élevés soient-ils. Bien que les revenus non salariaux constituent la source d'enrichissement la plus scandaleuse, il n'empêche que la part des bénéfices commerciaux ou non commerciaux n'a cessé de diminuer dans l'assiette générale de l'imposition. A croire que « les affaires » ont vécu en pleine crise durant les années 60 !

En réalité, c'est la fraude fiscale généralisée qui permet à ces revenus, les plus considérables, d'échapper à l'imposition et de s'accumuler sur les comptes des particuliers. Les magistrats fiscaux estiment que le taux de sous-estimation du revenu dans les déclarations fiscales atteint 56 % pour les bénéfices industriels et commerciaux, et 50 % pour les revenus des professions libérales. En dépit de la spéculation immobilière, « les profits immobiliers ne représentent qu'une infime partie des bases imposables à l'impôt sur le revenu ».

Rien n'est donc fait pour empêcher l'accumulation d'énormes fortunes spéculatives, pour éviter que les effets de l'inflation n'annulent ceux des transferts sociaux.

Les impôts sur la transmission des plus gros héritages sont très faibles en comparaison de ceux qui existent à l'étranger ; le mécanisme des sociétés plus ou moins fictives permet d'échapper sans cesse au fisc. La société française paraît conçue par et pour les riches. C'est peut-être pour cela qu'elle possède ce grand dynamisme économique, c'est pour cela aussi que l'on vit constamment en tension, contrairement au mythe de la « douce France ». Est-on pourtant en mesure même prudemment, de repenser le système actuel, c'est-à-dire de concilier le progrès social et la croissance économique ? Rien n'est moins sûr. A peine venons-nous de maîtriser le phénomène de la croissance, et encore ignorons-nous si nous avons définitivement conjuré le spectre des crises. Dans ces conditions, il est périlleux d'ajouter les exigences de la justice à celles de l'expansion. On peut certainement aller au-delà de la politique menée jusqu'à ce jour en France ; mais jusqu'où, c'est toute la question. Car il ne s'agit pas de répartir équitablement les fruits de la stagnation, mais ceux de la croissance. Comme le note Claude Gruson : « Le domaine de l'action raisonnable est bien délimité. Sont hors du raisonnable : d'une part les politiques qui négligent le fait que, dans une économie en évolution rapide, l'inégalité sociale tend à s'aggraver comme un désordre incontrôlable ; d'autre part les politiques qui, méconnaissant les données structurelles auxquelles sont liés ces désordres, croiraient pouvoir réduire ceux-ci à bref délai, en brûlant l'étape d'une action programmée de longue durée, et sans provoquer une régression générale par l'affaiblissement ou la destruction des moteurs du progrès économique. La politique économique française actuelle, en tardant à mettre en place les instruments d'une politique des revenus, reste en dehors du raisonnable (ainsi sans doute que toutes les politiques des pays de tradition libérale dans leurs conceptions actuelles). Sont également hors du raisonnable tous les projets, dits de gauche, qui promettent, sans préciser les délais — mais en laissant entendre qu'ils peuvent être courts — une hausse des salaires réels qui aurait la signification d'un aplatissement sensible de la pyramide des revenus. » Mais le domaine du raisonnable n'est pas très resserré. Peuvent y trouver place, soit des conceptions qui prolongent les traditions libérales, soit des conceptions de gauche plus volontaristes [1]... »

Ainsi parle l'un des pères de la planification française et de la comptabilité nationale... présentement reconverti dans le système bancaire.

Tous les prévisionnistes sont d'accord pour affirmer que la France sera le pays le plus riche d'Europe à la

1. **Claude Gruson** : *Origines et espoirs de la planification française*, p. 383 (Dunod, 1968).

fin de la décennie. Faut-il, dans ces conditions, prendre le risque d'une vraie politique sociale ? Le « laisser faire » reste une attitude beaucoup plus confortable. L'économique continuera donc à prendre le pas sur le social dans les années à venir. C'est pourquoi les experts du plan ne nourrissent guère d'illusions : « ...rien, disent-ils, n'autorise à prévoir une réduction prochaine de la pauvreté qui frappe certaines catégories sociales. Rien non plus ne permet d'espérer une réintégration spontanée dans le circuit social des groupes qui en ont été rejetés à la marge par les effets économiques et psychologiques de la croissance. Cette pauvreté ou cette marginalisation continueront à toucher certaines catégories de la population [1]. »

Mais qu'importe, la croissance est là. Elle améliore la situation de chacun et permet ainsi de maintenir les injustices sans provoquer d'explosion sociale.

Au Battelle Memorial Institute, les chercheurs travaillent actuellement sur un projet de viande synthétique, un produit végétal qui aurait l'apparence de la viande et la même teneur en protéines. Il n'est pas besoin d'insister sur les difficultés que représente la fabrication d'un aliment artificiel ayant toutes les apparences d'un aliment naturel sans en avoir le contenu. Mais à qui destine-t-on cette viande synthétique ? Sûrement pas aux Indiens qui sont végétariens. Les futurs consommateurs sont les pauvres des pays industrialisés, ceux qui ne pourront plus se payer la viande lorsque ses prix auront encore augmenté. On sait que la viande tend à devenir un véritable indicateur social. Les gens « qui ont de quoi » doivent en manger deux fois par jour. C'est presque une question de standing. Les diététiciens s'accordent à penser que l'on se nourrit parfaitement bien avec cinq repas carnés par semaine. Il y a donc une surconsommation évidente des riches qui entraîne la pénurie et la sous-consommation pour les pauvres.

En présence d'une telle situation, il paraîtrait raisonnable d'organiser une juste répartition puisque aussi bien la production française est largement suffisante pour donner à chacun le nécessaire. Mais on préfère conserver l'organisation sociale actuelle et demander aux techniciens de remédier à la situation en fabriquant des ersatz pour les pauvres. D'autres techniciens, les médecins en l'occurrence, devront pallier l'autre inconvénient de cette situation, en soignant les riches qui auront mangé trop de viande.

1. *Plan et prospectives*, op. cit., p. 35.

Le monde sans progrès

La « révolution verte » favorise aux Indes les jacque-ries. Le remplacement des méthodes traditionnelles par la motoculture fait augmenter le coût de l'arachide au Séné-gal. L'introduction de machines tchécoslovaques capables de faire 5 000 paires de sandales par jour réduit 4 500 arti-sans cordonniers africains au chômage. La télévision bir-mane diffuse principalement des westerns. De petites lignes intérieures asiatiques sont desservies par des « jets » ultramodernes. De grandes aciéries hindoues ne « tour-nent » qu'à 40 % de leur capacité. De superbes barrages modernes sont édifiés partout en Afrique et en Asie, mais les systèmes traditionnels d'irrigation sont à l'aban-don. La physique nucléaire absorbe 40 % du budget scien-tifique de l'Inde et l'agronomie 8 % seulement. Les pays membres de l'O.C.D.E. ne consacrent qu'1 % de leur effort de recherche aux problèmes du Tiers Monde. 20 % de la main-d'œuvre cingalaise est en chômage, mais la densité de tracteurs est plus forte dans l'île qu'en Chine popu-laire.

Faut-il aller plus avant dans cette foire aux illusions qu'est devenu le Tiers Monde ? Partout, les gouvernements ont misé sur le progrès technique pour éviter de résou-dre les problèmes politiques fondamentaux. La Chine populaire, seule, paraît avoir évité ce piège, au moins jusqu'à présent. Elle est aussi le seul pays pauvre qui ait vaincu la faim sans aide extérieure. Non par des inno-vations techniques surprenantes, mais grâce à ses réfor-mes politiques.

« Mais pourquoi sont-ils si pauvres ? » L'Occident ne comprend pas. 4 800 dollars par tête pour les Etats-Unis, 105 pour l'Inde. Et les perspectives d'avenir ne sont pas plus brillantes : 6 570 dollars comparés à 170 en 1980, 11 800 face à 550 pour l'an 2 000.

La technique est pourtant la même pour tous. Une grue, un tracteur, une machine-outil, tous ces esclaves techniques qui assurent notre prospérité ne peuvent-ils servir aussi efficacement les peuples misérables ? Ces derniers n'ont-ils pas la chance de pouvoir disposer lar-gement de l'acquis technologique de l'Occident ? Leur progression devrait donc être plus rapide que ne le fut la nôtre. Mais non, « ils » stagnent désespérément.

La revanche des colonisés

Comment la race blanche du Nord a-t-elle pu dominer ainsi les empires du Sud ? Pour les peuples opprimés, la réponse ne saurait faire de doute : c'est la maîtrise technique qui fut l'outil de la domination. Ce sont les armes modernes qui permirent à quelques poignées d'hommes de vaincre des peuples, de conquérir des continents. Devenus indépendants, ces peuples aspirent naturellement à posséder la force qui les a dominés. Toutes les races ne sont-elles pas également douées ? Que les Jaunes et les Noirs s'emparent de la technologie blanche et ils seront à égalité de puissance. La tentation était forte pour les peuples décolonisés de ne pas voir plus loin que le bout de l'outil.

Mais les Blancs n'ont pas trouvé leurs merveilleuses machines dans le pas d'un cheval. Ils les ont inventées. Et ce n'est pas par hasard si les découvertes furent leur fait et non celui des autres races. La révolution industrielle n'est pas née du progrès technique, mais de transformations politiques. La société bourgeoise européenne et nord-américaine a constitué un cadre politique et culturel sans précédent dans l'histoire humaine. Elle a servi de berceau et de moule au progrès. Les outils ne sont que des conséquences et non des causes. La suprématie de la civilisation blanche — pour autant que la réussite matérielle soit une valeur de civilisation — provient de ce principe d'efficacité valorisé aux dépens des institutions traditionnelles. Coupé de ses racines culturelles, l'arsenal technique perd toute utilité.

Or les peuples colonisés n'avaient pas ces bases culturelles. Ils étaient ancrés dans le respect de la tradition et non dans le culte de l'efficacité. Une greffe technique aboutissait simplement à mettre les outils du changement au service du passé. C'était assez pour faire dégénérer les structures anciennes, insuffisant pour créer une société nouvelle. Le drame du Tiers Monde est autant d'avoir quitté le passé que de n'avoir pas rejoint l'avenir. C'est d'être embourbé au milieu du gué.

Sa première révolution aurait donc obligatoirement dû être politique et culturelle. Pas technique. Malheureusement, là encore, l'illusion a joué. Non plus l'illusion technique, mais sa sœur : l'illusion idéologique. Conscients que les structures du passé ne pouvaient porter la modernité, les pays sous-développés ont tenté des greffes idéologiques. Capitalisme industriel, socialisme collectiviste, dans tous les cas les tentatives de changement politique se sont inspirées de l'Occident, comme si les nations décolonisées restaient prisonnières des systèmes d'importation. Une modernité inauthentique, incohérente a débouché sur l'inefficacité.

Les élites ont tout à la fois sous-estimé et surestimé la technique. Sous-estimé dans la mesure où elles s'en sont désintéressées pour se tourner vers les disciplines non scientifiques. En 1961, l'Inde comptait 1,2 million de diplômés universitaires. Mais 10 % d'entre eux seulement avaient fait des études d'ingénieurs ou de médecins. Qui plus est on ne comptait que 1,2 % d'ingénieurs agronomes. Dans toute l'Afrique la proportion des étudiants en lettres et en droit atteint couramment 90 %. Mais cette élite, dédaigneuse de la technique, n'en pense pas moins que celle-ci résoudrait tous les problèmes. Étant bien entendu que la seule technologie concevable est celle des pays occidentaux. La plus avancée, si possible. Là encore le sentiment de revanche, le poids d'une trop longue humiliation, ont pesé très lourd. Bien souvent les experts qui recommandent de s'en tenir à des machines simples et rustiques en renonçant aux derniers cris du progrès s'entendent accuser de racisme. « Ce qu'il y a de mieux ne serait-il pas bon pour les Africains ? »

Dans les sociétés bourgeoises, l'élite productiviste s'est d'abord souciée de tirer le meilleur parti possible des ressources naturelles, humaines, par le réinvestissement constant des profits. Cette obsession de la puissance par la production a fait peu à peu craquer les structures qui empêchaient l'entreprise productive de tourner au maximum de ses possibilités. Ce même souci d'efficacité conduit à choisir les outils les mieux adaptés pour résoudre les problèmes du monde industrialisé. Ainsi est-on arrivé aujourd'hui à cette technique conçue pour un certain environnement — celui des zones tempérées —, pour un certain état de développement — celui des sociétés industrielles en 1973 — et pour une certaine culture — celle de la croissance et de l'efficacité —. Les outils sont indissociables de cet ensemble. Certes, leur rentabilité est faible par rapport aux objectifs sociaux, mais elle est grande en fonction des fausses valeurs qu'ils servent et ce fait montre bien la cohérence de l'ensemble.

En revanche, la transposition technique a conduit à une double incohérence. Incohérence sociale, dans la mesure où les structures sociales ne pouvaient assurer le bon fonctionnement d'une technologie avancée ; incohérence technique, dans la mesure où les machines et les méthodes importées du Nord ne pouvaient résoudre les problèmes nouveaux auxquels elles étaient confrontées. Alors, fatalement, les désillusions ont suivi les illusions.

La révolution verte

De 1960 à 1965, la situation alimentaire du Tiers Monde n'a cessé de se dégrader. En effet, si la production agricole a crû de 6,9 %, la population, elle, a augmenté de 11,5 %. Or, à partir de 1966, on enregistre dans de nombreux pays où sévit la malnutrition, une croissance agricole très forte, allant de 5 à 10 %. C'est la « révolution verte ». L'introduction des hybrides de blé et de riz longuement sélectionnés par les équipes de Borlaugh au Mexique et de l'Institut philippin de Los Banos permet de doubler et même de tripler les récoltes. Les pays pauvres vont nourrir leur population en expansion, voire même exporter des céréales ! La technique aura vaincu la famine !

Hélas ! En 1973, les experts portent des jugements sévères sur cette expérience. Parlant de la « prétendue révolution verte » Tibor Mende note qu'elle implique : « un bouleversement révolutionnaire dans les campagnes, avec lesquelles les élites urbaines n'ont pratiquement aucun contact. Le résultat habituel est que seules des minorités agraires réduites bénéficient d'une nouvelle technique et que les couches les plus nombreuses de la population restent à l'écart des nouveaux progrès[1]. »

En 1973 toujours, M. Boerma, directeur général de la F.A.O. confirme ce sombre pronostic : « Jusqu'à présent la révolution verte n'a enrichi que les riches en appauvrissant davantage les pauvres... » Un peu partout l'introduction des nouvelles espèces favorise la concentration de la production en de grandes exploitations au détriment des petits exploitants. Techniques sans politique n'est que ruine de la société. Les fables modernes ont toujours la même moralité.

Comment un progrès aussi évidemment bénéfique peut-il conduire à de tels désastres ? Bien qu'on ait parlé de « blé miracle », en réalité la nature ne fait rien sans rien. La maturation rapide, les rendements exceptionnels de ces céréales ne s'expliquent que par leur aptitude à tirer un très grand parti des aliments qui leur sont fournis. C'est ainsi qu'ils absorbent sans dommage 135 kilos d'azote à l'hectare, en donnant une plante qui se tient, alors que les blés traditionnels, avec des tiges plus faibles, se couchaient quand ils étaient ainsi gavés. Concrètement,

1. Tibor Mende, *op. cit.*, p. 117.

cela signifie que les nouvelles espèces ne tiennent leurs promesses que si l'on assure une excellente irrigation, une forte utilisation d'engrais et, de surcroît, un usage très large des pesticides. On peut en déduire que cette technique ne donne toute son efficacité que dans le cadre d'une agriculture modernisée et mécanisée. Elle nécessite donc des investissements et se traduit par une diminution de la main-d'œuvre employée.

Or dans de nombreux pays sous-développés, en Asie notamment, la terre est exploitée par des métayers, eux-mêmes exploités par des propriétaires et des intermédiaires qui ne participent pas aux frais, mais prélèvent la moitié de la récolte. Dans ces conditions, les paysans n'ont ni l'envie ni les moyens d'adopter les nouvelles céréales. En revanche les gros propriétaires se mécanisent, font des bénéfices importants et rachètent les terres à tour de bras.

Les paysans dépossédés et sans travail sont acculés à la misère et au désespoir. Les révoltes éclatent. René Dumont cite cet exemple observé en Inde : « Mais voilà que ces derniers (les paysans dépossédés) réagissent, avec la révolte de Naxalbari en 1967, des marches massives pour prises de terres, saisies par la force des récoltes moissonnées, et même assassinats de propriétaires » nous dit Sharma. Même les Stayagranas de Ghandi, qui se sont toujours proclamés non violents reconnaissent désormais, devant la violence des riches, la légitimité de la lutte de classes. Du Bengale et du Kérala, celle-ci s'étend à l'Andra Pradesh, et au Tamil Nadu de Madras, d'où viennent les travailleurs des plantations de thé de Ceylan. Les propriétaires ripostent par leurs gardes privés ou par la police traditionnelle aux ordres des riches [1]. »

Tel est le résultat d'un progrès indiscutable introduit sans qu'aient été accomplies au préalable les réformes politiques et sociales indispensables. Il existe bien souvent des systèmes traditionnels de puits et d'irrigation très efficaces, quoique rustiques. Mais ils sont généralement utilisés de façon déplorable. L'eau est gaspillée, les ouvrages ne sont pas entretenus. Le chômage sévit dans des proportions dramatiques, mais, étant donné le faible niveau de vie, on pourrait occuper les travailleurs à des tâches peu productives et ne demandant aucun investissement important en matériel. Là encore René Dumont cite un exemple précis : « L'agriculture intensive peut fournir, en quelque deux ou trois années de nouvelle organisation économique, du travail pour tous les chômeurs de Ceylan [1]. » Cette observation est sans doute valable pour la

1. René Dumont, *op. cit.*, p. 18.

plupart des pays dans lesquels une grande partie de la
main-d'œuvre reste inemployée. Mais, là encore, comme
le souligne Dumont, le problème est politique.

Donner du travail

Dans les sociétés sous-développées, on part d'un état
de chômage catastrophique ; qui plus est, les capitaux
qui permettraient le développement industriel font défaut.
Enfin ce dernier, conduit par les techniques les plus
modernes, crée très peu d'emplois. Au total, le progrès
ne se répercute pas d'un secteur sur l'autre et il n'y a pas
de vrai développement.

Dans ces sociétés riches en hommes et pauvres en capitaux, il faudrait donc choisir des activités qui créent un
maximum d'emplois pour un minimum d'investissement.
Or toute l'évolution de la technologie conduit à augmenter
le coût de l'emploi, ce qui ne se justifie que dans la
mesure où le niveau de vie est élevé ; à un stade moins
avancé de développement, il est préférable d'utiliser des
techniques moins coûteuses.

« Si, dans l'Angleterre du xixe siècle, note Tibor Mende,
on considérait que le coût de la création d'un poste de
travail représentait l'équivalent de trois ou quatre mois
de salaire de l'ouvrier (environ deux fois plus qu'en
France), au milieu du xxe siècle aux Etats-Unis, il valait
déjà ce qu'il gagnait en trente mois. En 1951, un groupe
d'experts des Nations Unies a estimé à 2 500 dollars le
montant du capital requis pour l'absorption de toute personne supplémentaire dans une activité non agricole d'un
pays sous-développé courant. Cela correspondrait à environ dix ans de salaire d'un ouvrier d'usine indien moyen.
Dans les usines textiles occidentales, par exemple, il
coûtait en 1945 plus de 6 000 dollars pour créer un poste
nouveau. Dans les filatures modernes et automatisées l'investissement nécessaire pour employer une personne supplémentaire est actuellement estimé à une somme qui
peut aller jusqu'à 100 000 dollars, soit plus qu'un ouvrier
indien ne gagnerait en quatre siècles [1]. »

Il est clair, dans ces conditions, que l'industrie moderne
ne peut pas résoudre les problèmes du Tiers Monde.
Le souci de productivité qui l'anime depuis des décennies
l'a conduit à économiser toujours davantage la main-
d'œuvre. C'est exactement le contraire qu'il faut faire

1. Tibor Mende, *op. cit.*, p. 47.

ici. Ainsi le développement industriel, souvent très rapide dans ces sociétés, ne parvient pas à réduire le chômage. Ignacy Sachs remarque que : « Des taux très honorables de croissance industrielle, de l'ordre de 8 à 9 % par an, se traduisent au plus par une augmentation d'emploi de quelque 3 %... En Amérique latine, la part de l'emploi industriel et artisanal dans l'occupation de la main-d'œuvre est demeurée stable, malgré la poussée spectaculaire de l'industrialisation. Elle était de l'ordre de 13,4 % à peine de la population active en 1960, contre 13,7 % en 1925 [1]. »

Il serait sans doute sage de donner la priorité au secteur agricole pour assurer le plein emploi. Mais à nouveau on risque de céder à l'illusion technique pour développer l'agriculture par la modernisation.

Selon René Dubos et Barbara Ward : « Des évaluations faites dans le Pendjab, il ressort que le besoin de main-d'œuvre agricole a diminué de 50 %. Une autre estimation, celle-là en provenance du Pakistan occidental, fixe à 700 000 le nombre des fermiers qui perdront leurs terrains et leur travail au cours des quinze prochaines années si la mécanisation se poursuit à son rythme actuel [2]. » Dans la mesure où il n'existe pas une industrialisation capable d'absorber cette main-d'œuvre, un tel gain de productivité devient une véritable catastrophe.

Il apparaît donc que, ni l'industrie automatisée ni l'agriculture hautement mécanisée ne permettent d'utiliser au mieux la grande richesse de ces peuples : les hommes. Seule l'amélioration de l'agriculture traditionnelle pourrait tirer parti de tous les bras disponibles. Le problème est moins de mécaniser que d'organiser.

Or partout la priorité a été donnée aux grands barrages, aux méthodes occidentales de culture, les gouvernements locaux et les organismes internationaux préférant les réalisations résolument modernes aux solutions plus traditionnelles. Il est pourtant évident qu'une telle utilisation du progrès ne donne que des résultats médiocres.

L'acquis de la technique occidentale ne peut être précieux pour le monde de la pauvreté, que si les problèmes politiques ont été résolus, les méthodes et les machines repensées en fonction des besoins originaux du Tiers Monde. Toute une technologie est à réinventer. Une technologie qui serait adaptée à l'environnement tropical, qui s'insérerait dans l'agriculture traditionnelle et l'artisanat local, qui utiliserait une main-d'œuvre abondante et ne

1. Ignacy Sachs : *La découverte du Monde*, p. 140 (Flammarion, 1971).
2. Barbara Ward et René Dubos : *Nous n'avons qu'une seule Terre*, p. 258. (Denoël, 1972).

nécessiterait que de faibles investissements. Cela n'exclut d'ailleurs pas que l'on développe certaines techniques ultramodernes dans certains secteurs bien particuliers. Si l'on a besoin d'une raffinerie, il vaut sans doute mieux qu'elle bénéficie de tout le progrès technique, mais cela ne résoudra pas les principales difficultés. De même, il se peut que le recours aux satellites de télécommunications se révèle le meilleur moyen de diffusion d'un enseignement utile. Mais on pourrait aussi diffuser les émissions de télévision depuis des avions-émetteurs survolant la région à une altitude adéquate. Il existe assez d'avions à hélices anciens, mais encore opérationnels, dont on ne sait que faire. On pourrait également utiliser des méthodes astucieuses et pratiques comme la transmission de documents sur simples lignes téléphoniques. Tel est le système Strand, mis au point par un physicien français, le professeur Malavar, que l'ANVAR étudie pour l'adapter aux besoins de l'éducation dans les pays sous-développés.

Car, là encore, on commence seulement à comprendre que le Tiers Monde a besoin d'une technique originale et non de machines mises au point par et pour les sociétés industrialisées. La pompe solaire récemment installée en Mauritanie est exemplaire de ce point de vue. La plupart des pays pauvres disposent d'un ensoleillement très abondant. Ils ont une vocation naturelle à l'énergie solaire. Mais on sait que cette technique a été complètement dédaignée au profit de l'énergie nucléaire ou du pétrole. Un plan d'aide au Tiers Monde devrait comprendre un important programme de recherche en ce domaine et qui ne viserait pas à faire des réalisations adaptées aux sociétés riches, mais entièrement conçues pour répondre aux besoins des pays pauvres.

Il en va de même pour l'agriculture. Les machines et les méthodes occidentales inadaptées donnent de médiocres résultats, quand elles ne provoquent pas des catastrophes. L'agriculture tropicale n'a été étudiée qu'en fonction des besoins de l'Occident. On s'est attaché à développer la culture des agrumes, du café ou de l'arachide au sein de vastes plantations. En revanche la polyculture dans de petites exploitations a été souvent dédaignée.

Le problème médical est tout aussi éloquent. Dans toutes les capitales africaines et asiatiques s'édifient des hôpitaux disposant d'un personnel hautement qualifié et d'un équipement très moderne. Mais dans la campagne les règles les plus élémentaires de la médecine et de l'hygiène ne sont pas respectées. De simples officiers de santé, des hygiénistes ou des infirmiers vivant au contact de la paysannerie et disposant de dispensaires sommaires et peu onéreux sauveraient infiniment plus de vies humaines que les coûteux blocs opératoires des métropoles. Selon Oscar Gish, un dispensaire de campagne susceptible de répondre aux besoins d'une population de 20 000 personnes ne coûte pas plus cher que quatre lits dans un grand centre hospitalier équipé de tous les perfectionnements. Là encore, il existe toute une médecine à réinventer. Les efforts accomplis par les Nord-Vietnamiens pour mettre sur pied une médecine sociale à faibles moyens techniques mériteraient d'être étudiés et suivis.

Ces quelques exemples montrent bien que le recours à la « technologie-miracle » est totalement inefficace. Une fois de plus, il ne sert qu'à camoufler une fuite devant les vrais problèmes : les problèmes politiques. Une fois de plus, on est incapable de poser à la technique les vraies questions. Il n'y a aucune raison pour qu'un progrès conçu pour les besoins d'une économie européenne ou américaine résolve comme par enchantement les difficultés de sociétés africaines ou asiatiques. Seulement ces peuples sont fascinés par les techniques avancées. Plus encore que les Européens, ils rêvent de Concorde, de centrales nucléaires et d'usines automatisées. Au lieu de mettre leur fierté à dominer la technique pour l'adapter à leurs besoins, ils se contentent de la copier.

L'échec de ces techniques mal importées est tel que certains gouvernements ressentent la tentation de l'isolement. Ne vaudrait-il pas mieux se fermer au monde industrialisé à l'instar de la Chine ? Certains experts commencent à hésiter sur la réponse à donner à cette question. Une fois de plus, le progrès mal utilisé finit par être rejeté. Malheureusement pour ces peuples qui ont perdu leur équilibre ancestral, le refus du progrès n'est même pas le retour en arrière. Simplement l'enlisement dans le présent.

Le public a raison qui juge le progrès à ses pauvres et non à ses riches. Non, il n'est pas « réaliste » de se fixer sur la condition des « nantis », ni même sur les moyennes statistiques. La réalité humaine, il faut la rechercher au bas de l'échelle. Tant que les sociétés industrielles s'intéresseront autant, sinon davantage, au bonheur des uns qu'au malheur des autres, l'opinion et les jeunes en particulier auront le sentiment que leurs progrès ne sont qu'illusions. Ils le penseront et ils auront raison.

Chapitre 6.

TRAVAILLEZ, PRENEZ DE LA JOIE

C'était une mauvaise grève. Elle avait bizarrement commencé. Les 82 ouvriers spécialisés de l'atelier **F** s'étaient mis à débrayer, d'abord de façon sporadique, puis complètement. Les « vieux » de Renault ne comprenaient pas. Que voulaient-ils au juste, ces « jeunots » ? Ne gagnaient-ils pas 1 400 francs par mois ? Ne devaient-ils pas respecter l'accord passé entre les syndicats et la direction ? Mais non ; les jeunes du Mans ne voulaient pas comprendre ; ils rabrouaient les leaders syndicaux, les copains des autres ateliers, les représentants de la direction, ils exigeaient un relèvement de leur classification professionnelle. Concrètement : ils en avaient « ras le bol d'être O.S. »

Idée absurde ! On fait grève pour obtenir une augmentation de salaire, un ralentissement des cadences ou une réduction des horaires, mais sûrement pas pour changer son travail ! Dans le grand empire de la Régie, le petit atelier restait obstinément en grève comme un furoncle qui ne veut pas guérir.

A la fin du mois d'avril, le furoncle, mal soigné, se transforme en maladie généralisée. Les O.S. occupent l'usine, les ouvriers votent la grève. Les syndicats, surpris, contestent le résultat, convoquent un meeting. Nouveau vote : la grève est confirmée, 8 jours plus tard, Billancourt est occupé, Flins ne travaille pas. Entre le chômage technique et les débrayages, Renault est paralysé.

Le conflit va durer deux semaines. Il se terminera sur un compromis plus ou moins satisfaisant que les parties accepteront autant par lassitude que par conviction. Une grève banale en apparence. Pourtant, beaucoup de choses ont changé durant ces semaines. Les Français, figurez-vous, ont découvert le travail.

A la découverte de l'O.S.

Trois années plus tôt ils avaient appris qu'ils vivaient dans une société de consommation, c'est-à-dire dans un système qui transforme les aspirations humaines en consommation marchande. Ils en avaient pris acte... et avaient demandé des augmentations pour consommer un peu plus. Ils découvraient maintenant qu'une société de consommation est, d'abord, une société de production. Ils avaient toujours su que les biens manufacturés ne poussent pas au soleil, qu'il faut des machines et des usines pour les produire, mais cette constatation d'évidence n'avait suscité jusque-là aucune réaction d'étonnement ou d'indignation. Parfois même, des reportages montraient les grandes chaînes dans les usines modernes. C'était très impressionnant. Vraiment. Il y avait aussi les machines-transfert chez Renault. Evidemment le travail en usine n'était pas drôle d'après ce qu'avait montré Charlie Chaplin ; mais la paye s'améliorait dans les grandes sociétés.

Ils en étaient là, les braves lecteurs et téléspectateurs lorsque la sale grève commença. Une grève chez Renault, c'est toujours une affaire à suivre. Dans la presse, on le sait. Les journalistes vont voir les O.S. en grève. Ils racontent. Les rédacteurs en chef s'intéressent. Le public aussi. Et les Français découvrent qu'un O.S. n'est pas un ouvrier qualifié, mais, au contraire, un ouvrier sans aucune qualification. Ils découvrent que 40 % des ouvriers français consacrent leurs journées à des tâches aussi intéressantes que de ficeler un saucisson toutes les cinq secondes, implanter 25 000 diodes dans des circuits, piquer 600 fois la même pièce de tissu, donner 1 500 coups de pédale à l'heure, passer 3 000 colliers-collants à 3 000 goulots de bouteille, enlever les testicules ou les ovaires d'une centaine de porcs ou de truies, etc. Ils découvrent l'homme robotisé n'ayant plus d'espoir ni de carrière, ni de promotion. Chose inattendue, ils se prennent de sympathie pour ces jeunes qui refusent de « visser le même sacré boulon » jusqu'à l'âge de soixante-cinq ans. Tous ces spectateurs qui avaient admiré au cinéma le fantastique carrousel des organes automobiles se déplaçant d'un poste à l'autre trouvent soudain le caractère barbare et anachronique de ce système.

Fait plus grave, les 3 millions d'O.S. français — ou, du moins, travaillant en France — commencent à s'interroger tout comme les gars du Mans.

Quelque chose a changé, quelque chose d'essentiel pour une société industrielle : l'O.S.T. est remise en question. Car le travail à la chaîne n'est qu'un aspect particulier, une contrainte supplémentaire, d'un système général : l'organisation scientifique du travail. C'est elle qui règne dans toutes les entreprises, c'est elle qui dicte à chaque travailleur ce qu'il doit faire, la façon dont il doit s'y prendre, le temps qu'il doit y consacrer. C'est elle surtout qui a permis de réaliser les gains spectaculaires de productivité qui sont à la base du progrès industriel. Remettre en cause l'O.S.T., ce n'est pas rien ! C'est peut-être sortir d'une illusion technique.

L'humanisme selon Taylor

La division du travail et la spécialisation des tâches ne sont pas choses nouvelles puisque les mérites en furent chantés par Adam Smith dans sa *Richesse des nations*. Sa description d'une manufacture d'épingles est demeurée célèbre. Montrant que la fabrication d'une épingle est « divisée en un grand nombre de branches, dont la plupart constituent autant de métiers particuliers », il décrit scrupuleusement chacune de ces tâches pour conclure avec enthousiasme : « Dans chaque art la division du travail, aussi loin qu'elle puisse y être portée, amène un accroissement proportionnel dans la puissance productive du travail... Ainsi, cette séparation est généralement poussée plus loin dans les pays qui jouissent du plus haut degré de perfectionnement ; ce qui, dans une société encore un peu grossière, est l'ouvrage d'un seul homme, devient, dans une société plus avancée, la besogne de plusieurs [1]... »

Cher monsieur Smith ! Ne lui tenons pas rigueur de n'avoir point songé qu'en divisant le travail il en divisait aussi l'intérêt. En cette fin du XVIII° siècle, il était encore tout à l'émerveillement de cette découverte surprenante : plus grande est la division du travail, plus grande est son efficacité. Principe admirable et dont il est fait application dans les manufactures qui s'édifient au début du XIX° siècle. Mais cette division est encore bien empirique. Elle ne devient « scientifique » qu'au début du XX° siècle avec F.W. Taylor.

Le pape de l'organisation sépare radicalement les tâches de conception des tâches d'exécution. Les « intellectuels » conçoivent le travail, les « manuels » l'exécutent. C'est

1. *Adam Smith*, p. 47. (Librairie Dalloz, 1950) .

ce qui explique la fameuse réplique de Taylor à l'ouvrier Shartle : « On ne vous demande pas de penser. Il y a ici d'autres gens qui sont payés pour cela. » Taylor, ancien ouvrier, fanatique de l'industrie comme tous les « convertis », croyait sincèrement que son système améliorerait la vie des travailleurs. Ne parvenait-il pas à faire distribuer les meilleurs salaires en utilisant au mieux les aptitudes de chacun ? Archétype du technicien « illusionné », il ne songeait pas que la perte d'initiative et l'extrême simplicité du travail pouvaient amoindrir la personne de l'exécutant.

Car, et c'est le deuxième principe de Taylor, le travail doit être divisé en tâches aussi simples que possible. L'opération élémentaire se réduit à quelques gestes selon un cycle de quelques secondes. Les organisateurs prévoient absolument tout : les gestes à accomplir, les attitudes à adopter, les outils à utiliser, les temps à respecter. C'est le « travail en miettes » dont on découvre aujourd'hui les limites et les inconvénients, mais dont on découvrit d'abord les avantages.

Pour l'industrie naissante, il permettait d'utiliser une main-d'œuvre analphabète, sans qualification, dans des techniques qui, elles, étaient déjà très évoluées. Le temps d'apprentissage était réduit à quelques jours ou, plus généralement, quelques heures. Les hommes étaient totalement interchangeables.

Sur le plan de la production cet automatisme du travail humain augmentait la productivité et assurait la standardisation des fabrications. En dépersonnalisant la fabrication, on standardisait les produits. La production de grande série pouvait être lancée.

Le taylorisme va trouver son aboutissement dans les grandes chaînes qu'Henry Ford installe dans les ateliers de Dearborn à partir de 1913. Désormais l'ouvrier travaille à poste fixe. C'est l'objet en cours de fabrication qui vient à lui sur un convoyeur. La cadence de travail est imposée. Après la qualité, c'est la quantité de la production qui est assurée. L'ère de la grande industrie peut commencer.

Henry Ford systématise le lien entre l'accroissement de la productivité et l'augmentation des salaires. Pour prix de son aliénation, le travailleur devient consommateur.

Ainsi l'O.S.T. apporte une augmentation progressive du bien-être qui contraste agréablement avec la misère de la période précédente. Sans doute était-elle indispensable à ce premier stade du développement industriel. Mais elle n'était encore qu'un demi-progrès en ce qu'elle refusait de considérer la personne dans son ensemble.

Les avantages de l'O.S.T. sont si évidents que les pays socialistes l'ont adoptée. N'est-il pas significatif que Lénine, dans un article de la *Pravda* publié en 1917, ait insisté sur la nécessité d'utiliser les acquis du taylorisme dans la production communiste ?

Les illusions de l'O.S.T.

A la suite de Taylor, l'O.S.T. est devenue une véritable discipline scientifique avec son unité de mesure, le bedaux, ses méthodes, tables des gestes élémentaires, films étalonnés, etc. Et comme toute discipline, elle a « progressé ». Les centres d'organisation ont compté le temps à la seconde puis au dixième, puis au centième ; ils ont réduit les tâches élémentaires à 10 gestes, puis à 5 gestes, puis à un seul, le cycle d'opération est passé de trente secondes, à dix, puis à trois. La frénésie productiviste atomisait le travail.

Cette même frénésie poussait à augmenter sans cesse les cadences et à transformer les chronométreurs en gardes-chiourme, toujours aux aguets dans le dos des O.S. pour faire des économies de bouts de secondes.

Les gains de productivité réalisés grâce à cette recherche incessante permettent d'augmenter la puissance des entreprises. L'O.S.T. répond parfaitement à la logique du système industriel. Elle ne cesse de s'étendre. En France, par exemple, le nombre des O.S. est passé de 2,4 millions en 1962 à 2,7 en 1968 et le VI° plan prévoit que ce nombre restera stationnaire jusqu'en 1975. Ainsi notre pays ne voit aucune contradiction entre l'effort louable qu'il fait pour élever le niveau d'instruction de la population et la stupidité du travail qu'il propose aux jeunes.

La dégradation de la personne ramenée à l'état de robot ne choquait pas les promoteurs du système. Le Chatelier, qui introduisit le taylorisme en France, estimait que « l'ouvrier accomplit son travail sans y penser... en songeant tranquillement à ses petites affaires... » Pour surprenant que cela paraisse, cette opinion traduit souvent une réalité. Georges Friedmann qui se fit, il y a trente ans déjà, le procureur de l'O.S.T. cite des témoignages d'O.S. qui ne souhaitent nullement renoncer à leurs tâches parcellaires.

Toutes les conditions d'une adaptation à l'indésirable étaient réunies. La société n'offrait aucun espoir de promotion professionnelle aux ouvriers. Elle les reléguait définitivement aux tâches subalternes d'exécution. Le travail était considéré comme un temps mort dans l'existence. Il devait rapporter le meilleur salaire pour la moindre fatigue. Précisément les organisateurs s'efforcent de calculer justement les efforts exigés par chaque poste. Ils savent qu'une tâche trop pénible est mal accomplie. Seules les cadences trop élevées et l'environnement trop dégradé — saleté, bruit, entassement, odeurs, etc. — cristallisent les revendications. Le « travail en miettes » est admis. En contrepartie les salaires augmentent. L'élévation du niveau de vie compense la dégradation du travail. Patrons, syndicats et salariés paraissent jouer le jeu de l'O.S.T.

Progressivement les femmes et les immigrés fournissent l'essentiel de la main-d'œuvre d'O.S. Ces travailleurs, pour des raisons évidentes, se résignent plus aisément que les ouvriers nationaux à une telle situation. Le système industriel s'engage résolument dans la voie illusoire de l'O.S.T.

Cette méthode était sans doute indispensable au début de l'ère industrielle. Elle seule pouvait lancer la production. Mais elle ne devait, en aucun cas, constituer une solution définitive.

Une véritable civilisation industrielle aurait progressivement régénéré le travail à mesure que l'augmentation de la production permettait de satisfaire les besoins essentiels. Une civilisation purement technicienne ne pouvait satisfaire spontanément cette exigence de la personne humaine. Poussée en avant par l'impérialisme industriel, elle devait développer le système indéfiniment afin d'accroître la puissance des entreprises et le niveau de vie des travailleurs. L'illusion technique se nourrit de ses fausses victoires et ne se corrige pas d'elle-même. Il faut qu'elle bute sur ses propres contradictions pour susciter une réaction. C'est pourquoi les avertissements lancés depuis un demi-siècle n'eurent aucun écho. Il fallait attendre le refus des travailleurs pour changer d'orientation et reconsidérer l'homme. Voilà qui est fait.

Dans son rapport sur les O.S., publié à la suite de la grève du Mans, le C.N.P.F. en vient à considérer que le problème du travail parcellaire est « inévitablement » posé. Partout dans le monde, les industriels constatent que l'O.S.T. stricte et le travail industriel en général sont de moins en moins bien supportés. En France même les jeunes ne veulent plus travailler sur les chaînes, ni même se mettre à des tâches trop répétitives. Concrètement cela signifie que le taux d'absentéisme est très élevé, que l'instabilité de la main-d'œuvre augmente, que la qualité de la production diminue, que le nombre des rebuts s'élève, que le climat social se détériore. Bref l'O.S. n'est plus l'O.S. Le robot passif et discipliné devient un individu rétif et contestataire. Le patronat et la technostructure ne pouvaient anticiper cette évolution à cause des impératifs de la concurrence. Désormais ils doivent réagir devant la crise qui se prépare. Car l'O.S.T. pourrait cesser, faute d'O.S. La disparition de l'O.S. cela paraît pourtant relever de la politique-fiction. Ne suffira-t-il pas d'augmenter les salaires pour que la loi de l'offre et de la demande ramène la main-d'œuvre sur ce marché ? Ce n'est pas si sûr. On a déjà observé la disparition de certaines catégories professionnelles. Il y a quelques années, une fille de la campagne considérait comme une promotion de monter à la ville pour « servir en maison bourgeoise ». Aujourd'hui elle préfère accomplir en usine un travail plus pénible pour un salaire moindre, plutôt que de « servir une patronne ». La jeune bonne à tout faire française a pratiquement disparu du marché. Les avantages matériels considérables n'y changent rien. Le fait de pouvoir à tout moment changer de place si les patrons ne conviennent pas, non plus. L'image de marque de cette profession s'est complètement dégradée. On pourrait très bien imaginer qu'une telle évolution se produise pour l'ouvrier spécialisé et, plus généralement, pour le travail manuel.

Raisonnant en terme de rentabilité économique, les industriels ont tenté de se rabattre sur la main-d'œuvre importée. Celle-là, du moins, ne risque pas de faire défaut. Pour certaines industries qui se consacrent à une production peu encombrante, il existe une solution encore plus radicale, qui est de faire effectuer le travail dans les pays sous-développés eux-mêmes où la main-d'œuvre est abondante, docile, et bon marché. C'est ainsi que les grandes firmes internationales installent de plus en plus souvent leurs usines en Asie. La plupart des composants électroniques et des circuits sont fabriqués à Formose, en Corée ou à Hong Kong. Les constructeurs d'appareils photos et de postes de radio suivent cet exemple. Demain, des industries comme la confection ou la chaussure pourraient faire de même. L'abaissement constant du prix des transports, le renchérissement des salaires européens rendent ces solutions rentables. Les sociétés industrielles européennes vont-elles devenir importatrices de travailleurs ou exportatrices de travail, tandis qu'elles continueront à éduquer toujours davantage leurs enfants, et qu'elles seront de plus en plus incapables de leur proposer des métiers dignes de leur formation ? On voit mal comment, dans ces conditions, la collectivité pourrait intégrer pacifiquement les jeunes générations. On le voit d'autant plus mal que nous prétendons créer des emplois par la seule croissance et non par la diminution du temps de travail.

Réinventer le travail

En dépit de tous les biais et de tous les détours, les techniques exclusivement productivistes finiront par se heurter à des obstacles insurmontables. La question est désormais posée de savoir s'il est tolérable que l'homme moderne se livre à des activités plus stupides que celles du chasseur préhistorique poursuivant les mammouths. Contraints de repenser l'O.S.T., industriels et organisateurs se jettent sur les études psychotechniques accumulées depuis trente ans. L'idéal pour eux serait évidemment de répondre aux nouvelles aspirations des travailleurs en changeant les méthodes d'organisation, mais en touchant le moins possible à la répartition du pouvoir dans l'entreprise. C'est la voie que propose Frederik Herzberg, « psychologue industriel » de Cleveland dont les ouvrages tendent à devenir la bible des patrons progressistes.

Herzberg fait justement remarquer que tout ce qui concerne l'environnement du travail, salaires, confort, horaires, propreté, peut diminuer l'insatisfaction, mais non apporter une nouvelle satisfaction. Celle-ci ne peut naître que du travail lui-même. Il faut donc que l'occupation professionnelle permette à l'individu d'exercer son esprit d'initiative, d'assumer des responsabilités, de gagner la considération des autres, de progresser. Pour atteindre cet objectif, il propose d'enrichir les tâches, c'est-à-dire de confier à chaque ouvrier une opération complexe comprenant également l'exécution, la vérification, l'entretien de la machine, la fabrication d'une pièce complète, etc. Bref, de renoncer aux excès de l'O.S.T. Mais il demeure entendu que l'on respecte le premier principe de Taylor. Ce sont toujours les organisateurs et non les ouvriers qui définissent les nouvelles tâches.

Beaucoup plus novateurs sont les chercheurs britanniques du Tavistock Institute. Ils souhaitent que la nouvelle organisation naisse des intéressés eux-mêmes. Ils souhaitent également qu'une nouvelle technique soit inventée pour permettre cette nouvelle organisation. Car les équipes du Tavistock Institute insistent justement sur l'interaction constante entre le milieu social et le milieu technique dans le travail. L'outil crée la relation humaine, et la relation humaine crée l'image de l'outil, aussi convient-il de changer tout à la fois les rapports entre les hommes et le support technique de ces rapports.

Les industriels sont convaincus qu'il faut s'engager dans ces réformes, celles d'Herzberg plutôt que celles du Tavistock, mais ils redoutent que cette opération ne déclenche une crise économique si la productivité diminue, ou une crise sociale si les réformes entraînent un nouveau type de revendications.

Il est vrai que ces réformes s'annoncent bien difficiles. Elles viennent trop tard, dans un monde industriel dont l'infrastructure s'oppose à tout changement radical. C'est particulièrement vrai en ce qui concerne le travail à la chaîne dans l'industrie lourde. L'industrie légère est, en revanche, plus aisément adaptable. C'est ainsi que Philips a déjà constitué des équipes autonomes de sept personnes, travaillant en atelier pour le montage des téléviseurs. La première expérience, tentée en 1969, a donné de bons résultats. Les investissements ont augmenté, mais la productivité également, tandis que diminuait l'absentéisme. La société a donc tenté d'étendre l'expérience. Mais au moment de mettre sur pied d'autres équipes, elle a buté sur le plus inattendu des obstacles : le refus des O.S. La nouvelle organisation exige évidemment que les O.S. reçoivent un complément de formation. Or rares furent les volontaires qui se prêtèrent à ce recyclage. L'adaptation à l'indésirable est plus tenace qu'on ne pense.

On a beaucoup parlé aussi des expériences italiennes qui concernent des milliers de travailleurs. Dès 1959, Olivetti introduisit une réforme dans son usine d'Ivrea.

Traditionnellement, on distinguait le conducteur qui approvisionne la machine, de l'opérateur qui la vérifie et la répare. Il fut décidé de créer des postes de conducteurs-réparateurs remplissant les deux fonctions.

Trois années plus tard, on fusionnait les lignes de production et les lignes de contrôle. Les ouvriers vérifiaient eux-mêmes la qualité de leur production. Dernière innovation : le service des temps et des méthodes qui fixe les tâches et les cadences n'a plus qu'un rôle consultatif. C'est au sein même de l'usine ou de l'atelier que cadres et ouvriers fixent les modalités concrètes d'application, seuls les principes sont posés de l'extérieur.

Les réformes de Fiat s'inspirent des mêmes idées. On s'efforce, ici encore, de confier à l'ouvrier de base des responsabilités nouvelles en matière de vérification, de réglage et d'entretien. L'intérêt d'une telle réorganisation n'est pas seulement d'accroître la qualification des différents postes, il est, véritablement, de supprimer le statut d'O.S. L'individu astreint à un tel travail, loin d'acquérir une expérience qui pourrait le qualifier pour des fonctions plus intéressantes, se stérilise dans ses gestes mécaniques. Le drame est moins d'être O.S. que de devoir le rester jusqu'à sa retraite. Dès l'instant où l'activité professionnelle comporte une participation plus importante aux processus productifs, impliquant un engagement plus poussé dans la technique, elle ouvre la voie à une promotion, elle débouche sur un avenir possible.

Mais il est vrai que de telles réformes butent sur des difficultés considérables quand on veut les appliquer dans une industrie aussi lourde que l'automobile. Ce n'est pas par hasard que ces usines ont été traditionnellement les hauts lieux de l'O.S.T. et du travail à la chaîne. Cette organisation n'est nulle part si profitable que lorsqu'il s'agit d'usiner des pièces de fortes dimensions. En outre l'infrastructure technique de l'usine — convoyeurs, disposition des machines, systèmes de manutention — doit être conçue en fonction du travail, en sorte qu'il n'est guère possible de changer l'organisation sans changer l'usine, ce qui représente des investissements considérables.

Ainsi dans les industries lourdes le travail est-il en quelque sorte « gelé » dans les installations. Ce qui signifie par ailleurs que les usines que l'on construit aujourd'hui déterminent le travail des ouvriers pour les vingt années à venir. Or elles sont généralement conçues en fonction du travail de 1970... qui est celui de 1920. On imagine aisément les conflits qui sont inscrits dans ces plans superbement rationnels.

Les horaires à la carte

Le système industriel se débat donc dans les pièges de l'illusion technique. Ayant fondé son projet sur une vision étroite et mutilante de la personne humaine, il tente désespérément d'apaiser la révolte qui couve. Pour y parvenir, il faudrait réviser les objectifs, c'est-à-dire dépasser la stricte notion de rentabilité commerciale pour calculer cette rentabilité en fonction de l'individu tout entier, ne plus le dissocier absurdement en producteur et consommateur. Malheureusement, les lois de la concurrence ne laissent pas grande liberté aux industriels.

L'industrie, en effet, si prompte à appliquer le progrès technique, perd tout dynamisme dès qu'il lui faut envisager des changements d'ordre politique ou social. N'est-il pas tristement révélateur qu'il ait fallu attendre les années 70 pour voir apparaître les horaires variables ?

Voilà des dizaines d'années que les travailleurs doivent se battre contre les horloges pointeuses, qu'ils font des acrobaties pour faire coïncider les horaires des transports en commun, des écoles, des crèches, des magasins ou des administrations et jamais ces ingénieurs qui inventent tant de merveilles cybernétiques, n'ont songé qu'il suffisait de laisser les gens libres de choisir leur heure d'arrivée et leur heure de départ. Si 10 % seulement des organisateurs s'étaient détournés de la bienheureuse O.S.T. pour regarder vivre les employés n'auraient-ils pas trouvé cette solution depuis fort longtemps ? Mais non, on ne recherche jamais la solution que dans la technique. N'est-ce pas une illusion que de faire de savantes recherches d'ergonométrie quand on n'est pas seulement capable d'imaginer des progrès aussi simples ?

Cet exemple est d'autant plus frappant que les patrons semblent avoir tout à gagner dans une telle réforme. Si l'on en croit le rapport présenté au gouvernement français en 1972 par le groupe d'étude que présidait M. de Chalendar, cette organisation ne présente que des avantages. Citons la déposition de M. Zumsteg, spécialiste de l'organisation à la firme Oméga sur l'expérience tentée par cette société.

« L'horaire libre semble compatible avec le travail en chaîne lorsque les pièces à assembler sont de petite dimension...

« L'expérience a montré que le nombre d'unités fabriquées avait légèrement diminué mais que la qualité de celles-ci était nettement supérieure. Au total, la rentabilité semble avoir nettement augmenté [1]. »

Il apparaît ainsi que cette modification, loin de représenter une charge pour l'entreprise peut être un facteur de rentabilité. Elle parvient à concilier les intérêts des travailleurs et ceux du patronat. Le fait est suffisamment rare pour être souligné.

La commission Chalandar a principalement fait état d'expériences étrangères. Car une fois de plus, la France est très en retard. Cela est d'autant moins excusable qu'il existe un secteur nationalisé qui devrait favoriser ce genre d'expériences.

Sans doute existe-t-il des raisons sociopsychologiques à l'étrange carence qui contrarie de telles réformes. L'entreprise, structurée par l'O.S.T., est une société de maître à sujet dans laquelle l'ouvrier ou l'employé abdique toute individualité et toute autonomie. Ainsi tout changement qui pourrait « personnaliser » le travailleur est-il ressenti comme anormal, voire subversif. C'est à ce niveau, le niveau politique au sens le plus large, que le système industriel est bloqué. Qu'il accomplisse cette première mutation et l'avancement des techniques permettra d'accomplir des progrès décisifs dans la condition des tra-

1. *L'horaire variable ou libre.* La Documentation Française, 1972.

vailleurs. Mais c'est ce préalable qui soulève les plus grandes difficultés.

Il existe une contradiction flagrante, et qui provoquera tôt ou tard une crise grave, dans la coexistence d'un système politique démocratique et d'un système industriel autoritaire. Il est admis aujourd'hui que tout citoyen, quel que soit son niveau d'instruction, participe également à la vie politique, élit son maire ou son député, peut présenter sa candidature et voter aux référendums. Or ce même citoyen, majeur dans la cité, devient mineur dans l'entreprise. Comme ouvrier, il n'a plus qu'à obéir et subir. N'est-ce pas une aberration ? Si des individus incompétents peuvent délibérer des affaires de l'Etat, ils peuvent également délibérer de celles de l'entreprise. Les arguments invoqués contre de telles réformes, ressemblent singulièrement à ceux qu'utilisaient les adversaires du suffrage universel et de la démocratie. Dans tous les cas, il s'agit d'alibis destinés à défendre les privilèges des gens en place : les capitalistes et la technostructure en l'occurrence.

Il n'est toutefois pas douteux que l'introduction progressive de la démocratie dans les grandes entreprises soulèverait des difficultés considérables. Mais le maintien des structures autoritaires — si commodes aujourd'hui — peut se révéler dangereux à terme. Il est probable que les hommes finiront par voir la société productive pour ce qu'elle est : un système social en retard de trois siècles sur l'organisation politique. Ce jour-là, il risque de se produire des mouvements de révolte qui échapperont à tout contrôle. Le patronat devra improviser des réformes à la hâte et l'on retrouvera tous les inconvénients que l'on s'efforce d'éviter aujourd'hui.

Mais les changements politiques, si profonds soient-ils, ne peuvent suffire à régénérer le travail. La technique a été développée en supposant comme une donnée de base l'existence des hommes-robots. Si l'on veut supprimer ces derniers, il faut dans de nombreux cas inventer une nouvelle technique. L'exemple, déjà cité de l'industrie automobile est particulièrement instructif. Il semble que les réalisations les plus intéressantes doivent être mises à l'actif de la firme suédoise Volvo. Depuis des années les dirigeants de la société ont multiplié les expériences originales pour organiser différemment leur production. Ils semblent être enfin parvenus à supprimer le travail à la chaîne et parcellaire dans la nouvelle usine qu'ils construisent à Kalmar. Ce n'est pas un mince mérite dans une industrie comme l'automobile, mais un tel résultat repose sur des innovations techniques importantes. L'usine, destinée à produire 30 000 véhicules par an, est faite de polygones accolés, ce qui permet de délimiter une vingtaine d'ateliers. L'innovation clé qui permettra de briser la chaîne c'est le nouveau chariot-transporteur sur lequel est posée la voiture en cours de fabrication. Il peut être conduit par un seul homme et dispose de la mobilité nécessaire pour présenter le véhicule dans toutes les positions nécessaires à l'accomplissement du travail. Les stocks de carrosseries sont disposés à l'entrée de l'atelier. Les équipes organisent librement le travail. Selon leurs désirs, elles peuvent se regrouper en une petite chaîne ou bien au contraire effectuer un montage personnalisé, chaque ouvrier effectuant seul ou avec un collègue le montage complet d'un véhicule en le suivant, grâce au chariot, d'un poste au suivant. Dans tous les cas, les ouvriers disposent de la plus large autonomie pour organiser leur travail. Mais il est clair qu'un tel résultat n'a été rendu possible que par des progrès techniques considérables, tant dans l'architecture des usines que dans la manutention des véhicules. Or ces progrès n'auraient jamais été accomplis si Volvo avait continué à développer son effort de modernisation en fonction des seuls critères de rentabilité. Il a fallu accorder la priorité à ces nouvelles préoccupations pour parvenir à ces résultats.

Tout est désormais lié à cette nouvelle attitude de l'industrie. Voudra-t-elle faire du travail, et non plus seulement de la rentabilité, un objectif prioritaire du progrès ? C'est la question. Il est vrai que les conditions de travail se sont souvent améliorées depuis le début du siècle. Mais ces améliorations ont toujours été subordonnées à la productivité. Dans le domaine de l'automobile, par exemple, on utilisait la soudure à l'étain pour boucher les joints de carrosserie. Ce travail était extrêmement pénible et malsain, mais on estimait que le client ne voudrait jamais acheter une voiture présentant des joints ouverts entre les éléments de carrosserie. Jusqu'au jour où un constructeur présenta des modèles à joints béants. Les ventes n'en ayant pas été affectées, la solution fut retenue. Depuis, on utilise parfois des joints en plastique. Cependant, la première motivation de ce progrès ne fut pas le désir de supprimer un poste pénible, mais d'augmenter la rentabilité.

On a de même supprimé les postes de pistoleteur d'apprêt en posant sur la carrosserie l'apprêt par dépôt catalytique. Suppression, là encore, au nom de la seule productivité. Un semblable processus a permis d'améliorer la position des ouvriers qui fixent le plafonnier dans la carrosserie. Alors que ceux-ci devaient se tordre dans tous les sens pour garnir le plafond, sur la R 5 une nouvelle technique de plaquage par ventouse permet d'effectuer l'opération sans devoir se recroqueviller dans la carrosserie.

On pourrait citer des dizaines d'exemples de ce genre. Partout et toujours, c'est le souci du rendement qui a permis de diminuer la peine des hommes. Le patronat, même le plus évolué, doit toujours subordonner l'amélioration du travail au maintien, voire à l'amélioration, de la productivité. Les améliorations sont possibles pourvu qu'on fasse la même chose au même prix, voire à un prix inférieur. C'est là que le système est bloqué.

Changer le produit

Le schéma industriel est généralement le suivant. Les services commerciaux ou de marketing déterminent les spécifications d'un produit nouveau, le service des études le conçoit, le service des méthodes en organise la production. Ce dernier service est complètement subordonné aux autres. Sans rétroaction. La révolution à venir consisterait à faire en sorte que le service des méthodes puisse imposer ses exigences, c'est-à-dire celles des travailleurs, aux services situés en amont. Alors seulement les ressources du progrès technique pourraient être mises au service des ouvriers et non plus seulement des patrons et des consommateurs.

On connaît quelques exemples très rares d'une telle rétroaction de la production sur la conception. A l'usine Poclain de Compiègne, où l'on construit des engins de chantiers, une nouvelle organisation a été mise sur pied pour la fabrication d'un nouveau modèle. L'assemblage de la cabine comporte sept opérations. Au lieu d'organiser une chaîne à sept postes, on a décidé que chaque ouvrier suivrait de bout en bout le montage d'une cabine. Mais la pose des vitres paraissait trop compliquée pour une telle organisation. Le bureau des études dut revoir le dessin des cabines et conçut un nouveau système, le collage, qui devenait compatible avec un montage personnalisé. Cet exemple bien modeste prouve simplement tout ce que l'on pourrait faire si l'on engageait la créativité technique dans cette voie.

Dans tous les cas, l'intérêt du travailleur doit être considéré dès la conception du produit. Un exemple classique est celui des téléviseurs. Selon que l'on dispose les systèmes électroniques sur un seul support ou bien sur des petits modules interconnectés, on se trouve contraint d'adopter de longues chaînes d'assemblage ou bien on garde la possibilité d'organiser le travail à partir de petites équipes autonomes.

Toutes nos machines pourraient être revues dans cette optique. Il faudrait, dans chaque cas, se demander si un changement de technique ne permettrait pas d'améliorer le travail de fabrication. Peut-être faudrait-il développer l'électronique dans les commandes automobiles pour supprimer des chaînes de montage ? Dans l'industrie des ordinateurs également, on pourrait utiliser certaines technologies de préférence à d'autres. Par exemple, malgré les progrès de l'automation, les ouvrières doivent toujours travailler sous binoculaire pour fabriquer les mémoires de ferrites (anneaux microscopiques pris entre trois fils extrêmement fins). C'est un travail pénible auquel les Françaises répugnent de plus en plus. Plutôt que confier ce montage à des Coréennes, ne vaudrait-il pas mieux développer systématiquement les mémoires à films minces ou autres qui ne présentent pas ces inconvénients même si elles sont plus coûteuses ? Demain sans doute les mémoires à ferrites céderont la place aux mémoires à semi-conducteurs, mais cette évolution ne sera pas motivée par une préoccupation sociale. Elle correspondra à un strict souci commercial. Il en va de même pour le remplacement des montres mécaniques par les montres électroniques. Dans le système actuel les techniques s'imposent parce qu'elles sont plus « performantes » comme disent les ingénieurs ; jamais parce qu'elles facilitent le travail des ouvriers.

Dans de nombreux cas, la suppression des postes d'O.S. passe par l'automatisation. Mais celle-ci exige des investissements très lourds. Une fois cet équipement mis en place, il doit fonctionner durant de longues années pour être amorti. Une telle exigence est en contradiction avec les impératifs commerciaux qui imposent un renouvellement constant des produits. C'est pourquoi les possibilités de l'automatisation sont si peu exploitées. Si l'on reprend l'exemple de l'automobile, l'un des postes les plus pénibles est celui des soudeurs au point — les ouvriers qui assemblent les différents éléments de la carrosserie. On ne peut automatiser cette opération qu'en acceptant des investissements extrêmement coûteux. Il n'existe encore aucune machine automatisée capable d'assembler n'importe quelle carrosserie selon l'inspiration des « designers ». Si on se lance dans une telle opération, il faut se fixer sur un modèle et s'y tenir. Mais le jeu du marché veut qu'on démode un modèle tous les quatre ou cinq ans. Il est d'ailleurs révélateur qu'un seul constructeur ait pu automatiser l'assemblage des carrosseries : c'est Volkswagen pour sa célèbre Coccinelle. La suppression des tâches pénibles peut donc passer par un changement dans la politique commerciale.

D'une façon générale l'automatisation pourrait permettre de supprimer beaucoup de postes trop répétitifs, sans qu'il soit besoin de faire progresser les techniques disponibles : il suffirait de les appliquer. Mais les tendances actuelles s'opposent à l'automatisation des postes d'O.S. On craint tout d'abord, et cette crainte est très vive chez les syndicats, de provoquer une augmentation du chômage. En réalité, si cette transformation des techniques visait à améliorer le travail et non uniquement la productivité, elle devrait s'accompagner d'une restructuration des tâches à d'autres stades de la fabrication. Dans un certain nombre de cas, cette deuxième transformation aurait pour résultat de diminuer le rendement. Il faudrait donc retirer des ouvriers à certains postes, leur donner une formation complémentaire et les affecter à d'autres tâches plus intéressantes. Il n'y a pas de raison, a priori, de penser que le bilan serait négatif sur le plan de l'emploi. Mais tout effort d'automatisation est mal vu par les travailleurs, car toutes les expériences faites dans le passé ont visé uniquement à accroître la productivité, donc à diminuer le nombre d'emplois.

En revanche, il est vrai que cette opération coûterait cher. Mais ne pourrait-on faire des économies dans d'autres domaines ? En diminuant les charges commerciales et publicitaires, en renonçant à tous les gaspillages que représentent l'instabilité des modèles et le parasitisme technique. Evidemment, on sort là des règles strictes de la production marchande. Il faudrait une volonté politique pour conduire une telle évolution, à moins que la crainte de conflits sociaux n'inspire une sagesse salutaire.

Une transformation aussi radicale ne saurait d'ailleurs se limiter à la fabrication. Il faudrait revoir tous les produits, car l'automatisation ne peut réussir que si les produits ont été conçus pour tel mode de fabrication. Vis et boulons interdisent par exemple le recours aux systèmes automatiques d'assemblage, mais d'autres techniques, notamment celle du clipsage, permettent d'automatiser ces opérations. Il faudrait que le service des méthodes puisse exiger que les techniques non automatisables soient supprimées des nouveaux produits lorsqu'une automatisation paraît souhaitable. Au lieu de vouloir améliorer le travail à partir de produits qui ont été conçus sans nulle préoccupation de la fabrication, il faudrait intégrer cette nécessité dès les premières ébauches pour ne poser que des problèmes raisonnables aux ingénieurs de production.

Hélas ! ces objectifs ne sont même pas intégrés dans

l'organisation du travail. Les techniques capables de diminuer la peine des travailleurs ont pris un retard immense par rapport à celles qui permettent d'élever la productivité. Nul aujourd'hui ne peut dire que ceci ou cela est irréalisable car les possibilités de la technique n'ont même pas été explorées. Du progrès, on ne connaît que les potentialités productivistes. Tout donne à penser que des innovations très importantes seraient faites si la créativité des chercheurs était orientée dans cette direction. Témoin, le travail ménager.

La libération par l'électroménager

Il s'est produit dans ce secteur une pénurie de main-d'œuvre. La cuisinière, la bonne et le frotteur ont disparu du marché. De ce fait, le travail domestique doit être accompli par des femmes possédant un certain niveau de ressources. L'arsenal électroménager a été intégré au système de consommation sociale. On doit posséder un certain équipement de robots domestiques au même titre qu'une automobile ou une salle de bains pour tenir son statut social. L'amélioration des conditions de travail s'est donc trouvée insérée dans le cadre du marché. Loin d'être incompatible avec les impératifs de la croissance industrielle, elle en est devenue une nécessité. Aussitôt, les ressources du progrès ont été mobilisées au service de ce travailleur privilégié : la ménagère.

Ainsi est apparue une foule de robots domestiques. En ce domaine, les automatismes ne sont jamais assez poussés. Le moindre travail présumé pénible excite la créativité des ingénieurs (le presse-orange automatique extrait le jus en 30 secondes et se nettoie en 5 minutes !). L'appartement moderne est devenu l'usine de rêve de la ménagère. Tout a été conçu pour faciliter le nettoyage et l'entretien : matériaux nouveaux, formes fonctionnelles, appareils de nettoyage, système de rangement. Sans parler de tous les plats préfabriqués qui reportent à l'usine l'essentiel du labeur qui s'accomplissait traditionnellement à la cuisine. On le voit, les ressources de la technique sont immenses pour diminuer la peine d'un travailleur. Malheureusement, l'O.S. ou l'employé n'a jamais pu payer lui-même la technologie qui permettrait de faciliter sa tâche. Ce besoin ne correspondant pas à une dépense solvable n'a pas constitué une voie de recherche pour le **progrès**.

On devrait logiquement déduire de cette description que la femme moderne est la grande bénéficiaire du progrès. Trop sollicitée, peut-être, mais certainement pas oubliée. Hélas, toutes les enquêtes, toutes les études prouvent que la ménagère du xxᵉ siècle n'est pas une femme particulièrement heureuse.

L'arsenal du confort électroménager coûte cher. Pour se le procurer, la femme doit exercer une activité salariée. Or elle ne trouve généralement qu'un emploi subalterne, sous-payé et sans intérêt. Et ce n'est pas pour autant que le mari partage les tâches ménagères et le soin des enfants. Ces occupations étant « de nature féminine », la mère de famille doit accomplir deux journées de travail par jour et l'assistance des robots domestiques n'est pas telle que cette seconde journée soit moins pénible que la première. Pour concilier ses horaires de travail, les difficultés de transport, la garde des enfants, les démarches administratives, le paiement des traites, elle doit vivre dans une tension permanente. Entre un travail professionnel sans intérêt et un travail domestique accompli dans la fatigue et la précipitation, la femme moderne est plus frustrée dans son palais des arts ménagers que sa mère dans son antique cuisine.

En revanche, si elle n'occupe aucun emploi, elle ne peut s'offrir de robots ménagers. Elle se morfond donc dans les tâches ménagères et ressent une frustration nouvelle. Si enfin elle fait partie des femmes aisées qui disposent du confort ménager sans apporter un deuxième salaire, elle se retrouve désœuvrée ; car les occasions sont rares pour une femme d'exercer une activité intéressante en dehors de son foyer. Sitôt que les enfants prennent de l'âge, elle grossit le nombre des épouses accablées par le vide de leur existence. Dans tous les cas les réalisations étonnantes de la technologie domestique n'apportent pas les progrès qu'on pourrait en attendre. Faute d'une action sociale, culturelle et politique, toute cette technologie ne dépasse pas la « gadgetologie ».

Il est vrai que la mère de famille n'est pas un travailleur comme les autres, et qu'il appartient à l'organisation collective de l'aider. La technique seule ne le peut pas.

En l'absence d'une telle organisation, la femme sera toujours perdante. Qu'elle travaille trop ou pas assez, qu'elle sacrifie ses aspirations professionnelles à sa vie familiale ou le contraire, elle ne pourra jamais concilier ce qui est inconciliable, et ce n'est pas le chauffe-biberon infrarouge, le presse-purée magnétique et l'aspirateur cybernétique qui régleront ses problèmes.

Que la société organise une garde collective des enfants, qu'elle assure le même avenir professionnel aux femmes et aux hommes, que le travail ménager soit également réparti entre les époux, voilà ce qui apportera une véritable amélioration de la condition féminine. En revanche, l'automatisation totale des tâches ménagères coûtera fort cher et n'apportera qu'une faible utilité sociale. Mieux vaudrait que les couples accomplissent en commun ce reste de travail plutôt que de gagner séparément le moyen de s'en débarrasser. Les progrès de l'électroménager peuvent contribuer à la libération de la femme, ils ne peuvent certainement pas l'assurer. Aussi longtemps que les hommes monopoliseront les pouvoirs dans la société, l'entreprise et la famille. Aussi longtemps qu'ils discuteront de la contraception et de l'avortement en lieu et place des intéressées, le progrès, le vrai, n'aura toujours pas été accompli, et la panoplie des robots ménagers ne sera qu'un matériel d'illusionniste. Du moins, ce matériel nous permet-il de mesurer tous les progrès qui pourraient être accomplis si l'on se décidait à mettre les ressources de la technique au service des travailleurs.

Les colonies de l'intérieur

Notre conception du travail est devenue aberrante. Il nous paraît normal qu'une profession soit d'autant plus dévaluée qu'elle est plus pénible. Plus un métier est sale, répugnant, contraignant, moins il est considéré sur le plan social, moins il est rémunéré sur le plan matériel. Chacun admet que l'éboueur soit au bas de l'échelle puisqu'il accepte de se livrer à de si viles besognes. En revanche, le directeur commercial sera grassement payé, disposera d'un bureau moquetté de 40 m², décoré de tableaux et de plantes vertes, puisqu'il accomplit un métier passionnant !

Il est assez naturel que les jeunes Français qu'on a pris la peine d'instruire n'aient aucune envie de se consacrer aux basses œuvres de la production. Ils préfèrent être chômeurs plutôt qu'O.S. Ainsi, manque-t-on de travailleurs manuels, qualifiés ou non, alors que demeurent inemployés de nombreux jeunes gens, plus ou moins « littéraires ».

Or le patronat tourne le jeu de l'offre et de la demande en faisant appel à la main-d'œuvre immigrée. L'industrie française — comme celle des autres pays industrialisés — s'appuie de plus en plus sur ces travailleurs. Trois millions d'immigrés aujourd'hui. Quatre demain.

Que des étrangers viennent travailler en France, ce n'est pas une nouveauté. Qu'il s'agisse d'hommes d'autres races et d'autres continents, venus en France pour une durée limitée, cantonnés dans certains métiers pénibles et condamnés à vivre en sous-développés dans un pays riche : cela c'est nouveau. Et dangereux.

Cette main-d'œuvre ne constitue à aucun titre une immigration de peuplement comparable à celle que connut l'Amérique. Ces travailleurs ne souhaitent pas devenir Français et les Français ne souhaitent guère en faire des citoyens à part entière. Etrangers à notre culture, ignorant notre langue, n'ayant aucune qualification professionnelle, ne disposant pas des droits nécessaires pour se défendre, ils sont condamnés à ne toucher que les plus bas salaires pour le plus sale travail. Sur cette maigre rémunération, ils doivent prélever des économies pour entretenir une famille ou amasser un pécule de retour. Il est inévitable que leur condition soit très inférieure à celle des travailleurs français les moins payés.

Peut-on imaginer que ces hommes trouveront toujours normal de vivre si mal en faisant un travail si pénible, alors que les Français vivraient de mieux en mieux en se débarrassant des tâches désagréables ? Il est inévitable que cette situation conduise à des conflits d'un type nouveau : des conflits sociaux-raciaux.

Jusqu'à présent ces tensions ont pu être contenues grâce à la situation totalement dominée dans laquelle se trouvait cette main-d'œuvre. Mais cette situation est en train de changer.

Désormais les travailleurs immigrés tiennent, par le bas, des secteurs entiers de l'économie. Plus les Français se détourneront des travaux manuels, plus leur dépendance s'accentuera et plus la position des immigrés se renforcera. Il est naturel — et souhaitable — que cette main-d'œuvre utilise sa force pour améliorer son sort. La prise de conscience est en train de se faire. La grève « sauvage » des O.S. de Renault en 1973 est un premier avertissement. Que se passera-t-il lorsque les Français seront gênés dans leur confort par la révolte des mercenaires qu'ils exploitent ? Il est à prévoir que le réflexe raciste l'emportera sur la solidarité sociale.

Il n'est que temps d'abandonner ce colonialisme de l'intérieur. Les Français doivent produire ce qu'ils consomment et nettoyer eux-mêmes leur saleté. Pour y parvenir, il faut rétablir la vérité du travail. Celle-ci exige qu'une tâche soit rémunérée en fonction de sa pénibilité et de son utilité. Elle exige également que le statut social découle des services rendus à l'intérêt général et non de la fortune de la naissance, ou du diplôme.

Cette réévaluation du travail conduirait sans doute à payer l'éboueur autant que l'ingénieur, à donner des vacances prolongées à l'O.S. et non au professeur de faculté. Quoi de plus sain et de plus normal ? Il est évident qu'on ne pourra jamais éliminer complètement le « sale travail ». Il faut donc compenser — et sur tous les plans — les inconvénients par les avantages. Pour une fois que les lois de l'offre et de la demande pourraient assainir la situation, il convient de les faire fonctionner.

Ces mécanismes risquent de se révéler insuffisants. Il faudrait envisager de faire effectuer le « sale travail » par les jeunes Français. Tous les jeunes Français. Que chaque citoyen doive consacrer trois ans de sa vie à effectuer les besognes pénibles et non qualifiées, ne serait pas plus surprenant, bien au contraire, que de le voir consacrer quelques années à la Défense nationale.

Il n'est évidemment pas question de « chasser les immigrés » ainsi que le demande une propagande raciste. Il faut, au contraire, offrir à ces travailleurs les conditions d'une véritable immigration. C'est-à-dire, pour autant qu'ils le désirent, leur donner les droits juridiques de tout citoyen français et leur fournir l'assistance professionnelle, matérielle et culturelle indispensable à une bonne insertion dans la société. Ceux qui ne souhaitent pas devenir Français pourraient se voir proposer une prime de départ correspondant au pécule qu'ils comptaient amasser durant leur séjour en France. Une telle indemnité ne constituerait jamais qu'un juste dédommagement pour le préjudice qu'ils ont subi.

Mais, dira-t-on, ne serait-ce pas faire preuve de racisme que réduire progressivement cette immigration ? Comment oserait-on inciter au départ ces hommes qui sont venus travailler chez nous ? Cette attitude trahit un odieux préjugé néo-colonialiste. Nous voulons croire que nous aidons le Tiers Monde en lui procurant du travail. C'est un mensonge que démentent les faits. C'est nous et non eux qui sommes les bénéficiaires de l'opération. C'est nous qui demandons à des pays pauvres d'élever à leurs frais des hommes qui travailleront à notre profit au lieu de développer leur pays. Tartufe lui-même ne verrait pas de charité dans un tel échange. Si nous voulons aider le Tiers Monde nous n'avons qu'à doubler le prix des matières premières, mettre à sa disposition des instituts de recherche, lui fournir l'assistance dont il a besoin, mais pas faire le commerce des hommes.

Par toutes ses implications, une telle politique constituerait une révolution sociale et culturelle. Nous y serons contraints tôt ou tard. Devrons-nous réprimer les révoltes d'immigrés plutôt que reconsidérer notre conception du travail ? Le choix risque de nous être imposé dans un avenir très proche.

Vers l'agriculture industrielle

L'agriculteur, c'est bien connu, est un abominable culterreux qui ne comprend rien aux nécessités de la vie moderne. C'est ce que soulignait de nouveau M. Mansholt en 1968 dans son fameux rapport : « Il n'existe vraisemblablement pas de secteur professionnel où l'on se soit cramponné aussi longtemps à des structures de production traditionnelles... » Il est vrai que l'auteur concédait que : « une très large fraction de la population agricole est disposée... à s'adapter au monde moderne ».

Le monde moderne, quelle agriculture nous promet-il à l'aube du XXIᵉ siècle ? Une agriculture industrialisée. Le même progrès technique qui avait éliminé les ateliers au profit des grandes usines pour les biens manufacturés ne devait-il pas faire disparaître les exploitations familiales et artisanales au profit des grandes entreprises industrialisées ? Cela paraissait d'autant plus vraisemblable que l'on imaginait fort bien l'évolution des techniques qui allait se dessiner.

Au siècle prochain les cultures de grande masse, comme celles des céréales se feront sur des exploitations de plusieurs centaines d'hectares centrées sur un parc très important de machines lourdes. En tête de chaque champ un poste de contrôle d'où un agrotechnicien télécommandera le travail de machines automatiques. De même les cultures fruitières, pommes, poires, cerises se feront dans d'immenses vergers aux arbres rationnellement plantés selon les normes des machines automatiques qui passeront entre les rangées pour traiter les arbres et effectuer mécaniquement la cueillette.

Les primeurs seront cultivées en usine. On construira d'immenses serres automatisées pour pratiquer la culture hydroponique, c'est-à-dire la culture sans sol. Les récoltes se succéderont régulièrement toute l'année dans ce milieu artificiel. Les plantes pousseront sur un gravier stérile. Elles seront éclairées à la lumière artificielle et respireront une atmosphère enrichie en gaz carbonique. Des réseaux complexes distribueront régulièrement à chaque plan sa ration de liquide nutritif et sa douche de pesticides et autres produits sanitaires. Les plantes poussant toutes au même rythme, étant disposées avec une régularité parfaite, ces cultures se prêteront admirablement à la cueillette automatisée. Ainsi produira-t-on tomates, melons, salades, fraises, radis.

Pour l'élevage on suivra l'exemple donné par l'aviculture, développant les exploitations actuelles où les animaux vivent dans des halls spécialement équipés et stérilisés pour recevoir des dizaines de milliers d'individus. Ainsi pourra-t-on produire plus d'un million d'oiseaux par an dans les grands centres avicoles.

La même évolution se dessinera pour les porcins et les bovins. Là encore les animaux finiront par être élevés dans des ambiances entièrement artificielles, se nourrissant d'aliments synthétiques apportés par des systèmes automatiques. Les progrès de la physiologie animale permettront en outre de synchroniser les naissances à l'intérieur de ces troupeaux immenses. Seules les opérations de traite nécessiteront encore une certaine intervention humaine, au moins pour fixer les appareils une ou deux fois par jour.

Telles sont les promesses du progrès et elles indiquent clairement aux agriculteurs leur avenir. En effet ces techniques ne sauraient être mises en œuvre qu'à l'intérieur de très vastes entreprises. Les fils de paysans, les quelques-uns qui choisiront le métier de leurs pères, deviendront des travailleurs salariés, ingénieur, technicien ou O.S., de ces immenses manufactures agricoles. Une telle évolution ne devrait présenter que des avantages puisque les revenus des agriculteurs restent désespérément en retard par rapport à ceux du monde industriel. Dans le nouveau système, les gains de productivité permettront de rétablir la parité. Ainsi les travailleurs de la terre, si l'on peut dire, auront enfin accès à tous les bienfaits de la consommation, au même titre que les autres citoyens.

La résistance des petits

Malheureusement les paysans ne comprennent pas leur intérêt. Au lieu de se réjouir de cette révolution, ils paraissent s'y opposer et ne s'y résignent que lorsqu'ils sont acculés par le désastre économique. D'où l'inguérissable « crise de l'agriculture ». Comme le note M. Servolin, directeur de la station centrale d'économie et de sociologie rurales de l'I.N.R.A. : « L'origine précise de cette crise de l'économie rurale provient de la résistance opiniâtre qu'offrent les moyennes exploitations — les exploi-

tations familiales — aux forces qui, pensait-on, devaient
par l'industrialisation généralisée, les faire définitivement
disparaître, mettant ainsi un terme à la crise de l'agriculture. »

Etrange résistance, en vérité ! Depuis plus d'un siècle
l'évolution de l'agriculture paraît suivre exactement le
schéma de l'industrialisation. La population de la campagne diminue. Alors que la France du XVIII° siècle était
un royaume de paysans, elle ne comptait déjà plus que
50 % d'agriculteurs au milieu du XIX° siècle. Entre les
deux guerres, cette population s'est stabilisée aux alen-
tours du tiers de la main-d'œuvre active. Depuis la guerre,
la modernisation des exploitations a relancé le mouvement. Présentement, les agriculteurs ne représentent plus
guère que 14 % du total. Mais ce chiffre, annoncent les
experts, ne constitue encore qu'un stade intermédiaire.
« Au cours des quinze prochaines années, prévoyait le
rapport Vedel, un nouveau cap sera probablement franchi,
notre économie se rapprochera des économies hautement
industrialisées avec moins de 8 à 10 % de la population
active occupée dans ce secteur. »

Or cette diminution implacable ne paraît pas encore
assez rapide. « Il faut que le taux annuel de diminution
de la population agricole soit notablement accéléré »
estimait le rapport Mansholt. Partir, partir. Faire place
nette pour l'industrialisation, c'est le verdict mille fois
répété qu'entendent les agriculteurs depuis cent ans.

Ils partent donc et le nombre des fermes ne cesse de
diminuer. 5,5 millions au début du siècle. Un peu plus
d'un million aujourd'hui. Ce sont évidemment les plus
petites qui ont été le plus touchées jusqu'à présent. Sur les
4 millions d'exploitations de moins de 5 hectares que
comptait la France vers 1900, il n'en reste plus que 4 000.
Au total, 30 % des exploitations ont disparu au cours des
quinze dernières années. Durant cette période, une ferme
est morte tous les quarts d'heure.

Il n'y a pas de larmes à verser sur ces minuscules exploitations qui exploitaient davantage l'homme que la terre.
Economiquement, ces fermes sont des structures de sous-
développement, elles contraignent le paysan et sa famille
à une vie de peine et de misère. Tous les experts s'accordent à reconnaître qu'une famille doit disposer de 30 à
50 hectares pour jouir d'un niveau de vie « occidental ».
C'est beaucoup plus que les parcelles de jadis, mais c'est
infiniment moins que les entreprises agricoles promises
pour l'avenir.

La modernisation exigerait que ces grandes exploitations
se développent rapidement. En réalité, elles augmentent
peu. Le nombre des fermes couvrant plus de 100 hectares

a diminué de 3 % au cours de ce siècle et la surface qu'elles représentent n'est passée que de 10 à 15 % du total. Il en va de même pour l'élevage. 10 % seulement des bovins français sont regroupés dans des troupeaux dépassant 30 têtes, et les troupeaux dépassant une centaine d'unités sont très rares.

En revanche le nombre des exploitations de 50 à 100 hectares est passé de 52 000 à 100 000 et celui de l'exploitation familiale de 20 à 50 ha a progressé de 335 000 à 400 000. Ces fermes qui occupaient 50 % de la surface cultivée en représentent aujourd'hui 60 %.

On devrait logiquement déduire de ces chiffres que l'agriculture française a effectué sa mutation de la petite à la moyenne exploitation et qu'elle va maintenant passer de cette moyenne exploitation à l'entreprise industrielle. A cette condition seulement finirait-on par réduire la population agricole aux 8 % que nous annoncent les augures.

Mais la belle dynamique du progrès paraît s'être enrayée. La deuxième vitesse, celle de l'industrialisation, ne passe pas. Il y a une dizaine d'années C. Servolin publiait un livre : *La France sans paysans,* dans lequel il décrivait l'évolution vers les structures de concentration industrielle. Il reconnaît aujourd'hui que « l'évolution des faits ne confirme que très médiocrement l'hypothèse de la supériorité de la grande exploitation... Tout se passe comme si la disparition des plus petites exploitations, au lieu de s'opérer en faveur des grandes exploitations, profitait à toutes les autres classes d'exploitations, quelle que soit leur taille ». Les grandes industries alimentaires, au lieu d'investir dans la production agricole tendent, au contraire, à s'en dégager. Ni dans la culture ni dans l'élevage, on ne voit se former ces grandes entreprises supermécanisées. Il semble au contraire que la restructuration de l'agriculture tende à se stabiliser dans les régions où la propriété familiale moyenne atteint les quelques dizaines d'hectares nécessaires à la santé économique de l'exploitation moderne. Rien ne prouve, bien au contraire, que l'exode rural va se continuer au même rythme et que la terre va encore perdre le 1,5 million d'hommes que prévoyaient les experts.

Demain l'agriculture familiale

Que s'est-il passé ? On voudrait penser que les pouvoirs publics ont lancé une action vigoureuse, fondée sur un vaste programme social, pour développer l'exploitation familiale. Car cette course à l'industrialisation, si même elle présente des avantages économiques, risque de provoquer de grands inconvénients sur le plan social.

Le fermier, responsable de son exploitation, était attaché à son travail en dépit de conditions matérielles et sociales souvent très rudes. Matériellement, il fallait lui donner l'assistance technique nécessaire pour améliorer la productivité de son entreprise. Socialement, il fallait regrouper les exploitations trop petites et trop dispersées, libérer l'exploitant des servitudes du fermage et du métayage, créer des structures coopératives efficaces, etc. Mais le contenu du travail devait être respecté. La résistance des paysans en prouve toute la valeur humaine. L'agriculteur menacé sait qu'en devenant ouvrier, il perdra le métier et le cadre de vie qu'il aime.

Au contraire le développement d'exploitations industrielles entraînerait une dégradation du travail agricole. Elle transformerait des exploitants, aujourd'hui libres et indépendants, en ouvriers et techniciens salariés. Cette transformation se traduirait sans doute par une élévation du niveau de vie, et la jouissance d'avantages sociaux encore inconnus dans le monde rural. Mais sur le plan du travail, elle rapprocherait le paysan de l'ouvrier d'usine. La même volonté de rationalisation conduirait à la spécialisation, la perte de l'initiative et des responsabilités, l'absence de signification des tâches, etc.

Dès l'instant qu'un premier exode rural a permis de faire naître des exploitations familiales viables sur le plan économique, faut-il, pour améliorer encore les rendements, briser ces structures d'équilibre pour l'individu et la société ? N'est-il pas plus sage de les préserver face aux avantages illusoires de l'industrialisation ?

La politique suivie n'a guère favorisé ces moyennes exploitations. Au contraire, l'absurde système de prix garantis a outrageusement avantagé les très grosses exploitations. notamment en matière de céréales. Mais la résistance des paysans et de la nature a stoppé la marche à l'industrialisation. D'une part l'agriculteur n'a pas joué le jeu. Au lieu de décrocher comme paraissait l'y inviter le jeu économique, il s'est accroché. Les petits ont lâché, mais les mieux armés ont tenu. Ils se sont modernisés, se sont agrandis, ils ont fait naître des exploitations viables.

Dans le même temps, le capital a découvert les aléas et les servitudes de la production agricole. Habitué à la rationalité de la production industrielle, il n'a pu s'adapter aux exigences de l'agriculture. Pour l'exploitant individuel, salaires et revenus du capital fixe sont pratiquement confondus. En cas de crise, il suffit que la valeur des produits assure la subsistance de la famille et le renouvellement du cycle de production. Il n'en va pas de même pour l'entreprise industrielle qui doit payer ses salariés, acheter semences, engrais, matériel, etc., et réaliser des profits. Le capitaliste s'habitue beaucoup plus difficilement que le paysan à ne pas réaliser de bénéfices. Or la différence de productivité entre les deux types d'exploitations n'est pas telle qu'elle puisse assurer aux gros le profit, aux moyens la survie. Seules subsistent ceux qui peuvent, éventuellement, se passer de bénéfices. Bref, la terre n'est pas une bonne affaire, au sens capitaliste du terme. Grâce lui en soit rendue. Les agriculteurs conserveront leurs fermes.

Cela dit, l'exploitation familiale, même modernisée, peut et doit évoluer. Il faut mettre à son service toutes les ressources de l'innovation. Ne plus concevoir des machines coûteuses pour des superficies de 500 hectares, mais des outils adaptés à ces nouvelles structures. Un organisme comme l'Institut national de la Recherche agronomique, l'I.N.R.A. assure heureusement une mission essentielle pour faire progresser cette agriculture. En sélectionnant des espèces nouvelles toujours plus productives, en améliorant les engrais et les produits sanitaires, en étudiant la pathologie du bétail, sa reproduction et son alimentation, l'I.N.R.A. peut mettre le progrès à la disposition des exploitants individuels. Ne citons qu'un exemple : la synchronisation des naissances. L'éleveur est tributaire des naissances qui se produisent à tout moment. Il ne peut délaisser son troupeau pour prendre des vacances, il ne peut planifier son travail. De nouvelles techniques doivent permettre de provoquer les chaleurs, les inséminations et les naissances. Les cycles reproductifs de tout un troupeau pourraient être synchronisés et planifiés. Cette innovation profiterait autant à l'exploitation industrielle qu'à l'exploitation familiale. Elle changerait les conditions de travail et même de vie des exploitants. Nombreux sont les progrès qui permettraient d'améliorer la productivité de l'agriculture familiale et l'existence des agriculteurs.

Mais il faut autant perfectionner les structures de coopération. Ce sont elles qui ont permis aux agriculteurs indépendants de résister au grand capitalisme. Elles sont perfectibles autant que les techniques productives. Ici encore, le progrès doit marcher sur ses deux jambes.

La situation présente reste instable. A tout moment, les techniques industrielles peuvent accomplir des progrès décisifs qui provoqueraient une nouvelle mutation des campagnes. En l'absence d'une véritable politique agricole centrée sur l'exploitation familiale, l'exode rural

reprendrait avec son cortège habituel de misères matérielles et de traumatismes sociaux. Le paysan n'avait
certainement pas tort de vouloir rester à la campagne.
Il n'était point réactionnaire quand il refusait de céder
aux pseudo-lois du progrès. On voudrait faire admettre
que l'homme moderne doit être un nomade professionnel,
toujours prêt à abandonner le métier qu'il exerce depuis
des années, voire des générations. Toute résistance à ces
« douloureuses mais nécessaires mutations » est considérée comme une marque de sclérose corporatiste. Etrange
conception de l'homme en vérité ! Serait-ce donc une
preuve de santé et d'équilibre que de n'avoir nul intérêt
pour son métier, et nulle attache, de lui trouver si peu
de signification qu'on soit toujours prêt à l'abandonner
pour quelque autre plus rémunérateur ?

Certes le progrès exige que l'on secoue la routine, que
l'on accepte l'innovation, si dérangeante soit-elle. Quand
la mine est épuisée il faut bien que le mineur se recon-
vertisse et quand le transistor apparaît, le radioélectricien
doit abandonner ses lampes. De même il est naturel que
les employés s'initient à l'informatique, que les aviateurs
apprennent à piloter les jets et les manœuvres à conduire
les chariots électriques. Faut-il pour un peu plus de productivité, détruire des structures familiales, sociales et
professionnelles qui assuraient un enrichissement individuel et une fonction sociale. La satisfaction du culti-
vateur, maître de sa terre, sa fierté et sa liberté, la
richesse d'une cellule familiale centrée sur un travail
commun, d'un système coopératif reliant des producteurs
égaux et responsables, cela vaut bien quelques quintaux
de plus à l'hectare, quelques centimes de moins au kilo.
Dans l'exode rural, les bilans économiques ne montrent
jamais que l'aspect positif : la libération de bras pour
l'industrie, mais la souffrance des hommes déracinés, la
perte des cultures traditionnelles, la destruction de communautés équilibrées, la déchéance professionnelle des nouveaux ouvriers, les traumatismes sociopsychologiques
des nouveaux citadins, l'enlaidissement d'une campagne
livrée à la monoculture industrielle, rien de tout cela ne
vient corriger le solde. L'homme serait-il donc un agent
productif qui n'est jamais si heureux que lorsqu'il produit davantage ?

Mais toute société, qu'elle en soit consciente ou non,
implique un certain « projet d'homme ». La nôtre veut le
producteur-consommateur toujours prêt à sacrifier son
environnement, ses relations, sa famille et son métier pour
gagner davantage.

La mort de la boutique

Après l'agriculture familiale, comment ne pas évoquer le petit commerce ? Mauvais sujet ! Corporatisme et poujadisme. L'avenir appartient à « l'usine à vendre ». La super, l'hyperboutique ; le temple du commerce productiviste. N'est-il pas absurde de voir les ingénieurs déployer des trésors d'ingéniosité pour abaisser les coûts centime par centime, alors que le boutiquier fait varier les prix de dix à vingt pour cent en les inscrivant à la craie sur sa vieille ardoise ? Oui, c'est absurde. En revanche il est rationnel de regrouper les fonctions distributives dans de grands centres commerciaux, rationnel d'installer ces centres à la périphérie des villes, rationnel de transformer l'épicière en caissière-débitrice et le quincaillier en vendeur de grand magasin. Mais quel ennui, mon Dieu, qu'une ville vidée de cette trame si vivante du petit commerce !

Qui croira jamais que l'hypermarché remplacera la rue marchande dans la vie citadine, que le surveillant du libre-service assurera les mêmes relations humaines que le boulanger ? Mais quel bilan comptable montrera jamais l'utilité de tout ce folklore qui accompagne le petit commerce : ces discussions à propos de l'hiver qui n'en finit pas, du fils qui part au régiment et du film qui était si beau à la télévision, ces pseudo-services sociaux pour la mère qui cherche à faire garder son enfant ou l'étudiante qui veut donner des leçons. Evidemment ce ne sont pas là des arguments d'économistes et les bilans comptables ne révéleront pas davantage que les métiers du commerce artisanal apportent de grandes satisfactions professionnelles. En fait, il n'y a pas de raison de mépriser la révolte des boutiquiers ; ils défendent une profession qu'ils aiment et ce sentiment n'a rien que de respectable. Ils ne sont pas si nombreux dans nos sociétés rationalisées, ceux qui aiment leur métier.

Le commerce familial, libre et indépendant, représente assurément une situation sociale et professionnelle heureuse pour ceux qui le pratiquent. Ils sont prêts à travailler dur pour conserver leur petit domaine, leur unité familiale, leur statut dans la cité. Pourquoi ne pas tirer parti de cette adhésion spontanée de travailleur à sa tâche ?

Sans doute ne peut-on conserver les circuits traditionnels de distribution en leur état ancien. Sans doute faut-il les moderniser en créant de nouvelles structures de coopération, en développant, peut-être, de nouvelles techniques adaptées au cadre particulier de la boutique individuelle.

Et de grands progrès peuvent être accomplis dans cette voie. Malheureusement, les brillants cadres commerciaux, les meilleurs ingénieurs ont orienté leur créativité vers la distribution de masse. Qui a jamais étudié sérieusement les possibilités de la téléinformatique pour la gestion des commerces familiaux ? Les grandes industries ont-elles jamais conçu leurs produits en fonction de ces circuits de distribution ? Quelles recherches sérieuses ont été faites sur les meilleurs systèmes d'association entre commerçants indépendants ? On a préféré s'en tenir aux verdicts économiques : le petit commerce est condamné, le progrès doit s'orienter vers les grands centres distributifs.

Sur ce postulat absurde, né d'une vision restrictive de l'homme et de la société, se développent des villes sans commerce intégré à la vie urbaine. C'est peut-être un luxe que de conserver l'animation marchande dans la cité ; le commerce individuel n'a probablement jamais la rentabilité des hypermarchés, mais ne devons-nous pas préparer la société d'abondance ?

Il est vrai que les petits commerçants demandent plus volontiers une protection contre les circuits nouveaux de distribution qu'une aide à la modernisation de leurs entreprises. Il est non moins vrai que le poujadisme n'a guère contribué à la mutation indispensable du commerce indépendant et que le boutiquier joue plus souvent les victimes que les novateurs, mais en dépit de ses outrances, de ses insuffisances et de son passéisme, la révolte commerçante traduit une juste aspiration à une certaine qualité de la vie professionnelle.

Heureusement pour les commerçants, ils votent et, plus encore, ils font voter. Nul gouvernement ne peut l'ignorer. En outre, l'enrichissement du public — ou, du moins, d'un certain public — a été suffisamment rapide pour que la clientèle continue à fréquenter la boutique individuelle spécialisée. Grâce à la conjugaison de ces deux facteurs, l'évolution qui se dessinait dans les années 60 et qui paraissait devoir éliminer les circuits commerciaux traditionnels, connaît un très net ralentissement. On assiste même à une contre-offensive vigoureuse de la boutique.

En 1963 il s'est ouvert 85 supermarchés en France ; en 1969, 314. Ce chiffre a décru depuis et semble se stabiliser autour de 250. On observe la même évolution pour les hypermarchés. 16 ouvertures en 68, 44 en 69, 42 en 70, 30 en 71. Sur 708 projets de grandes surfaces, 300 seulement ont été autorisés. 108 ont été refusés au cours de la seule année 1972. Reste à savoir si l'offensive ne reprendra pas avec une vigueur accrue au lendemain des élections législatives de 73. Les statistiques de la Commission des

Comptes commerciaux de la nation illustre bien ce renversement de tendance. Certes 15 000 magasins ont disparu en cinq ans, mais on doit comparer ce chiffre aux 20 000 disparitions qui ont été enregistrées dans l'alimentation. C'est-à-dire que 5 000 nouvelles boutiques se sont ouvertes dans les secteurs non alimentaires. Fait plus étonnant, le chiffre d'affaires du commerce indépendant a davantage progressé (11 %) en 1971 que celui de la grande distribution. Pour des structures économiques condamnées, voilà qui n'est pas mal.

Cette contre-offensive ne se maintiendra pas sans une profonde mutation des petites entreprises. Il n'y a pas de raisons que la collectivité paye des charges trop lourdes pour permettre à une catégorie professionnelle de conserver le travail qui lui plaît. Mais les mécanismes de la concurrence existent. Ceux qui ne voudront pas faire l'effort nécessaire de modernisation seront éliminés. En revanche, et plutôt que de soutenir les canards boiteux de la petite distribution, il serait sans doute raisonnable de créer un I.N.R.C.A., un Institut national de la Recherche pour le commerce et l'artisanat, dans lequel des chercheurs, payés par l'Etat, auraient pour unique mission de trouver des solutions techniques et commerciales nouvelles au service des détaillants. L'exemple de l'Institut national de la Recherche agronomique permet d'imaginer les bienfaits d'un tel organisme. Mais la nouvelle loi sur le commerce tend davantage à protéger les circuits traditionnels qu'à les moderniser.

De même n'est-il pas scandaleux de voir tant de chercheurs étudier tant de fausses solutions industrielles ou bien se perdre dans des spéculations théoriques, alors qu'il n'existe aucun véritable centre de recherche sur le nouveau travail ou sur les problèmes de la vieillesse ?

Il n'est d'ailleurs pas possible de dénoncer cette dégradation du travail dans l'économie libérale, sans poser en contrepartie celle que l'on observe dans les économies socialistes. Ici, ce n'est plus l'illusion technique et économique qui est en cause, c'est l'illusion idéologique. Elle n'est pas moins redoutable. Les capitalistes condamnent l'exploitant agricole et le boutiquier au nom de la productivité, les communistes les ont condamnés au nom de l'idéologie. Stupide prétention des intellectuels, fondée sur une prétendue analyse objective. Et qu'importent les schémas théoriques ! Des millions d'hommes aimaient leur travail. Ils avaient raison, car on a toujours raison d'aimer et d'être heureux. Le rôle de la société est d'aider au bonheur, non de le commander. Mais l'arrogance intellectuelle des idéologues n'a d'égale que l'assurance rationnelle des productivistes. Les uns comme les autres se croient habilités à trancher le bien et le mieux en place des intéressés. Ainsi, des millions de paysans soviétiques ont-ils été dépossédés ou n'ont-ils pu réaliser leur rêve de cultiver leur propre terre. Les bureaucrates ont imposé la collectivisation et la dépersonnalisation du travail comme les patrons et les technocrates ont imposé sa concentration et sa rationalisation. Dans tout cela, *l'homme*, cet agent perturbateur des mécanismes économiques, apparaît uniquement comme un élément parasite qu'il faut éliminer.

Ainsi, de quelque côté que l'on se tourne, les structures en place s'accommodent fort bien de l'illusion. Le patronat capitaliste, les bureaucraties communistes, voire certains syndicats plus ou moins marxistes, ne voient de progrès que dans l'amélioration linéaire des tendances actuelles. Améliorer la productivité, diminuer la quantité de travail, répartir plus justement la richesse produite, ce seraient donc définitivement les trois axes du progrès.

Personne ne peut pourtant contester que l'attitude du travailleur change complètement selon que ses occupations sont enrichissantes ou aliénantes. N'est-il pas frappant de constater, si l'on en croit les statistiques, que le virus de la grippe épargne les cadres ? Pour beaucoup d'entre eux un congé-maladie est ressenti comme une contrariété. Pour l'O.S., au contraire, c'est une aubaine souvent recherchée. Le boutiquier, le paysan ne ressentent pas les problèmes d'horaires comme les ouvriers et les employés. Ils préfèrent travailler plus longtemps de façon indépendante et responsable qu'effectuer un travail plus bref dans une usine ou un bureau. Ne sait-on pas aussi que la retraite est souhaitée ou redoutée selon les catégories professionnelles ? N'est-il pas plus sain que le travailleur soit attaché à son métier et redoute le désœuvrement ? Si l'on se concentre uniquement sur l'avancement des départs à la retraite et la réduction de la durée du travail, il faudra nécessairement s'en tenir aux techniques les plus productives. On ne saurait en même temps diminuer la quantité de travail et en améliorer la qualité. Si l'une de ces revendications devient prioritaire, l'autre risque fort d'être négligée. Faut-il souhaiter que le travailleur n'ait qu'une envie, celle de quitter son travail, le soir, le vendredi ou à son soixantième anniversaire, faut-il, au contraire, attacher l'homme, non pas économiquement, mais personnellement, à sa profession ?

Dans les sociétés préindustrielles, le travail était nécessairement pénible. C'est pourquoi l'oisiveté était le premier des privilèges. Aujourd'hui le rentier a disparu. Le privilège consiste à exercer une profession qu'on aime. En ce domaine comme dans les autres, le progrès peut avoir une vocation démocratique. Il peut étendre progressivement ses bienfaits à toute la population. Mais cet objectif ne saurait être atteint que s'il est justement posé et fermement poursuivi. Créer un monde de travailleurs, et pas seulement de consommateurs, heureux, c'est une ambition raisonnable pour cette fin de siècle. C'est elle qui mesurera désormais les progrès accomplis.

Chapitre 7

LA FIN DU MONDE

En l'an 1972, les sociétés industrielles crurent à la fin du monde. Un même frisson d'épouvante parcourut les salons, les gazettes et le public. Six mois durant, la « Grand Peur de l'an 2 000 », retint les esprits, ce qui représente une manière de record en ces temps d'errance intellectuelle où les sujets de conversation se renouvellent plus vite que les modes féminines. Mais qui donc avait pu flanquer pareille frousse au monde occidental ? L'ordinateur, vous l'auriez deviné. Il avait annoncé « que tout serait fini avant la mort de nos enfants ». Les usines n'auraient plus rien à usiner, les automobiles mourraient de soif, la terre ne donnerait plus de fruits, l'air serait irrespirable. Jérémie prophétisait dans le crépitement des imprimantes.

Si la peur était encore le commencement de la sagesse, cette peur-là aurait dû nous transformer en gourous ; mais elle n'est plus que le sel du divertissement et la hantise de l'apocalypse disparut avec la saison. Chacun en retint qu'après le mot « croissance », il faut ajouter : « mais quelle croissance ? », et tout rentra dans le mouvement.

La terre nous manque

Le fameux rapport Meadow, cause de tout ce remue-ménage, était aussi prudent dans sa présentation que dans ses conclusions. Mais une société qui doute d'elle-même recherche secrètement les condamnations qu'elle appréhende. Si tout est foutu, il ne reste plus qu'à danser en attendant le déluge, comme disait l'amant de la Pompa-

dour. C'est ainsi qu'une tentative de modélisation dynamique, qui n'était encore qu'une ébauche intellectuelle,
fut interprétée comme un verdict sans appel. Quant au
signe maléfique qui condamnait notre avenir, il était
déroutant de simplicité et d'innocence : « n% ».
Depuis la fin de la guerre dernière, le monde vivait au
rythme de ses pourcentages. Pourcentages de croissance
évidemment. Il n'y avait rien à dire et rien à reprendre
puisque « n% » indiquait que nous filions vers la terre
promise de l'abondance.
Mais un même pourcentage peut cacher des réalités bien
différentes. Prenons un exemple concret : Je place 1 000 F
à 7 % par an. Au bout d'un an, je perçois un intérêt de
70 F. Je peux alors opter pour l'une des trois attitudes
suivantes :

I consommer
II thésauriser
III réinvestir

Si je choisis la première hypothèse, je n'aurai jamais
que 1 000 F. Avec la seconde je posséderai 1 700 F au
bout de dix ans et 2 000 F avec la troisième. Les résultats
sont donc assez voisins. Cinquante ans plus tard, en revanche, les différences sont plus nettes : 4 500 F en hypothèse II, 32 000 en hypothèse III. Un siècle après, tout
change. Je n'ai que 8 000 F en thésaurisation, alors que
le réinvestissement m'a permis de dépasser les 500 000 F.
Mais surtout la croissance est 10 fois plus rapide dans
une hypothèse que dans l'autre. Ainsi la troisième solution
me permet-elle d'avoir mon premier milliard en deux siècles, de passer à un millier de milliards un siècle plus
tard et d'obtenir tout l'argent disponible dans le monde
en quelques décennies.
Pourtant dans les trois cas, le pourcentage utilisé est
le même et reste constant dans le temps. Mais dans le
premier cas, il traduit une stabilité, dans le second une
croissance et dans le troisième une accélération.
Le meilleur exemple de ce phénomène est fourni par
la croissance démographique. La population du globe
augmente à un rythme, supposé constant, qui dépasse
légèrement 2 % l'an. Il y a trente ans cela signifiait que
le nombre des hommes s'élevait chaque année de 40 millions d'individus, il y a dix ans de 60 millions, et aujour-
d'hui d'environ 75 millions. Ensuite, ce sera 80 millions,
100 millions, 150 millions, bientôt 1 milliard. Et pourtant,
la progression sera toujours de 2 % environ, mais ce chiffre
n'aura plus du tout la même signification. La courbe qui
matérialise ce phénomène, la fameuse exponentielle, est
particulièrement démonstrative. Elle commence par s'éle-

ver en pente douce puis, brusquement, elle se redresse et se rapproche rapidement d'une verticale qu'elle n'atteindra jamais.

Qu'il s'agisse de production, de croissance ou de pollution, que l'on mesure le taux de D.D.T. dans la nature, le nombre d'automobiles en circulation ou le niveau de vie des peuples, on utilise toujours des pourcentages pour effectuer les comparaisons d'une année sur l'autre. Tant que ceux-ci sont constants, nous parlons de croissance, mais il s'agit en réalité d'une accélération sur une courbe exponentielle.

Tel est le malentendu fondamental, et le mérite de l'équipe dirigée par Meadow fut grand de l'avoir mis en évidence. Il est facile de montrer que cette situation ne peut se prolonger indéfiniment. Si les croissances de la population, de la production et de la pollution s'accélèrent, alors que les bases mêmes du système restent constantes, il doit nécessairement se produire un phénomène de rupture. Ainsi peut-on annoncer que nous n'avons devant nous que 29 années d'or, 13 d'argent, 15 d'étain, 11 de mercure, 18 de zinc, 20 de pétrole. A supposer que les réserves soient cinq fois plus importantes qu'on ne l'imagine aujourd'hui, les perspectives seraient à peine plus réjouissantes : 29 années pour l'or, 42 pour l'argent, 61 pour l'étain, 41 pour le mercure. La rupture épargnerait nos enfants, mais pas nos petits-enfants. Conclusion : la nature ne peut pas suivre le rythme du progrès. Elle va nous manquer. Notre terre promise n'est déjà plus qu'une terre compromise.

Le renfort technique

Ces perspectives avaient de quoi affoler les populations, mais, curieusement, les dirigeants ne parurent pas moins surpris par ces vérités d'évidence. A croire qu'ils ne s'étaient jamais interrogés sur la signification des pourcentages qu'ils maniaient journellement.

Une interprétation simpliste de ces faits donnait à penser que les choses continueraient à aller de mieux en mieux jusqu'au jour où elles n'iraient plus du tout. Il semblait qu'à une date déterminée, un mineur remonterait de la dernière mine de cuivre le dernier wagonnet de minerai ; qu'à une autre, le dernier puits de pétrole donnerait son dernier litre, et qu'à un instant presque aussi déterminé l'air empoisonné commencerait à tuer les humains. Notre ciel était constellé d'épées de Damoclès dont les fils se briseraient les uns après les autres. Une telle vision — qui caricature, il faut le dire, celle des auteurs du rapport — ignore, tout à la fois, les mécanismes du marché, la notion de réserve naturelle et les possibilités de la technique.

Il est vrai que la pollution paraît croître au même rythme que la production — encore que, dans bien des cas, la pollution chimique n'ait fait que remplacer la pollution microbienne antérieure — mais, faut-il en déduire que les deux courbes sont nécessairement liées ? Certainement pas. Jusqu'à présent l'environnement n'était protégé ni par le marché ni par la réglementation. Il était donc ignoré par le progrès industriel. La recherche s'était orientée vers la croissance de la production et non vers la protection de la nature. De ce fait, nous avons abouti à une certaine technologie aussi productive sur le plan économique que désastreuse sur le plan écologique.

Mais la charge écologique de ces procédés est devenue telle que tous les gouvernements sont contraints d'introduire progressivement une nouvelle réglementation pour préserver le milieu naturel et urbain. Ce qui ne signifie nullement que l'industrie va devoir s'arrêter. Elle va seulement orienter le progrès technique dans une nouvelle voie. Ainsi apparaissent, et apparaîtront de plus en plus, des méthodes de production compatibles avec les exigences de l'écologie.

Il y a dix ans cette « technologie propre » n'existait pas, car nul ne l'avait étudiée. Une industrie non polluante paraissait une impossibilité économique. En quelques années, des progrès considérables ont déjà été faits. On découvre que les ressources de la technique doivent permettre la protection de l'environnement pour un prix, élevé certes, mais non intolérable. Les Américains ont fait le pari qu'en 1985, ils auraient supprimé tous les rejets industriels. Rien n'est moins sûr, car la volonté politique risque de faire défaut ; cependant le pari semble raisonnable sur le simple plan technique.

Les ressources du progrès peuvent permettre d'éviter une « éco-catastrophe ». Mais elles entraîneront une élévation des coûts de production. Le gaspillage coûtera de plus en plus cher. Ce n'est pas pour autant qu'il disparaîtra. L'illusion technique ne se laissera pas arrêter par les contraintes écologiques ; le résultat n'en sera pas plus absurde, mais qu'importe.

Quant à la notion de réserve, conçue comme un capital déterminé enfermé dans une tirelire, c'est une absurdité. En effet qu'est-ce qu'un gisement ? La réponse est purement économique. C'est une concentration qui permet de produire la matière première au coût du marché mondial.

Tous les prospecteurs connaissent des gisements à très faible teneur qui recèlent des quantités énormes, mais qui ne sont pas exploitables dans des conditions rentables. L'exemple le plus évident est le granit qui peut être considéré comme un minerai d'uranium, mais un minerai très pauvre, c'est-à-dire très cher à exploiter.

La hausse des cours va stimuler les recherches pour « valoriser les minerais ». Les techniciens vont apprendre à manier d'énormes masses pour recueillir d'infimes traces.

La technologie, stimulée par la raréfaction des matières premières et la hausse des cours, peut progresser dans de nombreuses directions : l'économie, la substitution et le recyclage notamment. L'économie tout d'abord. Notre production repose sur un gaspillage effréné des ressources naturelles. Si la nécessité l'exige, d'autres techniques verront le jour. Il n'est que de songer aux progrès accomplis durant les périodes de pénurie par exemple. Dans tous les domaines d'énormes économies peuvent être réalisées. La substitution ensuite. Le progrès permet très souvent de remplacer le matériau coûteux par un autre plus abondant et meilleur marché. Ce sont tous les « ersatz », mais qui sont généralement de moindre qualité. La récupération et le recyclage enfin. Plus le développement progresse, plus nos ordures s'enrichissent et plus nous avons de peine à les détruire. Le temps viendra où nous les considérerons pour ce qu'elles sont : un polyminerai. Toute la difficulté consistera à extraire les différents matériaux très étroitement mêlés. Là encore les solutions techniques existent sur le plan théorique et il ne faudrait qu'un effort de développement pour les faire déboucher sur le plan pratique.

Le temps de la nature finie

Depuis le début de la révolution industrielle, le progrès technique se traduit par une augmentation constante de la quantité et de la qualité des biens disponibles. Tout donnait à penser que cet enrichissement se poursuivrait indéfiniment.

En ce début des années 1970, nous avons appris à faire nos comptes. C'est un grand progrès. Il apparaît que l'expansion de ces vingt dernières années repose sur une dramatique erreur de calcul. Un système ne peut se développer indéfiniment que s'il reste équilibré dans sa croissance, c'est-à-dire si l'action s'équilibre exactement entre l'actif et le passif. Tel n'est pas le cas pour la croissance économique contemporaine.

Pour entreprendre son expansion matérielle, l'humanité disposait d'un capital de départ : la terre. Un capital considérable. Durant des millénaires elle ne fut capable que d'en prélever le revenu. Cette sagesse de nécessité préservait la planète, mais interdisait la croissance. La technique a permis d'aller plus loin : de valoriser cet héritage. Valoriser ne veut pas dire détruire. Il est possible d'aménager la nature, de la rendre plus agréable et plus fonctionnelle pour l'homme, d'accroître sa production naturelle, sans pour autant l'épuiser ou la dévaster. Une telle utilisation implique que l'on tienne un compte rigoureux entre les profits et les pertes.

Les sociétés industrielles n'ont jamais respecté une telle comptabilité. Soucieuses seulement de développer la production au service de la puissance, elles ont réglé le problème en évaluant une fois pour toutes les biens naturels à zéro. L'espace, la verdure, le soleil, le silence, les animaux, l'air pur, l'eau claire tout cela fut considéré comme un capital si abondant qu'il n'avait pas de valeur, en application du principe économique que la valeur naît de la rareté.

Il est vrai que la nature était riche et les hommes peu nombreux en sorte que cette illusion put se maintenir jusqu'à une date récente. Mais le temps de la nature finie est venu. Nous atteignons les limites d'un triple point de vue.

Les rejets. La biosphère est ainsi faite qu'elle détruit d'une main ce qu'elle fabrique de l'autre. Ce que fait une espèce vivante, l'autre le défait. Tout se recycle indéfiniment. Les animaux produisent du gaz carbonique, les végétaux consomment le gaz carbonique. Les animaux consomment l'oxygène, les végétaux produisent l'oxygène. Il en va de même pour les principaux éléments et pour toute matière biologique qui rencontre fatalement sur sa route l'organisme qui la dégradera. De ce fait la nature ne peut pas s'encrasser. D'autant que la démographie générale est régulée par des mécanismes très sûrs qui jouent tant à l'intérieur des espèces qu'entre les espèces. Toute prolifération, tout déséquilibre entraîne une réaction compensatrice qui rétablit l'harmonie de l'ensemble.

L'humanité, la première espèce technicienne, ne joue pas le jeu. Elle produit certaines substances à un rythme qui dépasse les capacités naturelles d'épuration, elle lâche dans l'environnement des matériaux qu'aucune espèce vivante, aucun phénomène naturel, ne peut éliminer. Le système n'est plus bouclé. Le milieu naturel s'encrasse de tous les rejets qui s'accumulent faute de pouvoir être

détruits. C'est la pollution. De toutes les agressions écologiques, c'est la plus visible. Il est naturel qu'elle ait été
la première perçue.

Les prélèvements sur les ressources non renouvelables.
Fort heureusement pour l'humanité la loi d'équilibre entre
production et destruction n'a pas toujours été respectée
au cours des temps géologiques. Des phénomènes naturels se sont produits qui ont laissé des traces. Les forêts
du carbonifère n'ont pas complètement disparu. Elles
subsistent sous forme de houille. Les drames géologiques
ont laissé des cicatrices sous forme de gisements métalli-
fères. Ces déséquilibres naturels nous ont permis de trouver un capital de matières premières. Un capital prêt à
l'exploitation, mais limité. En son absence nous devrions
aller récupérer ces éléments dispersés dans l'environnement. Ce serait impossible. Le rapport Meadow a justement montré que le rythme auquel nous consommons ce
capital non renouvelable est tel que nous en aurons bientôt
épuisé la partie la plus intéressante.

On aurait tort de limiter cette notion de biens naturels
aux gisements. L'espace est aussi un capital limité. Toute
maison, toute automobile représente un prélèvement d'espace. Ces prélèvements, tout comme les prélèvements
miniers, deviennent excessifs.

Les prélèvements sur le capital de renouvellement. La
biosphère représente une fantastique machine qui produit
quantité de biens naturels : nourriture, bois, laine, cuir,
etc. Cette production peut théoriquement se poursuivre
indéfiniment sans fatiguer le capital. Encore faut-il prendre soin de ne pas trop forcer la machine. Faute de quoi
ses produits se dégradent et, à terme, le système de production lui-même peut disparaître.

L'exemple des sols est particulièrement significatif. Un
sol est un système écologique complexe qui assure une
production végétale et, indirectement, une production animale. Lorsque cette exploitation est sagement conduite,
elle ne provoque aucun phénomène de fatigue ou d'épuisement. L'agronomie permet d'accroître très sensiblement
la productivité du sol sans le détériorer. Pour peu que
cette volonté d'accroître la production conduise à forcer
un peu trop la nature, le sol disparaît et le désert s'installe.

Cette triple contrainte écologique permet de situer les
limites dans lesquelles le progrès doit être contenu pour
pouvoir durer indéfiniment. En bonne théorie, il faudrait préserver les ressources non renouvelables, limiter
les rejets aux possibilités d'épuration, n'utiliser la biosphère que dans des conditions telles que sa fécondité
soit intégralement préservée. En pratique, il est raisonnable d'admettre certaines entorses à ces règles. Le taux

de CO_2 peut sensiblement augmenter dans l'atmosphère sans que la planète soit compromise. Il en va de même pour les divers polluants ou les divers prélèvements. D'autre part la technique permet de suppléer certaines dégradations de l'homme. Les machines peuvent épurer quand la nature en est incapable. Des produits synthétiques peuvent suppléer l'insuffisance des produits naturels, etc. L'humanité dispose d'une marge de manœuvre relativement large. Mais cette marge était trop étroite pour une civilisation totalement prise par l'impérialisme. Les sociétés industrielles ont puisé hors de toute raison dans les biens naturels. Elles sont parvenues plus vite que prévu à inverser la situation initiale. A faire passer la valeur des produits manufacturés aux produits naturels.

Les vaches maigres

A tant négliger les charges écologiques, à tant abuser des biens naturels, nous avons fini par créer en ce domaine un véritable état de pénurie. Désormais nous manquons d'air pur, d'espace, de végétation, de soleil, de silence, d'eau pure, etc. La même loi économique qui, à l'origine, déniait toute valeur à ces biens leur donne un prix. Et ce prix ne cessera de s'élever dans l'avenir.

Le progrès technique a pour résultat d'abaisser constamment le coût des produits manufacturés. Son mépris pour les biens naturels a pour conséquence d'accroître la valeur de ces derniers. Il est vrai que nous pourrions envisager de distribuer gratuitement certains produits industriels tant leurs coûts de fabrication pourraient être abaissés. En revanche, nous ne saurions plus agir de même avec la nature.

D'ores et déjà on constate que la disposition d'une nature préservée est un privilège recherché et cher payé. Les arbres, le calme de la campagne, la beauté des paysages naturels, la pureté des rivières coûtent plus cher que le confort domestique, l'automobile et les téléviseurs. Cette situation s'étendra progressivement à tous les biens naturels. Pour s'en convaincre il n'est que d'observer la flambée des cours de toutes les matières premières naturelles. La laine a plus que triplé en dix-huit mois, le soja a quadruplé, le caoutchouc, le coton et le cacao ont doublé en six mois, etc. Il en va de même pour la plupart des métaux : cuivre, zinc et plomb ont également doublé. Certes on peut trouver des explications conjoncturelles à cette hausse sans précédent, mais il se pourrait également qu'elle traduise l'avènement de ces temps nouveaux. Peu importe, au reste, nous savons que l'approvisionnement en matières premières sera de plus en plus difficile et que tôt ou tard les cours monteront. Nous demandons trop à la nature et elle ne peut plus nous fournir. Qu'il s'agisse de ressources renouvelables ou non renouvelables, il devient de plus en plus difficile d'accroître la production. Les coûts augmentent. De ce point de vue, les prédictions du rapport Meadow se réaliseront dans les années à venir, on peut le prévoir sans trop s'avancer.

Quelles seront les conséquences d'une telle situation ? Pour le comprendre, il faut bien poser au départ que toute production implique une certaine charge écologique. On ne fabrique pas un objet matériel à partir de rien. Que les biens naturels soient directement utilisés (l'air pur, l'espace, la campagne) ou qu'ils soient transformés (les matières premières), ils sont toujours mobilisés. Consommés. Leurs prix devenant plus élevés, les coûts vont augmenter. A terme ce renchérissement peut remettre en question la croissance économique sur laquelle repose tout l'Occident. La prospérité actuelle se fonde sur la transformation toujours plus coûteuse de matières premières achetées à un prix toujours plus bas. Si la part de la matière première augmente dans les produits finis au détriment de la valeur ajoutée par la transformation, le terme d'échange va se dégrader. En outre les pays extracteurs vont acquérir progressivement la technologie de transformation. Les économies seront de plus en plus dépendantes des ressources naturelles « nationales ». A ce jeu l'Europe et le Japon seront les grands perdants.

A terme cette hausse des produits naturels, cette nécessité d'assurer l'épuration des rejets et de limiter les prélèvements finira par contrebalancer la loi d'avilissement des coûts pour les produits manufacturés. Le progrès technique sera nécessaire non plus pour élever la masse des biens disponibles, mais pour en assurer une production constante. La disparition très générale des produits naturels de qualité se traduira par une diminution de la satisfaction pour les consommateurs. Condamnés à s'évertuer pour conserver un bien-être à base de matières synthétiques, de systèmes artificiels, ils ne trouveront plus dans leur consommation la compensation de leurs efforts.

Il est raisonnable de penser que la civilisation technicienne a vécu ses années de vaches grasses. Elle connaîtra dans un avenir plus ou moins proche une nouvelle phase de son histoire. Le temps des vaches maigres. Le progrès ne pourra plus assurer cette constante amélioration des conditions d'existence. Il sera tout juste capable d'en éviter une dégradation trop brutale.

D'ores et déjà les Français se plaignent que la viande n'est plus aussi bonne que par le passé. Ils s'inquiètent d'apprendre qu'elle contient des antibiotiques et autres substances chimiques. C'est pourtant le prix qu'il faut payer pour faire face à l'augmentation incessante de la demande. Il est facile d'assurer une production bovine ou avicole de qualité à un peuple qui ne fait que deux ou trois repas carnés par semaine. C'est impossible lorsque la viande ou le poulet figurent à tous les repas. De même ne peut-on offrir à chaque Français une plage déserte et propre, une dizaine de chaussures en cuir ou bien une dizaine de cravates en soie.

En élargissant la consommation individuelle, nous nous condamnons à des artifices techniques qui augmentent la quantité au détriment de la qualité. Ce sera de plus en plus évident.

Mais les ressources de la technique sont telles que cette situation peut se prolonger fort longtemps sans provoquer de ruptures. Si les plages sont insuffisantes, nous les doublerons de plages artificielles parallèles au rivage, si le bois fait défaut, nous utiliserons les plastiques, si les sols s'épuisent, nous ferons la culture en serre. Cela coûtera plus cher, les résultats seront moins satisfaisants, mais l'illusion technique permettra de jouer le jeu encore longtemps.

Il n'en ira pas de même pour les pays sous-développés. Eux ne disposent pas des ressources technologiques suffisantes pour faire face à la pénurie de biens naturels. Ils risquent de connaître des crises effroyables. Mais il n'est nullement certain que de telles catastrophes soient inscrites au scénario de notre avenir.

Toutefois il est à prévoir que cette évolution se traduira par des crises économiques et financières, que les rivalités économiques seront de plus en plus âpres, que la lutte pour les approvisionnements en matières premières s'intensifiera. Dans tout le monde, les difficultés croissantes feront naître des tensions et des crises et l'on parlera de notre époque avec nostalgie. Ce que nous appelons « violence » paraîtra alors la douceur de vivre.

Cet avenir, non point catastrophique, mais peu avenant, c'est celui que nous promet l'illusion technique. Mais il est d'autres futurs possibles. Des futurs moins tristes et plus humains. Ils seront d'autant plus difficiles à construire que nous persévérerons plus longtemps dans les erreurs présentes.

Les ressources de la technique moderne nous donnent la possibilité d'effectuer ce changement de cap sans diminuer le bonheur des hommes, mais, au contraire, en le rendant plus authentique. L'impérialisme du système planétaire s'y oppose. Nous nous heurtons à une loi de conservation du mouvement.

Cette situation générale peut être illustrée plus en détail par un exemple concret : celui de l'énergie. Avec de l'énergie, la technologie peut tout faire ou presque. Elle peut, ou pourra, se procurer les matières premières qui viendraient à lui faire défaut, fabriquer des aliments si la vie ne les lui fournissait plus, créer un environnement artificiel si l'environnement naturel se dégradait de façon excessive, bref, assurer son avenir, pour peu que la force première, l'énergie, ne vienne pas à manquer.

D'ores et déjà, le progrès a pour conséquence inéluctable d'augmenter les besoins. Un Américain moyen consomme chaque année une quantité d'énergie égale à 15 tonnes de charbon, l'Européen se contentant de 3 à 5 tonnes et l'Asiatique de quelques centaines de kilos au plus. Cette gradation montre assez le rapport direct entre le développement industriel, l'élévation du niveau de vie et la consommation de kilowatts et de pétrole. Au rythme de 5 % chaque année, la consommation double inexorablement tous les quinze ans. Cette croissance exponentielle a des résultats surprenants. Inquiétants aussi. N'avons-nous pas brûlé plus de pétrole durant la décennie 60 que durant la centaine d'années précédente ?

D'inépuisables ressources

Cette boulimie finit par donner le vertige. Combien de temps la terre nous permettra-t-elle encore de doubler notre consommation de dix en dix ou de quinze en quinze ans ? Il est vrai que les atomistes se font forts de maîtriser la propre énergie du soleil : la fusion thermonucléaire. Quoi de plus simple en théorie ? Deux noyaux d'hydrogène lourd fusionnent en donnant un noyau d'hélium et 17 millions d'électrons volts. C'est ainsi que le soleil inonde l'espace de sa lumière en transmutant 500 000 tonnes d'hydrogène à la seconde. C'est ainsi que les militaires produisent en quelques fractions de seconde une puissance correspondant à des millions de tonnes de T.N.T. Et l'on sait déjà qu'une centrale de 1 000 mégawatts fonctionnant sur ce principe ne consommerait chaque jour que la quantité de deutérium contenue dans 5 m³ d'eau de mer. L'ennuyeux, c'est qu'on ne sait pas construire cette centrale et qu'on ne sait pas quand on pourra la construire.

Les techniciens ont seulement une première idée des

difficultés qu'il leur faudra surmonter. C'est ainsi qu'il faudrait rassembler dans un intervalle de deux mètres un gaz incandescent à 150 millions de degrés et des aimants supraconducteurs à —270°. On comprend que nul n'ose avancer une date pour la réalisation d'une telle centrale. Mais ce n'est pas faire preuve d'un optimisme déraisonnable que miser sur l'avènement de cette technique à une date indéterminée. Grâce à elle, les océans deviendront un réservoir inépuisable de combustible. L'abondance énergétique permettant tous les gaspillages n'est donc pas un rêve inaccessible.

Pourra-t-on tenir jusqu'à la conquête de ce pactole ? La route risque d'être longue et la soudure malaisée. Mais les ingénieurs ont plus d'un tour dans leur tête.

S'agissant du pétrole, par exemple, c'est depuis la découverte des premiers gisements qu'on redoute un épuisement des réserves. Ces craintes paraissent d'autant plus fondées que la consommation double tous les dix ans et que les hydrocarbures, qui assurent aujourd'hui 45 % des besoins énergétiques, en assureront 70 % en l'an 2000. Cependant il y a 30 ans, nous n'avions que 30 ans de réserves, et aujourd'hui ce chiffre n'a pas varié même en ne retenant que les réserves prouvées, car les découvertes ont suivi régulièrement l'augmentation de la production. Aujourd'hui donc, si les réserves certaines ne dépassent guère 80 milliards de tonnes — pour une production mondiale annuelle de 2,5 milliards de tonnes — les reserves probables paraissent trois fois supérieures. Evidemment, le nouveau pétrole ne jaillit plus au cœur du Texas ou de la Californie. On le trouve sur le plateau continental sousmarin et dans les régions désolées du grand Nord de l'Alaska ou de Sibérie. Qu'importe, la technique est capable de fracturer les meilleurs coffres-forts géologiques.

D'ailleurs ces ressources ne représentent certainement pas la totalité du pétrole que renferme la planète. Certains océanologues pensent que le fond de la Méditerranée pourrait bien être une gigantesque éponge gonflée d'hydrocarbures. D'autres mers pourraient recéler des trésors aussi généreux. Certes, ils ne sont plus immergés par cent mètres de fond comme les gisements de la mer du Nord, mais par trois ou quatre mille mètres. Pourtant on ne peut douter que, dans quelques décennies, nous récupérerons ces richesses abîmées au fond des mers.

Et quand bien même nous serions déçus par les océans, il resterait à exploiter les sables asphaltiques, les schistes bitumineux d'Amérique et d'ailleurs. Là encore les réserves sont rassurantes. Qui donc s'inquiète sur nos approvisionnements pétroliers ? Evidemment, ces hydrocarbures ne sont pas aussi facilement récupérables que ceux du Proche-Orient. Les techniques actuelles ne permettent de réaliser cette opération qu'à un coût très élevé. Avec beaucoup d'efforts, beaucoup de moyens, beaucoup d'intelligence, nos réservoirs et ceux de nos enfants continueront à être alimentés, puisque les experts considèrent, tout compte fait, que le globe doit retenir 650 milliards de tonnes d'hydrocarbures sous une forme ou sous une autre. Au total il n'est pas interdit de penser que nous ayons un siècle ou plus de pétrole devant nous. Mais ce sera du pétrole cher. Le pétrole bon marché, lui, ne durera que 20 ans.

Le charbon, le bon vieux charbon ne posera d'autre problème que celui de la désulfuration. Il en reste 7 600 milliards de tonnes. C'est-à-dire qu'il pourrait satisfaire tous les besoins durant mille ans au taux de consommation actuelle. Il est d'ailleurs probable que l'ère de la houille n'a pas encore véritablement commencé. Les puissances industrielles se sont ruées sur l'énergie liquide, gazeuse, plus commode d'emploi, mais à mesure que les meilleurs gisements de pétrole s'épuiseront, elles redécouvriront les vertus du charbon.

Du coup, nous n'avons plus à nous inquiéter pour le gaz naturel dont on sait qu'il tient un rôle croissant dans l'économie moderne. Les 50 000 milliards de m³ de réserves, cela ne nous aurait guère menés au-delà du siècle, s'il n'y avait eu la possibilité de fabriquer du méthane à partir du charbon. Ce n'est pas une prouesse technique, simplement une opération coûteuse. Là encore il faudra seulement beaucoup travailler pour abaisser les coûts.

Il y a d'autant moins lieu de s'alarmer qu'il est un combustible universel qui peut pratiquement tenir tous les emplois du pétrole, du gaz et du charbon, qui peut encore se convertir directement en électricité, et qui ne pollue pas : c'est l'hydrogène. Encore faut-il le fabriquer, puisqu'il ne se trouve pas dans des gisements, mais dans des molécules — la molécule d'eau en particulier. Actuellement il faut dépenser plus d'énergie pour l'extraire de ses liaisons chimiques, que pour faire jaillir le pétrole de la terre. Mais quand dans un avenir encore incertain, les centrales à fusion nucléaire fourniront l'électricité nécessaire à cette opération, on pourra alors concevoir une société « tout hydrogène ». Sous forme de deutérium, ce corps nous donnerait l'énergie primaire, et sous sa forme ordinaire le combustible qui ferait marcher nos usines, nos chaudières, nos autos et nos avions. La technique offrirait l'abondance énergétique en se passant de l'uranium et des combustibles fossiles.

En attendant ce suprême recours à la fusion thermonucléaire, il ne serait malheureusement guère possible d'utiliser l'énergie nucléaire classique pour produire l'hydrogène, car elle se prête mal à cette utilisation. Si l'on dissocie l'eau par électrolyse, le rendement est déplorable. Il serait sans doute préférable d'utiliser directement la chaleur dégagée par la fission dans le cœur du réacteur. Mais nous avons là des calories de quelques centaines de degrés seulement alors que la molécule d'eau ne se dissocie qu'à 2 000 degrés. Heureusement la chimie et la catalyse réunies font bien des miracles. Certains chercheurs ont déjà imaginé des méthodes pour utiliser la chaleur de ces centrales afin de produire directement l'hydrogène. Ce sont des techniques débutantes qui s'annoncent très difficiles ; elles prouvent au moins qu'en l'absence même de fusion thermonucléaire contrôlée, les ingénieurs pourraient nous fournir un substitut aux hydrocarbures, si les gisements venaient à s'épuiser. Il leur suffirait d'utiliser l'énergie de l'uranium, qui est d'ores et déjà maîtrisée.

Les délires de l'abondance

Nul doute, en effet, que l'énergie de demain ne soit celle de l'atome. Après des années d'efforts, des investissements colossaux — si l'on tient compte de toutes les recherches militaires — les techniques électronucléaires deviennent enfin opérationnelles. En un premier temps, ce seront des centrales à uranium enrichi refroidies à l'eau ordinaire qui fourniront l'électricité, avec cet inconvénient que ce type d'installation n'utilise que 1 % environ de l'uranium naturel. Dans ces conditions les réserves risquent de s'épuiser rapidement.

Il faut pourtant apporter à ces appréciations pessimistes un double correctif. D'une part les techniques permettent de récupérer l'uranium dispersé dans les milieux aussi communs que le granit ou l'eau de mer. Bien sûr la tonne obtenue dans ces conditions coûtera beaucoup plus cher que celle extraite de la pechblende. D'autre part les centrales actuelles gaspillent l'uranium de façon scandaleuse. Or il existe déjà des réacteurs différents, les réacteurs surrégénérateurs, dont certains prototypes fonctionnent et qui consomment non plus 1 %, mais la quasi-totalité de l'uranium.

Le recours à cette nouvelle technologie aurait donc pour résultat de centupler les réserves de combustible nucléaire. Et là, il ne s'agit plus d'espoirs lointains comme ceux de la fusion thermonucléaire, mais de réalités proches. On peut compter sur les surrégénérateurs dans les quinze ou vingt années à venir.

Ainsi, il existe toujours un technicien pour nous rassurer. Il paraît donc absurde de s'inquiéter, puisque les ressources du progrès sont inépuisables.

Cessons un instant de parler technique pour nous tourner vers la réalité. En 1970, le monde a consommé l'équivalent de 7 milliards de tonnes de charbon. A la fin du siècle il pourrait en consommer entre 25 et 30 milliards. Si nous poursuivons plus loin l'extrapolation, nous risquons de céder au vertige. Grenon [1] cite une étude réalisée par deux experts américains, A.M. Winberg et R. Hammond. Leur hypothèse de base est celle d'une humanité de 15 milliards d'individus avec une consommation moyenne de 25 tonnes d'équivalent charbon par tête. Ces évaluations, qui ne font que poursuivre les tendances actuelles, nous conduisent donc, au milieu du siècle prochain, à une consommation mondiale d'énergie équivalant à 400 milliards de tonnes de charbon, 60 fois la consommation actuelle.

Les auteurs, dont l'un est directeur du centre nucléaire d'Oak Ridge, entendent prouver que l'énergie nucléaire peut permettre de faire face à ces besoins. Une seule condition est indispensable, une condition bien raisonnable : la mise au point des réacteurs surrégénérateurs L'énergie qu'ils fournissent permettant de fabriquer l'hydrogène, on peut se passer complètement de pétrole. C'est la civilisation « tout atome ». L'énergie nucléaire serait fournie par 24 000 réacteurs de 5 000 MW chacun. Rappelons, par comparaison, que les réacteurs actuels n'ont qu'une puissance de 500 MW et qu'il n'en existe que quelques dizaines en fonctionnement dans le monde. Ces centrales seraient regroupées en « parcs d'énergie », probablement situés en bordure de mer pour faciliter le refroidissement, qui comprendraient à la fois des unités de stockage et des usines de retraitement. Huit de ces réacteurs pourraient être regroupés dans chaque parc dont la puissance installée dépasserait ainsi celle de la France en 1972. Imaginons le regroupement en un seul lieu de toutes les centrales et de tous les barrages existant en France et en Belgique ! Or il ne faudrait pas installer moins de 3 000 parcs aussi gigantesques.

Sans doute faudrait-il même placer en mer, sur des îles flottantes, la plupart de ces installations, tant le littoral risquerait d'être encombré et réchauffé. Mais l'électricité étant produite sur les côtes il se poserait un gigan-

1. Michel Grenon : *Ce monde affamé d'énergie*, Robert Laffont, 1973.

tesque problème de transport. On utiliserait alors des lignes nouvelles plongées dans l'hélium liquide, des lignes supraconductrices. Deux réacteurs de 5 000 MW devront être mis en service chaque jour (autant dire remarque Michel Grenon qu'il faudra construire ces installations à la chaîne). Ce seront de gigantesques quantités de chaleur, — puisque les deux tiers de l'énergie nucléaire sont dégagés sous forme de chaleur — qu'il conviendra d'évacuer et la faune, la flore, le climat s'en trouveront perturbés à l'échelle régionale. Quant aux déchets radioactifs ils représenteront 500 000 millions de curies par an, et dégageront autant de chaleur nucléaire que les deux centrales de Saint-Laurent-des-Eaux. Mais il y aura aussi ces montagnes de granit à traiter pour recueillir les traces d'uranium, ces kilomètres cubes d'eau de mer à filtrer ; et ces centaines de centrales abandonnées, ces « cimetières radioactifs » mis sous surveillance constante, ces conflits politiques que posera la gestion de ces réseaux internationaux... de tout cela on peut au moins conclure qu'il n'existe aucune impossibilité technique à réaliser un tel programme.

Certes, quelques difficultés risquent de surgir chemin faisant. Quand la complexité d'un système augmente, il faut accroître la fiabilité de chaque élément pour maintenir celle de l'ensemble. Si une centrale présente un risque d'accident en mille ans, mille centrales représentent un risque par an. C'est une loi implacable. Il faudra donc constamment perfectionner les mesures de protection et de contrôle. Certaines normes, certains dispositifs, qui sont acceptables au stade actuel devront être renforcés, la croissance de la production aller de pair avec une constante amélioration des techniques. Est-ce possible ?

Les coulisses de l'illusion

Prenons comme référence l'industrie aéronautique. En 1971, 300 millions de passagers ont pris l'avion. Un millier seulement ont trouvé la mort dans les catastrophes aériennes.

Dans un autre ordre d'idée, le monde moderne est parvenu à tisser à travers la planète un fabuleux réseau de télécommunications qui fonctionne correctement malgré son développement exponentiel. Rien ne permet de penser que les ingénieurs ne pourront pas de même construire et faire fonctionner un tel réseau de centrales nucléaires. Rien ne permet non plus de l'affirmer, il est vrai ; admettons que les sociétés industrielles soient capables d'un tel exploit. Il reste pourtant à s'interroger sur le coût et le sens d'une telle entreprise. Ces performances ne sauraient évidemment être accomplies sans des efforts considérables. Qu'il s'agisse d'aller récupérer les hydrocarbures emprisonnés dans les sables oléifères, de gérer les fabuleux stocks de déchets radioactifs, d'évacuer les milliards de calories superflues, d'assurer la sécurité sur tous les parcs d'énergie, de contrôler le trafic incessant des matériaux radioactifs, d'éviter les accidents le long des lignes électriques supraconductrices ou des pipe-lines à hydrogène, toute l'entreprise exigera une formidable mobilisation.

A ces problèmes techniques dont la complexité ira croissant, s'ajouteront en outre des problèmes politiques non moins inquiétants. Quant à l'énergie atomique, on peut se demander si les contrôles internationaux qui se sont révélés si efficaces jusqu'à présent ne seront jamais pris en défaut dans l'avenir. Lorsque les centrales nucléaires seront plus répandues que les centrales thermiques aujourd'hui, lorsque chaque pays, quel que soit son degré de maturité politique, disposera de ses propres installations, lorsque la matière fissile sera dispersée sur tous les continents, le risque sera grand d'opérations clandestines et incontrôlées, périlleuses pour la sécurité. N'est-il pas à craindre que ne se développe une contrebande de l'uranium 235, dont quelques kilos peuvent suffire à faire une bombe ? Des Etats, plus ou moins responsables, ne vont-ils pas développer en secret des armes rudimentaires ? Certes, l'uranium utilisé dans les centrales actuelles est faiblement enrichi et ne se prête pas à des utilisations militaires, mais les centrales de l'avenir, les réacteurs surrégénérateurs, consommeront de l'uranium fortement enrichi, ou du plutonium, l'explosif même des bombes. Sans compter qu'on fabriquera à la chaîne et par millions des ultracentrifugeuses pour équiper les immenses usines d'enrichissement. Or ces appareils servent à élever la teneur en U. 235, c'est-à-dire à transformer, éventuellement, en un uranium militaire l'uranium civil.

Sans doute le monde industrialisé saura-t-il conjurer les périls et jamais la prolifération des centrales ne facilitera-t-elle la prolifération « sauvage » des armes nucléaires ; il n'en reste pas moins que cette menace pèsera en permanence. Plus le parc de centrales se développera et plus il faudra multiplier les contrôles, créer une véritable police internationale de l'atome. La surveillance des quelques installations actuellement existantes donne un faux sentiment de sécurité. Si l'on reporte le problème à l'horizon 2000, on doit reconnaître qu'il n'est nullement résolu et qu'il ne saurait l'être sans une volonté politique commune à toutes les nations. Et qui ne sait qu'une telle coopération planétaire est bien difficile à maintenir sans faille ?

Evidemment, le pétrole ne comporte pas de tels risques ; mais il pose d'autres problèmes, tout aussi inquiétants. Son importance dans la vie des pays industrialisés ne cessera d'augmenter jusqu'en l'an 2000. En dépit des découvertes faites ou à faire, le Proche-Orient restera la citerne de l'Occident. Redoutable dépendance !

La production ne cessant d'augmenter, les prix ne cessant de monter, les pays producteurs vont toucher des sommes fantastiques au titre de royalties. Certains de ces Etats, comme l'Iran, utiliseront cette manne pour assurer leur propre développement. Ils deviendront de grands pays industrialisés, et il n'y a rien là que de très heureux. Mais la plupart des Etats producteurs ne sont pas dans cette situation. La Libye, l'Arabie saoudite et, à plus forte raison les émirats du golfe Persique : Koweit, Quatar, Barheim, Abu Dhabi, ne peuvent investir ces sommes dans leur économie. Comment pourrait-on planter ces milliards de dollars dans des déserts brûlants, stériles et sous-peuplés ? En outre, la richesse même finit par détruire tout espoir d'industrialisation. Pourquoi les habitants travailleraient-ils alors que le pétrole leur assure un revenu supérieur à celui des Américains ? Plutôt que de construire des usines sur le sable, ils ont intérêt à faire fructifier leur capital.

Car n'oublions pas que les sommes déjà perçues, représentent peu de chose par rapport aux sommes à percevoir, que les équipements susceptibles d'être réalisés sur place l'ont déjà été dans la plupart des cas, en sorte que les dépenses possibles ont été faites avant même que n'arrive le gros de la vague monétaire. Les capitaux vont s'accumuler et fructifier.

Dans les années 80, les Etats du Proche-Orient recevront 80 milliards de dollars annuellement. Leurs disponibilités atteindront 500 milliards de dollars, soit le double de la trésorerie de toutes les entreprises multinationales, et la moitié du P.N.B. américain actuel. L'Arabie saoudite aura des réserves doubles de celles des Etats-Unis.

Quel sera le destin d'une telle masse monétaire ? Nul ne peut y songer sans inquiétude. Les réserves des Etats ou des entreprises ne sont disponibles qu'en faible partie. Pour l'essentiel ce sont des capitaux sédentaires qui ne sont pas aisément mobilisables. Pourtant les milliards de dollars qui circulent actuellement en quête de la meilleure opération financière provoquent tempête sur tempête et ont mis en pièces le système monétaire international. La crise de mars 1973 a été provoquée par l'arrivée de dollars spéculatifs sur les places allemandes. Or, dans vingt ans, le moindre émirat disposera de telles masses de manœuvre. Ce que les pays producteurs peuvent faire en jouant tous de concert, chacun d'entre eux pourra le faire seul à tout moment. Peut-on espérer que le monde industrialisé aura mis en place à ce moment-là une banque mondiale capable d'éviter les bouleversements que provoquent les mouvements spéculatifs ? C'est là une première incertitude et une première menace.

A supposer que les conséquences monétaires de ces mouvements spéculatifs aient été évitées, il faudrait encore s'interroger sur l'emploi qui sera fait de ces capitaux. Leur masse grossira de façon exponentielle. En effet, l'essentiel des profits réalisés par les différents placements sera réinvesti faute d'un emploi possible en consommation. Les profits deviendront source de profit. Concrètement les maîtres du pétrole en viendront à acquérir des entreprises étrangères de plus en plus importantes. Cela ne manquera pas de créer de graves tensions.

Toutes ces analyses reposent sur le postulat que les pays producteurs acceptent d'accroître leur production à mesure qu'augmente notre consommation. Cela conduirait à épuiser les gisements arabes en une vingtaine d'années. Mais des pays comme l'Arabie, la Libye et les émirats ont intérêt à étaler sur 50 ans, voire sur un siècle, l'exploitation de leurs gisements. S'ils agissaient ainsi nous aurions un problème monétaire en moins, un problème énergétique en plus.

Songeons encore que ces pays auront rapidement amassé une fortune capable d'assurer leur budget pour de nombreuses années. Ils pourront aussi arrêter la production durant une longue période sans en subir de conséquences fâcheuses. Et là encore il se créera une situation lourde de conflits.

Ainsi, et de quelque façon qu'évoluent les rapports entre pays producteurs et pays consommateurs, de graves difficultés politiques ne manqueront pas de surgir, si, comme tout le laisse prévoir, les besoins continuent de croître à un rythme très rapide.

Ne nous leurrons pas : rien ne nous sera donné. Il nous faudra lutter sans cesse pour continuer à nous alimenter en énergie. On peut alors se demander si le jeu en vaut la chandelle. A quoi serviront tous ces kilowatts ?

Pour des pays sous-développés, la question ne se pose même pas. L'Asie et l'Afrique ont besoin d'accroître leurs disponibilités en énergie pour satisfaire des besoins élémentaires qu'il s'agisse de produire des biens de première nécessité, d'assurer des transports décents ou, simplement, de s'éclairer. Mais il en va différemment pour les pays riches où l'accroissement de la demande ne correspond plus à ces priorités, où il s'agit uniquement d'améliorer toujours et davantage le luxe et le confort, d'entretenir les gaspillages de toute sorte. L'utilité sociale de cette demande supplémentaire est donc beaucoup plus faible. Alors, n'est-ce pas céder à l'illusion technique que de développer inconsidérément cette fringale d'énergie sous prétexte que le progrès se fait fort de la satisfaire ? Telle est la question fondamentale qui devrait orienter toute politique de l'énergie. En fait, tenter de nous organiser pour maintenir l'accroissement de la demande dans des limites raisonnables.

Le prix du gaspillage

Sont-ils sages, ces Américains qui, demain, devront aller chercher leur pétrole dans le sable et le schiste et qui utilisent des voitures dévoreuses d'essence ? Sont-ils sages, ces Français si pauvres en pétrole et en charbon qui construisent des cathédrales de verre, véritables serres à melons, qu'il faut constamment chauffer ou refroidir ? Sont-ils sages, ces pays industrialisés qui dévorent leur énergie à fabriquer des objets éphémères, qui dédaignent les sources d'énergie non dangereuses et non polluantes ? Non. Aucun n'est raisonnable.

Comme le constate S. David Freeman, l'expert du président Nixon pour les questions d'énergie, « jusqu'à présent nous nous sommes uniquement concentrés sur l'aspect production en essayant de faire face à ce qui paraît être une fuite en avant du marché de l'énergie. Ce que je suggère est de porter plus d'attention à la croissance des besoins en énergie pour voir si le rythme de croissance a réellement besoin d'être aussi élevé que nous le constatons aujourd'hui et que nous l'envisageons pour le futur [1]. » Voilà qui n'est qu'une banale constatation de bon sens. Mais ce bon sens n'est pas partagé par les experts éminents qui préparèrent le VIᵉ Plan en France. On chercherait en vain dans leur rapport préliminaire sur l'énergie une seule proposition constructive sur le contrôle des besoins et de leur croissance. Nos planificateurs ayant constaté que « la fourniture au consommateur de l'énergie dont il aura besoin sous les formes qu'il souhaitera posera de très

1. S. David Freeman : « Toward a policy of energy conservation » dans : The energy crisis. (A science and public affairs book, 1972), p. 67.

sérieux problèmes, tant sur le plan technique que sur le plan financier », concluent qu'il « est essentiel d'en prendre la mesure pour estimer correctement et à temps les priorités à prévoir dans les deux domaines [1]. »

Suit un exposé fort pertinent sur les moyens propres à satisfaire la croissance des besoins. Quant à l'analyse critique, elle n'apparaît nulle part. Les prévisionnistes prennent acte de la faveur croissante du chauffage électrique, envisagent le développement à long terme de la climatisation et en tirent les conséquences.

Le contraste est pour le moins surprenant entre les experts français et américains, si l'on considère que les Etats-Unis ont d'immenses réserves et ne connaissent qu'une crise conjoncturelle, alors que la France ne peut guère compter que sur l'uranium comme énergie « nationale ». Mais la société française en est encore au premier stade de l'industrialisation, celui où l'on valorise toute augmentation de la consommation. Une proposition visant à limiter la croissance de la demande paraîtrait réactionnaire et régressive. Il faut aller de l'avant. Toujours de l'avant.

La croissance des besoins semble évidemment inévitable dans les années à venir. On peut même prévoir que certains facteurs nouveaux accéléreront encore le mouvement. D'une part, le besoin général de confort augmentera la consommation électrique. D'autre part, les préoccupations nouvelles au sujet de l'environnement auront le même effet. Dans la plupart des cas, les techniques propres sont plus exigeantes en énergie. Qu'il s'agisse d'épurer, de recycler ou de remplacer les sources polluantes d'énergie par l'électricité, le résultat est toujours le même. Faut-il pour autant s'abandonner à la fatalité du doublement tous les quinze ans sans faire le moindre effort pour tenter cette croissance et sortir de l'exponentielle ?

S'il n'est pas question d'en revenir au rationnement, il n'en reste pas moins que nous pourrions déjà faire cesser ce formidable gaspillage.

Dans le domaine des transports on sait pourtant que la route consomme davantage que le rail, et l'automobile plus que les transports en commun. Mais dans notre pays on favorise systématiquement les véhicules routiers. En France en 1970 les camions ont acheminé 65 millions de tonnes/kilomètre, contre 42 millions de tonnes/kilomètre en Allemagne fédérale. En revanche les trains français n'ont transporté que 250 millions de tonnes/kilomètre contre 350 millions aux trains allemands. Rappelons pour mémoire que les Français préfèrent leur voiture person-

---

1. *Plan et prospective-L'énergie*, p. 11 (Armand Colin, 1972).

nelle aux transports collectifs et qu'ils conduisent à des allures élevées ce qui augmente encore la consommation de carburant.

Aux Etats-Unis les voitures brûlent 16 % de toute l'énergie consommée. Or le parc automobile américain est constitué de grosses voitures qui consomment deux fois plus que les modèles européens. Hélas ! On peut craindre que les véhicules européens ne cèdent également au gigantisme et ne soient de plus en plus gourmands dans l'avenir. Il ne s'agit évidemment pas d'interdire l'automobile, mais de limiter la consommation des véhicules.

L'aviation s'engage d'ailleurs dans la même voie boulimique avec les supersoniques. Chaque passager de Concorde dépensera 3 tonnes de kérosène pour faire l'aller-retour Paris New York.

Autre problème exemplaire : celui du chauffage. La consommation énergétique d'un système est d'autant plus élevée que l'isolation thermique de la construction est moins bonne. Cette vérité d'évidence devrait nous inciter à porter la plus grande attention à ces techniques d'isolation. Ne constate-t-on pas qu'un bon système d'isolation permet d'économiser en chauffage trente fois plus d'énergie qu'il n'en a fallu pour le fabriquer. Pourtant les experts américains estiment que la moitié des 60 millions de maisons américaines sont mal conçues de ce point de vue et que leur chauffage exige de 20 à 50 % trop de calories. Problème d'autant plus grave qu'aux Etats-Unis on dépense plus d'énergie à fabriquer des frigories qu'à fabriquer des calories. Or le chauffage représente entre 15 et 20 % de la consommation globale d'énergie. On peut donc faire des économies non négligeables en ce domaine. La plus simple consisterait d'ailleurs à cesser de surchauffer les logements. En ramenant le chauffage à 20° on économiserait au moins 15 % du fuel domestique.

Les pays européens, la France notamment, s'engagent résolument dans la forme d'architecture la plus coûteuse sur le plan de la climatisation. Toutes les constructions dites modernes doivent avoir des façades de verre ou de plastique. Il existe d'excellents isolants dans cette gamme de matériaux, mais ils ne sont pas toujours utilisés car l'énergie est bon marché tant qu'on se refuse à considérer l'avenir. Ainsi ces bâtiments doivent être fortement chauffés et même climatisés. On rend la climatisation indispensable dans un pays aussi tempéré que la France. et les experts du VI° Plan recommandent de faire un effort pour « le développement de l'usage de l'électricité pour les besoins domestiques (chauffage et climatisation notamment) ». Peut-être devra-t-on également climatiser l'environnement urbain dans l'avenir, chauffer les rues et les places publiques, non ?

Au royaume de la fée Electricité

Loin de rechercher pour le chauffage les solutions les plus économiques comme le chauffage urbain ou le chauffage au fuel et au charbon, on s'oriente vers le chauffage électrique. Sans doute ce système est-il, et de loin, le plus agréable, le plus souple, le plus confortable, mais la thermodynamique se rappelle à notre souvenir. Elle nous dit que l'on perd plus d'énergie à convertir le fuel en chaleur, la chaleur en mouvement, le mouvement en électricité et l'électricité en chaleur qu'à brûler directement ce fuel dans le local à chauffer. C'est une constatation de bon sens que confirme Earl Cook dans le Scientific American : s'il faut utiliser 6,3 m³ de gaz pour fabriquer l'électricité nécessaire à chauffer électriquement 200 litres d'eau de 0 à 100°, il n'en faut que 3,3 m³ quand on brûle directement le gaz dans le chauffe-eau. D'une façon générale, l'auteur estime que l'énergie primaire utilisée pour le chauffage a un rendement de 75 % quand on la brûle dans le local même et de 32 % seulement quand on passe par le stade électrique. Dans le bilan énergétique des Etats-Unis de 1970, la production électrique a consommé 26 % de l'énergie primaire, mais n'a fourni que 10 % du travail. Certes, tous ces chiffres ne sont que des ordres de grandeur, ils varient selon les techniques et les utilisations, et les électriciens dans leurs énormes installations sont aptes à assurer une bonne combustion, il n'en reste pas moins, comme le fait remarquer Michel Grenon, que « la production d'électricité est une mauvaise utilisation des combustibles, dont une bonne partie de l'énergie potentielle est effectivement rejetée à l'atmosphère sous forme de chaleur [1] ». En dépit de ses avantages indéniables, l'électricité reste donc une forme coûteuse d'énergie sur le plan des ressources.

Mais il est vrai qu'étant fournie par l'énergie nucléaire elle présente l'immense avantage à terme d'assurer l'indépendance énergétique de la France. Il est vrai aussi que, installé dans des bâtiments spécialement conçus à cet effet, le chauffage électrique peut présenter un bilan énergétique plus satisfaisant. Il conviendrait donc de

1. *Ce monde affamé d'énergie, op. cit.*

réserver cette technique dans les constructions neuves
tout en incitant le public à modérer sa consommation,
et de faire en sorte que l'usage des appareils électriques
ne se développe pas trop dans les constructions anciennes.
Il suffit pour cela de prendre des mesures d'incitations
auprès des constructeurs. Mais on a préféré se lancer dans
une absurde campagne « tout azimuth » qui, jointe aux
tarifs dégressifs, n'a fait que pousser à la consommation.
Ne serait-il pas plus sage de chercher à coupler la production de chaleur pour le chauffage et d'électricité pour
l'éclairage dans les immeubles anciens ?

En matière d'énergie nucléaire tout l'effort a été porté
sur la production de kilowatts/heure au lieu de chercher à
utiliser directement cette chaleur pour chauffer les cités,
ou de récupérer les calories rejetées sous forme de « pollution thermique ». Les Suédois viennent de lancer un
concours sur ce thème. Les premiers résultats sont fort
intéressants.

Dans le même esprit d'économie, il faudrait lancer de
grands programmes pour trouver de nouvelles techniques
qui consommeraient moins d'énergie. Les Américains ont
récemment annoncé qu'ils avaient mis au point un procédé pour fabriquer l'aluminium qui consomme 30 %
d'électricité en moins. Des progrès semblables pourraient
être réalisés dans de nombreux domaines. Mais les économistes considèrent que ces recherches ne sont pas rentables. C'est exact dans la mesure où nous ne facturons
pas dans le prix de l'énergie une « taxe d'épuisement
des réserves ». Nous attendrons donc que les prix augmentent brutalement pour revoir notre politique. Et il
sera bien tard. C'est aujourd'hui même qu'il faudrait intégrer dans nos calculs les difficultés que rencontreront
nos enfants.

Est-il sage, enfin, d'avoir tout misé sur les formes
d'énergie polluantes et non renouvelables que constituent
les combustibles fossiles et nucléaires ? Certes elles présentent les plus grandes commodités pour notre système
industriel, elles se prêtent à la production par grosses
unités et assurent le kilowatt à bas prix. Cependant
l'expansion démesurée de l'énergie nucléaire, la proliblé-
ration de centrales géantes risquent de poser des problèmes. Il ne s'agit pas de raisonner à l'horizon 1980,
mais à l'horizon 2000 et nous savons que le parc devrait
atteindre à cette époque 200 centrales de 1 000 MW.

Le monde industriel en général et la France en particulier ne sauraient se passer de l'énergie nucléaire sans
abandonner complètement un certain mode de vie. Doit-on
pourtant se donner tout entier à l'atome comme veulent
le faire nos planificateurs ? Ne serait-il pas plus raison-

nable de combiner les ressources de l'atome avec celles d'autres sources comme l'énergie solaire qui ne présenteraient pas les mêmes inconvénients ?

L'insaisissable énergie solaire

En théorie l'énergie solaire présente tous les avantages. Chaque mètre carré de surface terrestre ne reçoit-il pas son kilowatt sous forme de lumière ? Voilà une énergie propre, inépuisable, omniprésente, puisqu'il suffirait de recueillir toute l'énergie reçue du soleil en Haute-Provence sur un carré de 30 km de côté et de la convertir avec un rendement de 10 % pour couvrir les besoins énergétiques de la France en l'an 2000. Seulement elle présente un énorme défaut : son extrême dilution. Récupérer l'énergie solaire, c'est un peu comme récupérer les milliers de tonnes d'or dissoutes dans les océans. Omniprésente, la lumière solaire n'est nulle part concentrée. Il faut donc d'immenses installations pour la recueillir. Bref, elle est beaucoup plus mal adaptée aux besoins de notre système industriel que les combustibles. C'est pourquoi elle a été complètement délaissée par la recherche. Nul n'a pu établir le rapport entre les sommes dépensées sur l'énergie nucléaire et l'énergie solaire, mais l'écart est tel qu'il n'a plus de sens. Qu'a-t-on étudié d'autre que les photopiles des satellites ?

L'Amérique, qui vient de prendre conscience du problème a décuplé les crédits de recherche sur ce thème en 1973. Ils atteignent maintenant 4 millions de dollars, qu'il faut évidemment comparer aux 136 millions de dollars qui seront dépensés cette année, sur l'utilisation des combustibles fossiles et aux 3,3 milliards de dollars du budget de l'Atomic Energy Caniss-Car.

Il reste que l'augmentation des crédits donne la mesure des espoirs qu'on peut fonder. Car il est évident, par exemple, que le moteur à combustion interne ne progressera plus beaucoup aujourd'hui, comme il en va pour toute technique ayant fait l'objet d'un intense travail de recherche durant plusieurs décennies, rien de tel dans le cas d'une technique inconnue. Ses possibilités sont insoupçonnées. Elles peuvent réserver les plus grandes surprises. Dans un sens comme dans l'autre, il est vrai. Si l'on consacrait à ces études ne serait-ce que le dixième des sommes qui ont été allouées aux recherches nucléaires, on pourrait dans quelques années évaluer assez justement des promesses d'aujourd'hui si incertaines.

Dans des délais relativement brefs la lumière du soleil pourrait aussi assurer un chauffage d'appoint. A Mulhouse vient d'être construite une maison à chauffage solaire. Elle ne coûte pas plus cher qu'une H.L.M. mais la consommation de fuel pour le chauffage ne représente que le quart de la consommation ordinaire. Or ces techniques sont disponibles depuis de nombreuses années. Disponibles mais négligées. Certains pensent même qu'il sera possible de construire de véritables « centrales solaires ». Deux chercheurs de l'Arizona, Aden et Marjorie Meinel, ont dressé les plans d'une centrale de 250 mégawatts, une centrale déjà impressionnante, dans laquelle la lumière serait optiquement concentrée sur un radiateur dans lequel circulerait un fluide chargé de recueillir la chaleur. Des chercheurs de Arthur D. Little ont imaginé un immense panneau satellisé qui recueillerait directement dans l'espace le flux solaire et le renverrait à terre sous forme de micro-ondes. De tels projets sont-ils utopiques ? Nul ne peut le dire aujourd'hui, et c'est bien là la limite de notre civilisation.

Et il en va de même pour d'autres sources d'énergie non épuisables et non polluantes, comme l'énergie éolienne ou l'énergie géothermique. Là encore, il est peu probable que l'on puisse jamais obtenir plus qu'un approvisionnement d'appoint pour certaines utilisations particulières, mais là aussi les techniques ont cinquante ans de retard sur celles de l'énergie nucléaire. Une fois pour toutes, les « gens sérieux » ont décidé que l'électronucléaire et le pétrole étaient les seules solutions. Le reste, pour eux, n'est que chimères.

Cette analyse faite sur l'énergie aurait pu l'être sur n'importe quelle autre matière première ou ressource naturelle. Elle aurait conduit aux mêmes conclusions. La croissance actuelle ne pourra se poursuivre dans l'avenir qu'au prix de prouesses techniques fort difficiles. Ces efforts maintiendront en apparence le niveau de vie, mais ils n'empêcheront pas une dégradation des conditions de vie.

Cela ne signifie nullement que nous soyons condamnés aux restrictions, aux crises et à la pénurie. La terre est suffisamment riche, les possibilités de la technique suffisamment larges pour assurer à chaque homme les bases matérielles d'un bonheur sans précédent. Il suffirait d'apporter un minimum de sagesse et de mesure dans l'exploitation de ce capital, de ne pas laisser proliférer l'espèce humaine et se multiplier les gaspillages. Cette voie, loin d'être celle du malheur et de l'austérité, se trouverait aussi être celle du bonheur authentique, de la véritable libération par rapport aux problèmes matériels.

Les sociétés industrielles se trouvent déjà à la croisée des chemins. D'un côté, elles maintiendront la quantité de biens en sacrifiant la qualité de la vie. De l'autre, elles limiteront cette quantité pour préserver et améliorer cette qualité. En présence d'un tel choix, il n'est pas besoin de se référer à de hautes valeurs spirituelles pour se déterminer. Le plus élémentaire bon sens permet de trancher la question. A condition toutefois que l'objectif de l'entreprise soit bien l'homme et non la production de richesses matérielles.

Chapitre 8.

DE L'ECONOMANIE

L'illusion technique est entretenue par une illusion plus générale : l'illusion économique. La première dénature la technologie, la seconde l'économie politique. Cette dernière discipline propose un schéma cohérent des fonctions productives, qui favorise la production, la distribution et la consommation des richesses. Une telle définition risquerait d'englober l'ensemble de la vie sociale. En ce cas l'ampleur du sujet nuirait à la rigueur de la méthode.

« Qui trop embrasse mal étreint », dit le proverbe, c'est pourquoi les économistes se sont efforcés de limiter leur propos. Afin de tracer cette frontière précise — et par conséquent arbitraire — ils utilisent le seul outil disponible : la monnaie. Est objet des sciences économiques tout ce qui se paye. Le bien-être économique devient un « bien-avoir ». « La vision économique est celle d'une circulation de services, compensée par une circulation monétaire en sens opposé, écrit Bertrand de Jouvenel. Où s'arrête le courant financier de contrepartie, là s'arrête le domaine économique traditionnel[1]. »

Grâce à la quantification monétaire, l'économiste dispose d'un étalon universel pour représenter et mesurer tout ce qu'il approche. La représentation est donnée par un équivalent financier, la mesure par les lois du marché échangiste. Les choses sont des prix. Il devient possible d'établir des relations causales entre des objets très divers, d'additionner des fraises, des automobiles, des actes chirurgicaux et des œuvres d'art.

Cette modélisation sur laquelle repose toute l'économie comporte plusieurs caractéristiques qui en limitent la portée.

1. Arcadie, *op. cit.*

Elle donne une vision purement abstraite de l'activité humaine. Car les comptes n'apprennent rien sur la nature des richesses créées. Le bilan d'une entreprise qui fabrique du napalm et celui d'une entreprise qui produit des antibiotiques sont rigoureusement les mêmes.

Elle limite la réalité aux transactions onéreuses. Les choses n'existent que pour autant qu'elles sont achetées. Dans une société capitaliste, de nombreux éléments, et de la plus grande importance, n'ont pas de prix, et, par conséquent, pas d'existence économique.

Elle évalue les produits et services au prix fixé par les lois de l'offre et de la demande. La valeur marchande ainsi définie ne représente pas l'utilité sociale, mais la demande solvable, ce qui est bien différent dans une société inégalitaire.

Enfin l'économie limite son champ d'action aux actes qui se situent entre la production et l'achat. Ce qu'il advient du produit après son achat n'intéresse pas l'économiste. C'est une espèce de dégradation qu'on appelle la consommation. Mais, en réalité, c'est à ce moment-là que commence la vraie vie, celle de l'homme avec son objet. Il importe donc de savoir ce que le consommateur tire de sa consommation.

En dépit de ces limites — ou grâce à elles — les modèles économiques ont une clarté et une cohérence qu'on ne retrouve pas dans les autres sciences humaines. Ils constituent la seule image lisible de notre monde dissocié et deviennent des masques qui se plaquent sur son visage. Les gouvernements délibèrent leur action dans le miroir déformant de l'activité marchande, ils retiennent ce qu'ils y trouvent, ignorent ce qui n'y figure pas, choisissent les solutions en fonction des bilans comptables. La société se réduit progressivement à son système de production.

C'est ainsi que l'extrême commodité des méthodes économiques conduit à confondre ses modèles, avec la réalité sociale. On oublie que l'économie ne retient qu'un certain aspect de la société et qu'elle en donne une description purement abstraite. L'illusion triomphe. Les gouvernements et les industriels prennent les statistiques et les bilans pour les gens et les choses, les taux de croissance pour la mesure du bonheur. On passe de l'économie à l'économanie. Il y a bien longtemps que les sociétés industrielles ont franchi ce pas.

On en vient à substituer des objectifs industriels et commerciaux à des objectifs politiques et sociaux, à recourir aux moyens techniques et matériels de préférence aux moyens culturels ou « organisationnels ». Une illusion supporte l'autre.

Ce n'est pas le fait du hasard si la contestation actuelle porte autant sur l'économie que sur la technologie. « La croissance pour quoi faire ? » disent les uns. « La technologie pour quoi faire ? » répondent les autres. Les deux problèmes sont intimement liés et nous ne saurions changer l'une que nous n'ayons changé l'autre.

La France en comptes

Les censeurs tendent naturellement à faire le procès de l'outil et non de l'utilisateur. C'est ainsi qu'ils ont cloué au pilori la comptabilité nationale et son plus beau fleuron, le P.N.B. Exemplaire entre toutes, cette querelle illustre à la fois l'utilité, les limites et les dangers de toute technique.

L'utilité n'est point contestable. On doit à l'établissement de comptabilités nationales rigoureuses la disparition des grandes crises économiques qui marquèrent l'avant-guerre. Rétrospectivement la plupart de ces crises paraissent essentiellement dues à l'ignorance. Les économistes frémissent d'horreur en songeant à la politique déflationniste du gouvernement Laval en 1935. Relancer l'économie en freinant la consommation paraît une hérésie. A l'époque, ce n'était qu'une politique parmi d'autres. Il fallut attendre Keynes et son école, pour que les sociétés capitalistes aient une première idée des relations qui unissent les différents facteurs économiques.

A cette absence de compréhension s'ajoutait une absence d'information. Les gouvernements n'avaient aucun « tableau de bord » capable de leur donner une vision exacte de la conjoncture. « L'entreprise France » ne savait pas comment s'équilibraient ses comptes, quelle était l'activité dans les différents secteurs, quelle était la proportion de l'épargne. Les informations n'étaient pas disponibles dans les délais utiles à la décision. Le plus souvent elles n'existaient pas.

En 1936, Léon Blum inaugura une nouvelle politique économique et sociale, mais il ne disposait pas toujours d'une information précise qu'ont aujourd'hui les gouvernements. Il fallait naviguer « à l'estime ».

Les outils faisaient défaut, mais leur nécessité n'était guère ressentie. Le libéralisme classique continuait à inspirer la pensée et l'action des gouvernants. A quoi bon savoir quand il suffit de « laisser faire » ? Cette croyance ne résista pas à la tourmente de 1930 et aux critiques de Keynes. Le libéralisme cessait d'être l'abstention pour devenir « ... une technique parmi d'autres pour assurer la marche du progrès » selon l'expression d'Édgar **Faure.** Cette évolution conduisit les nations industrielles à mettre sur pied une comptabilité nationale pour piloter l'économie de marché. Cette démarche, fortement imprégnée par la pensée keynesienne, mettait en relation de vastes agrégats pour rechercher des équilibres de croissance. En revanche ces modèles ne disaient rien sur la répartition des richesses et sur les inégalités. Ce sont des outils de progrès économique et non de progrès social. Ils ne définissent pas pour autant une politique économique. Ils permettent seulement d'en avoir une. Le tableau de bord n'indique pas la route à prendre, mais permet de suivre celle qu'on a choisie.

Le produit national brut, le P.N.B., est l'indicateur le plus spectaculaire de la comptabilité nationale. Il représente la somme des valeurs ajoutées par l'activité des entreprises, la « production » des administrations et des organismes financiers. A quelques variantes près — en France notamment — il a été unanimement admis.

Comme dans un bazar

Ayant montré l'utilité de cette technique, il faut en considérer les limites. Elles ne sont que trop évidentes.

Le P.N.B. étant un agrégat monétaire, les éléments les plus divers peuvent prendre place dans cet immense bazar pour autant qu'ils puissent être représentés par un prix. C'est l'éternelle contrainte économique.

On inclut tout ce qui peut être comptabilisé sur un marché, on exclut le reste. Chaque chose est mesurée à son prix. Les conséquences d'une telle méthode peuvent être très surprenantes. Les services de l'administration étant généralement gratuits sont évalués d'après le traitement des fonctionnaires. Le musée du Louvre, par exemple, est comptabilisé à travers les salaires des gardiens ! Cela conduit à valoriser les administrations pléthoriques et inefficaces.

Dans la plupart des pays sous-développés, il existe un large secteur d'autoconsommation qui n'apparaît pas dans ces statistiques comptables. Il faut l'incorporer au prix d'évaluations plus ou moins arbitraires.

Mais le prix ne dit rien de l'utilité sociale. On dépense également de l'argent pour acheter la cigarette qui donne le cancer et la bombe au cobalt qui le soigne. Peu importe ! Dès l'instant qu'une certaine somme a été payée pour obtenir un certain produit, celui-ci entre dans l'agrégat avec le signe +. Car toute transaction se comptabilise en positif. La comptabilité nationale ne fait pas de différence entre l'essence gaspillée dans les embouteillages et l'essence consommée sur la route des vacances. A travers ces tableaux, les abattoirs de la Villette valent un hôpital qui lui-même est moins intéressant qu'une fabrique de cigarettes.

Bertrand de Jouvenel soulignait ces anomalies dans sa fameuse « Proposition à la Commission des comptes de la nation » du 6 mai 1966 : « La constitution d'équipements collectifs tels que bâtiments scolaires, terrains de jeux, bibliothèques, est statistiquement « déconsidérée ». Si l'investissement créateur figure bien dans la P.I.B. de l'année de construction — parce qu'il y a transaction — le flux de services résultant de la création au cours des années suivantes ne figurera pas dans la P.I.B. de ces années — parce qu'il n'y a pas de transactions marchandes. — De sorte que, toutes choses égales d'ailleurs, les P.I.B. des années à venir augmenteront d'autant moins que la part faite à ces objets d'intérêt général conférant des « bénéfices invisibles » aura été plus forte... A cause de la convention de base, le travail fourni par des objets généraux est en quelque sorte engagé dans un cul-de-sac statistique...

« La même déformation s'exerce sur les emplois d'actifs immobiliers. Selon notre manière de compter, nous nous enrichirions en faisant des Tuileries un parking payant et de Notre-Dame un immeuble de bureaux. »

La transparence de la gratuité

Les statisticiens aiment à dire que les hommes qui épousent leur bonne font diminuer le P.N.B. Façon plaisante de faire remarquer que les services perdent leur réalité économique en devenant gratuits. Le travail ménager de l'employée était représenté par le salaire versé. Dès l'instant qu'il est gracieusement accompli par l'épouse, il disparaît des comptes nationaux. A l'inverse beaucoup de femmes se mettent à travailler après leur divorce. On assiste alors au phénomène opposé.

Le travail domestique représente une valeur considérable. L'économiste Colin Clarke estime qu'il peut atteindre 40 % du revenu national. Cette évaluation paraît raisonnable dans les pays où les femmes n'exercent aucune profession tout en fournissant une quantité de travail égale à celle des hommes.

Imaginons une société dans laquelle on imposerait aux femmes mariées d'exercer une profession. Il découlerait de cette organisation que les ménages auraient plus d'argent, mais qu'ils devraient dépenser davantage pour faire effectuer le travail domestique. Les conditions d'existence n'en seraient pas automatiquement améliorées, mais le P.N.B. ferait un bond spectaculaire.

Imaginons une autre société dans laquelle la femme au foyer consacrerait son temps libre à des activités sociales bénévoles : aide aux personnes âgées, animation culturelle, administration de la cité, service de la jeunesse, etc. Le bilan social pourrait être excellent, mais le P.N.B., lui, ne bougerait pas.

Le P.N.B. ne tient aucun compte des loisirs. Que la production ait été obtenue avec 40 ou 48 heures de travail hebdomadaire, que les travailleurs disposent de deux ou de quatre semaines de congé, que le départ en retraite soit fixé à 60 ou 65 ans, le résultat est toujours le même. Il n'est pas non plus influencé par les conditions de travail. Les bilans comptables ignorent les cadences excessives, les usines insalubres, les tâches dangereuses, etc.

Cette façon de mesurer les biens par leur « ombre monétaire » conduit à négliger tous ces éléments que l'on regroupe aujourd'hui sous la rubrique « qualité de la vie » : le cadre urbain, l'accessibilité de la nature, la commodité des équipements collectifs, la disponibilité des services sociaux.

Les « déséconomies externes »

Il a fallu attendre la contestation écologique de ces dernières années pour que les sociétés industrielles prennent conscience du caractère extra-économique de la nature. Toute production matérielle repose, d'une façon ou d'une autre, sur le milieu naturel. Elle comporte un certain coût écologique qui devrait venir en déduction de la valeur créée. Mais cela supposerait que ce capital naturel ait, lui-même, une valeur économique. Tel n'est pas le cas.

La comptabilité nationale retient les produits manufacturés, mais ignore l'appauvrissement du capital naturel qu'a entraîné leur production. Ce capital n'existant pas en tant que tel, sa dégradation n'existe pas non plus.

Chaque fois que l'on construit une usine, une autoroute ou une ville, on effectue un prélèvement sur la nature.

Un prélèvement d'espace et de végétation. Non seulement cet appauvrissement ne vient pas en déduction de la valeur ajoutée, mais, au contraire, l'espace naturel augmente de valeur quand il a été recouvert de béton. Dans un bilan économique une tonne de papier correspond à une valeur bien précise qui est indépendante des conditions de production. Que l'on ait pris soin de replanter un arbre après chaque abattage ou que l'on ait dévasté inconsidérément le capital forestier, le prix est le même à l'arrivée. C'est ainsi que l'on s'enrichit jusqu'à la veille de sa ruine.

A plus forte raison les comptes nationaux ignorent-ils les pollutions et nuisances qui accompagnent les activités productives. Ce sont des « déséconomies externes ». Externes au marché s'entend. L'appareil de mesure monétaire ne peut appréhender ni les poissons crevés, ni le taux de mercure dans l'environnement, ni le vacarme des moteurs, ni l'accumulation des pesticides, ni l'épuisement des sols. A la limite, ces nuisances pourront même se traduire par une croissance de l'activité économique, donc du P.N.B. Si la pollution atmosphérique augmente le nombre des bronchites, il faudra augmenter les soins médicaux, qui, eux, sont comptabilisés. Si le bruit est trop insupportable, on mettra des doubles fenêtres. Si les monuments se salissent trop, on fera des ravalements périodiques. Dans tous les cas, ces activités compensatrices figureront en actif dans l'agrégat et pourraient éventuellement contribuer à sa croissance.

Au total le P.N.B. ne peut faire de différence entre la croissance japonaise des années 60 conduite sans souci de l'environnement, et celle des pays nordiques plus soucieux de préserver leurs richesses naturelles. Le P.N.B. est une plante qui pousse très bien sur un dépotoir.

Les bons points du ministre

Les dangers d'une telle méthode sont certains. Ils n'apparaissent pas tant que les outils économiques sont sagement utilisés. Mais ils deviennent pressants lorsqu'un usage inconsidéré les détourne de leur finalité.

Or une telle hypertrophie de l'économie était inévitable dans une société industrielle héritière du libéralisme. Cette doctrine faisait de l'enrichissement individuel l'objectif suprême. La suprématie des forces productives était assurée par la démission du pouvoir politique et les entreprises privées devaient céder au vertige de l'économanie, ou périr. L'apparition de l'Etat comme principal partenaire économique, la mise sur pied d'une comptabilité nationale propre à lui permettre de tenir efficacement ce rôle, auraient pu donner aux gouvernants l'outil nécessaire pour imposer la volonté politique au système industriel. Mais ces nouvelles techniques ont été bientôt dévoyées et mises au service de l'économanie.

Au lendemain de la guerre la comptabilité nationale a dessiné le visage économique de la France. Les ministres ont pu annoncer périodiquement l'état de certains grands indicateurs : croissance, inflation, revenus. Abusant même d'une précision qui dissimulait l'incertitude des mesures, les Gouvernements ont imposé l'image d'un système parfaitement maîtrisé.

Or il n'est pas possible d'interpréter immédiatement les chiffres de la comptabilité nationale en fonction de l'intérêt général. La croissance, en particulier, demande à être longuement étudiée avant que l'on puisse en évaluer le contenu social. Quant aux modèles de comptabilité, ils ne constituent que des moyens, précieux certes, mais à aucun titre des objectifs politiques. Malheureusement ces outils sont rapidement devenus des indicateurs de progrès. Des fins en soi.

Peu à peu le public s'est accoutumé à juger l'action politique en fonction des principaux agrégats économiques. Il a surtout retenu quatre indicateurs : les taux de chômage, d'inflation, des rémunérations et de croissance. Il paraît souhaitable que le premier soit nul, le second en diminution, les deux derniers en forte augmentation. Tout ministre des Finances rêve d'annoncer que les prix sont stables, le plein emploi réalisé, le niveau de vie en progression et la production en expansion. Ces indicateurs comportent maintenant un jugement de valeur. Ce sont les « notes » du gouvernement et celui-ci souhaite avoir les meilleures notes possibles.

Il s'est produit une fixation de la politique sur les grands indicateurs économiques, plus particulièrement sur la croissance exprimée en termes de P.N.B. Certes ce n'est pas le fait du hasard si l'opinion attache une telle importance à ce chiffre, ou plus exactement, à ce pourcentage de croissance. Mais le public n'est pas conscient de tout ce que cette mesure implique d'arbitraire tant dans ses inclusions que dans ses exclusions. Pour lui, et pour les gouvernants dans de nombreux cas, la croissance reflète le bien-être général. Elle est donc l'indicateur du progrès. Maximaliser le taux d'expansion mesuré par les statisticiens devient l'objectif premier — et parfois dernier — de toute politique. Telle est « l'économanie », l'état d'une société réduite à son économie, imaginée à travers des bilans comptables. Toutes les sociétés industrielles y ont succombé au cours des années 60. Il est significatif que le débat public sur les objectifs du VI° Plan ait tourné autour de ce mystique taux de croissance.

Cependant un tel système révèle ses défauts au travers même de ses succès. A mesure que le niveau de vie s'élève, les bienfaits de la croissance sont moins appréciés tandis que ses inconvénients sont davantage ressentis. Les problèmes qui passaient inaperçus dans l'état de pénurie, prennent de plus en plus d'importance. Le consommateur satisfait découvre la laideur des cités, la misère des équipements collectifs, l'inconfort des transports, la pollution de son environnement. De nouvelles revendications se font jour, des revendications qui dépassent le cadre strict de l'économie marchande. Par un prévisible retour des choses la contestation de la croissance a commencé dans les années 70.

Ce rapide survol de l'économie montre qu'elle fournit les méthodes dont une société moderne ne saurait se passer. Mais une application inconsidérée des modèles économiques entraîne des inconvénients en cascade : elle débouche inévitablement sur l'illusion technique.

Les caprices de milliardaires

Une société prise d'économanie est doublement handicapée. Elle ne peut conduire son action en fonction du bien commun, elle s'interdit de recourir à l'organisation collective pour résoudre ses problèmes. C'est la perversion des objectifs et des moyens qui caractérise l'illusion technique.

Comme les objectifs sont définis par la demande solvable et non par le besoin social, les caprices des milliardaires sont pris en compte avant la misère des indigents. Cet ordre des priorités détermine les voies du progrès. Les désirs d'une jeunesse dorée sont des problèmes. Ceux d'une vieillesse démunie ne le sont pas.

La collectivité peut intervenir comme partenaire économique pour corriger ces abus. Mais son intervention est infiniment plus lente que les transactions directes entre particuliers. Dans un cas le progrès précède les besoins, dans l'autre il les suit avec retard. Concrètement cela signifie que l'on recherche des gadgets pour les jeunes mères avant de construire des crèches, que l'on édifie des résidences secondaires avant de donner un toit aux sans-logis.

Les besoins non solvables ne sont généralement considérés qu'en l'état de crise. On protège la nature quand elle est dévastée, on améliore les équipements collectifs quand leur insuffisance devient intolérable. En toute chose la consommation privée est préférée à la consommation collective.

Les mêmes aberrations se retrouvent au niveau des moyens et conduisent aux fausses solutions. Dans son principe originel, l'Etat libéral s'interdit d'agir par lui-même. Il n'est que le gestionnaire du marché et ne doit pas s'engager sur « la pente fatale » du dirigisme, voire du socialisme. Ce sont les entreprises, publiques ou privées, qui constituent le véritable pouvoir exécutif : la source de l'action. Que leur partenaire soit un particulier ou une collectivité ne change pas grand-chose.

Par leur structure et leur finalité, ces entreprises ne peuvent utiliser que certains moyens bien particuliers : ceux qui donnent lieu à une activité économique. En revanche elles n'ont nulle compétence pour mettre en œuvre l'arsenal des moyens sociopolitiques. Une entreprise vend des services, elle ne prend pas de décrets.

Ainsi les problèmes sont-ils résolus par une prestation technique, sous forme de biens ou de services, intervenant à titre onéreux entre producteurs et clients.

La disponibilité des moyens impose un certain ordre de priorité. Si le besoin peut être satisfait par une vente de produits entre particuliers, la solution est rapide. Si le problème ne peut-être résolu qu'au prix d'une adaptation sociale, alors sa solution traîne interminablement. L'action politique faisant défaut, la technique est seule utilisée qui n'obtient jamais que des résultats partiels.

Cette faible efficacité n'apparaît jamais, car ces problèmes, qui sont de nature non économiques, ne figurent pas dans les bilans comptables qui ne révèlent ni les encombrements, ni la pollution, ni la mauvaise santé, ni l'insuffisance des écoles. Seuls les besoins solvables non satisfaits se manifestent sous forme d'une pression de la demande, qui stimule l'activité technico-industrielle.

En revanche, l'activité économique créée pour satisfaire ce besoin, activité représentée par sa contrepartie monétaire, apparaît fort bien : en positif. Plus chère est la solution, meilleure est son apparence comptable. Le médecin conventionné qui prescrit de l'aspirine et des tisanes est un mauvais agent économique. Son collègue qui prend 150 francs par visite et ordonne de coûteuses thérapeutiques, apporte d'excellentes solutions économiques tant que l'on reste dans des bilans partiels. En outre l'économie ne se soucie pas de savoir lequel des deux soigne le mieux. L'activité économique représentée par sa contrepartie monétaire, devient donc une opération abstraite, indépendante de sa finalité. M. Dubois, préfet de Police, décida un beau matin que l'utilisation de l'avertisseur sonore était désormais interdite dans Paris. Un silence relatif se fit alors dans la capitale. Déplorable solution que celle de M. Dubois ! Il aurait dû laisser les constructeurs augmenter encore le volume sonore des avertisseurs. Les Parisiens auraient été contraints d'équiper leurs façades de doubles fenêtres.

Une opération est toujours jugée en fonction du chiffre d'affaires et des emplois, jamais de l'utilité sociale. Une entreprise qui fabrique des voitures de sport peut connaître une croissance rapide. Ces résultats tiendront lieu de justification. En revanche l'industriel qui voudrait fabriquer des fauteuils électriques pour les infirmes ferait faillite car ces derniers n'auraient pas les ressources pour se les payer. Le jugement économique serait favorable au premier entrepreneur, sévère pour le second. Aucun autre verdict ne viendrait corriger celui des comptables.

Toutes les illusions techniques sont remarquablement cohérentes à l'intérieur du système économique. Elles deviennent inévitables si l'action politique ne vient pas corriger cette situation. Seule une vision non marchande met en lumière leur absurdité sociale. C'est pourquoi le caractère illusoire de ce progrès n'apparaît point aux hommes qui travaillent dans le système. Les ingénieurs, les cadres, les directeurs, les ministres ont définitivement admis que l'action technico-commerciale délimite le champ du possible. Le reste est secondaire. Ils s'accoutument à juger leur action en fonction des critères comptables : productivité, expansion, profits ; sans élargir leurs jugements à l'ensemble de la vie collective.

Les sociétés industrielles ont fait quelques progrès depuis la grande époque du libéralisme. Mais il est bon de simplifier et de schématiser pour mettre à nu les mécanismes fondamentaux qui restent en place malgré tous les correctifs. En France notamment, des organismes comme le Commissariat général au Plan ou la Délégation à l'Aménagement du territoire s'efforcent d'élargir les perspectives de l'action politique. Depuis 1968, les milieux politiques, y compris les milieux conservateurs, découvrent les risques de cette réduction économique. Mais il y a loin de la prise de conscience à la prise de décision. Le mieux que l'on puisse espérer dans un proche avenir est que la situation cesse de s'aggraver et que nous ayons atteint le maximum de l'économanie.

« *Tout est simple* »

Ayant dénoncé la perversion de l'économie marchande, il convient de porter le débat sur le plan politique. Toutes ces illusions ne sont pas le fruit du hasard non plus que d'une insuffisance technique, elles traduisent, sur le plan des systèmes économiques, l'idéologie de la civilisation bourgeoise. Cet état d'économanie est une structure de pouvoir, et l'asservissement du politique à l'économique vise moins à protéger la liberté qu'à assurer la satisfaction d'une caste. On ne saurait corriger ce système sans modifier les rapports de force entre groupes sociaux antagonistes.

Sur cette observation parfaitement exacte, risque de se greffer toute l'illusion idéologique. Les contestataires rejettent purement et simplement toute l'économie classique : entreprises, marché, rentabilité, quantification monétaire. Ne suffit-il pas que le pouvoir politique, issu du peuple, en défendant les intérêts, organise la production en fonction des véritables priorités sociales ? Dans cette perspective les mécanismes de l'économie marchande compliqueraient une situation fondamentalement simple afin de maintenir le pouvoir d'une oligarchie.

Il suffirait donc de changer l'organisation politique pour que les forces productives orientées par une direction centrale et non par les lois du marché, travaillent dans le sens de l'intérêt général.

Sous cette attitude se dissimule le mythe, si vigoureusement pourfendu par Alfred Sauvy, que « les problèmes sont simples ». Chacun a le sentiment qu'il serait facile aux gouvernants de résoudre les difficultés pour peu qu'ils appliquent certains principes évidents et de bon sens. Malheureusement la réalité n'est pas simple et l'évolution moderne ne cesse de la compliquer. La société, jadis composée de communautés villageoises plus ou moins autarciques, se transforme en un gigantesque organisme au sein duquel chaque partie dépend du tout et réciproquement. De ce fait elle ne peut être gérée qu'à l'aide de mécanismes compliqués. Si l'on doutait de ce fait, le triste exemple des économies socialistes viendrait le démontrer. De la Yougoslavie à Cuba et de l'U.R.S.S. au Chili, les échecs sont trop nombreux, les réussites trop incertaines pour qu'on puisse les imputer à l'incompétence ou à l'irrésolution des dirigeants communistes. Ils prouvent que la bonne volonté, et même la volonté, ne peuvent assurer la prospérité quand les méthodes sont insuffisantes.

Il convient de se demander si les mécanismes de l'économie capitaliste sont indissociablement liés à une certaine idéologie ou bien, au contraire, s'ils peuvent être mis au service d'autres objectifs.

Sans doute peut-on concevoir des sociétés entièrement différentes, des sociétés distributrices sans économie marchande, par exemple, ou bien encore des sociétés très fortement décentralisées sur des unités réduites et largement autarciques. Mais ces utopies « sino-écologistes » ne correspondent pas aux réalités tant matérielles qu'humaines de la France contemporaine. Qu'on s'en réjouisse ou qu'on le déplore, toute évolution doit prendre la situation présente comme point de départ. Or les mécanismes économiques classiques sont les outils indispensables du pouvoir dans une société industrielle. Mais il est vrai qu'ils n'imposent pas une politique déterminée.

La quantification monétaire n'est jamais qu'une mesure, une mesure de ce que l'on veut. L'idéologie libérale fausse les prix en excluant les charges écologiques et les conséquences sanitaires ou sociopsychologiques. Mais rien n'empêche de faire supporter à l'automobile le prix des accidents de la route. Rien n'interdit d'imposer à l'alcool la charge de l'alcoolisme.

Les fausses priorités qui se manifestent sur le marché sont provoquées par les grandes inégalités de fortune. Alors qu'une plus grande justice permettrait de « solvabiliser » les besoins sociaux prioritaires. Si l'on doublait le montant des retraites, les producteurs feraient passer les problèmes des vieux avant ceux des jeunes.

La productivité et la rentabilité ne sont pas non plus des notions capitalistes. Tout progrès exige que la société travaille à rendre son action plus efficace. Cela ne peut se faire sans un contrôle rigoureux des entrées et des sorties dans le mécanisme de production. Une quantification monétaire peut être le meilleur moyen d'effectuer ces calculs. Sans doute est-il souhaitable que cette rentabilité soit sanctionnée par une certaine concurrence. Le tout est de déterminer les critères de cette compétition.

La notion même d'entreprise en tant qu'unité de production autonome et responsable est profondément saine. C'est la source du dynamisme économique. Il n'est que de voir le bilan lamentable de l'administration téléphonique en France pour s'en persuader. Au contraire, les industries nationalisées ont généralement fait preuve d'une bonne efficacité car ce sont les règles de gestion et non la propriété du capital qui définissent l'entreprise et lui donnent sa vitalité.

La politique sans économie

Tous ces mécanismes économiques peuvent donc être mis au service d'une véritable politique sociale et culturelle. Par le biais de la réglementation, de la fiscalité, il est possible « d'internaliser » c'est-à-dire d'intégrer dans le jeu du marché des objectifs qui lui sont étrangers en société libérale.

L'écologie fournit un excellent exemple de ce fait. Il suffit de taxer lourdement les matières premières pour que l'industrie les économise. Si les pollutions sont frappées par le fisc, les techniques antipollution se développeront. La voiture électrique verra le jour si elle bénéficie d'allègements fiscaux.

Le bulletin économique de la First City Bank notait à propos de la pollution : « On peut rarement obtenir la souplesse nécessaire avec des standards réglementaires uniformes, parce que, malgré la dévotion que leur portent les bureaucrates, ils passent à côté de la grande diversité de ces pratiques de pollution. Mais si le mécanisme des prix par une taxe sur les effluents, est alors mis en œuvre, chaque utilisateur se décidera librement en fonction du marché et ajustera sa pollution en conséquence.

« Une analyse des problèmes de l'estuaire de la Delaware montre, par exemple, qu'à l'aide d'un système de taxation souple des effluents, une importante amélioration de la qualité de l'eau pourrait être obtenue pour 15 millions de dollars. Avec une réglementation uniforme sur la qualité de tous les effluents, l'obtention des mêmes standards coûterait 24 millions de dollars, soit 60 % de plus. »

La source du document permet d'en suspecter l'idéologie sous-jacente, toutefois ce raisonnement traduit bien la démarche des économistes libéraux. Pour eux l'individu est le meilleur juge de son intérêt et les mécanismes du marché sont les plus efficaces pour traduire les besoins et les préférences. Ce raisonnement peut servir d'alibi pour maintenir le système de profit capitaliste, mais il n'en comporte pas moins une grande part de vérité. Aussi convient-il d'étudier soigneusement les ressources techniques de l'économie marchande afin d'en conserver les outils indispensables au service d'autres objectifs.

Il est vrai toutefois que ces mécanismes reposent tous, implicitement ou explicitement, sur l'*homo economicus,* un être profondément individualiste, soucieux de son intérêt personnel et recherchant toute occasion de s'enrichir et de s'élever dans l'échelle sociale. Ils finissent toujours par favoriser le développement d'une société inégalitaire, fondée sur la consommation privée. C'est là que se trouve leur « charge idéologique ». C'est pourquoi de nombreux économistes de gauche accordent leurs préférences à une société fondée sur la notion de services collectifs.

Dans cette dernière perspective ce n'est plus l'individu qui oriente la production par ses choix individuels, c'est la collectivité qui oriente les choix individuels en proposant des services communs. Un tel système pourrait théoriquement rompre avec le marché classique en étendant les secteurs de gratuité.

Mais il est absurde de croire qu'il serait plus simple à mettre en œuvre. La complexité du monde moderne naît de la liberté individuelle et du progrès technique. Si l'on souhaite laisser aux gens le choix entre des comportements très divers, si l'on veut mettre à leur disposition toutes les commodités de la technologie moderne, surgissent inévitablement des difficultés d'organisation qui n'existaient pas dans les sociétés traditionnelles. Les solutions simples ne peuvent être appliquées qu'en simplifiant les situations : en imposant un comportement uniforme ou bien en renonçant au progrès. Si l'on accepte la modernité avec tout ce qu'elle implique de développement technique et d'émancipation individuelle, il faut adopter des méthodes nouvelles qui rompent avec les vieilles habitudes administratives des communautés humaines. Nier la réalité de ces problèmes, c'est sombrer dans l'illusion idéologique. Il est infiniment plus difficile d'aller chercher l'information économique que de la laisser naître dans les interactions marchandes. En ce domaine, l'abandon des mécanismes classiques n'est envisageable que si l'on dispose de méthodes plus élaborées.

D'autre part, l'abandon de l'économie marchande ferait disparaître ce dynamisme extraordinaire qu'apporte la poursuite de l'intérêt individuel. Depuis bien longtemps les idéologues rêvent de susciter en l'homme d'autres motivations, de remplacer l'égoïsme par l'altruisme. Mais toutes ces tentatives — mise à part l'expérience chinoise, pour combien de temps ? — ont échoué. Pour décevant que cela paraisse, l'individu ne donne le meilleur de lui-même qu'en poursuivant des buts égoïstes.

Le changement de l'homme même, c'est-à-dire la substitution de l'homme social à l'homme économique, doit rester un idéal de civilisation. Il permettrait de créer un large secteur de gratuité ne faisant plus appel à des instincts égoïstes. Mais il est clair qu'une nation comme la France, si fortement enracinée dans sa culture individualiste et inégalitaire, ne saurait basculer rapidement dans cette organisation. Les esprits n'y sont pas préparés et les méthodes ne sont pas disponibles. Avant de se lancer dans une telle entreprise il faudrait maîtriser des outils qui font défaut aujourd'hui.

Si tant d'expériences n'ont réussi qu'à opposer la pénurie socialiste au gaspillage capitaliste, la raison en est moins politique que technique. Ayant discrédité des instruments sous prétexte qu'ils avaient servi de mauvais maîtres, on a remplacé l'économie sans politique par la politique sans économie. Au total le bien-être populaire, qui aurait dû s'accroître considérablement quoique en changeant de nature, a crû moins vite qu'en régime capitaliste quand il n'a pas régressé. Ces échecs n'ont pas peu contribué à conforter le système capitaliste en lui opposant une alternative inacceptable.

Une vision globale

Plus on voudra imposer le primat de la politique, plus les systèmes économiques deviendront difficiles à diriger. L'autogestion, par exemple, pose un problème technique autant que politique. L'arsenal actuel des sciences économiques et sociales est fort incomplet. Fruit de l'illusion technique, il n'est véritablement adapté qu'à cet état d'économanie. C'est un processus bien connu : les outils sont le reflet d'une politique. Ceux de l'économie sont le reflet d'une démission politique. Ils traduisent le souci de connaître la réalité sociale à travers les fonctions productives. Si l'on ajoute que cet aspect de la société est, de loin, celui qui se prête le mieux à l'observation statistique, on comprendra que les moyens d'une véritable politique sociale fassent aujourd'hui défaut.

Malheureusement, les sciences sociales sont incapables de fournir la modélisation rigoureuse que propose la comptabilité nationale. Tant que l'objectivité et la cohérence des mesures, la rigueur et la finesse des analyses ne pourront franchir les limites du marché échangiste classique, les plus généreuses tentatives risqueront d'échouer.

Il est facile de poser que « les pollueurs seront les payeurs ». En apparence, cela revient à faire payer par « les méchants industriels » le coût des nuisances. En pratique, les taxes se répercutent sur les prix, les produits enchérissent et les consommateurs les plus pauvres ne peuvent plus les acheter.

D'une façon plus générale, les experts fiscaux sont encore loin de savoir comment se répartit la charge de l'impôt entre les différentes catégories sociales. Bien souvent une taxe sur les entreprises finit par devenir un impôt indirect sur la consommation.

La même incertitude plane sur toutes les interventions sociales. Bernard Cazes, du Commissariat général au Plan, remarque que « la gratuité de l'enseignement supérieur bénéficie plus aux classes aisées qu'aux classes défavorisées et la consommation des services médicaux est d'autant plus forte que le revenu est plus élevé ». On connaît aussi l'échec des équipements culturels qui ne sont guère fréquentés que par le public éduqué.

Toute mesure sociale ou économique mal calculée peut perturber l'économie et aboutir à l'effet contraire de celui qui était visé. Le blocage des loyers, après la guerre de 1914, a permis à des locataires aisés de se loger confortablement à très bas prix, mais parallèlement la construction a pris un retard dont elle ne s'est pas encore remis. On peut dire que nous devons à cette mesure « sociale » le nombre si élevé de nos mal logés.

Chaque fois que des investissements sociaux provoquent une inflation, ce sont les retraités, c'est-à-dire le groupe social le plus misérable, qui font les frais de l'opération. Une mesure politique qui ralentit l'activité économique risque d'accroître le chômage chez les jeunes. En appliquant autoritairement l'égalité des salaires masculins et féminins, on donne aux hommes une prime sur le marché de l'emploi.

La comptabilité sociale

L'idée s'est donc imposée, et dans les milieux les plus divers, qu'il est urgent de jeter les bases d'une comptabilité sociale, voire d'une comptabilité globale, incluant les aspects économiques, sociaux, culturels, écologiques, médicaux de la vie collective. Un tel programme peut paraître bien ambitieux, étant donné le retard des sciences sociales sur les sciences économiques.

Pour l'instant, tous les aspects de la société font périodiquement l'objet d'enquêtes et d'études plus ou moins estimables. Il s'accumule ainsi une masse énorme de données, chiffrées ou non ; d'analyses, approfondies ou superficielles, de synthèses, banales ou originales. En fait, dans les domaines de la médecine, de la démographie, du travail, de la culture ou de l'écologie, on se trouve confronté, non à un trop peu, mais à un trop plein d'informations, hélas peu efficaces pour l'action politique.

La comptabilité, elle, se présente bien différemment. Elle se caractérise par la rigueur et la normalisation. Le comptable ne fait qu'appliquer scrupuleusement à une situation particulière une procédure générale. Il en résulte un bilan qui, au contraire d'une enquête sociologique est une œuvre rigoureusement anonyme. On ne demande pas à un comptable — en théorie du moins — de faire un bilan original, mais de faire *le* bilan. Il n'a pas à apporter sa marque personnelle dans ce travail. Tout est quantitatif, objectif. On peut certes commenter un bilan, l'interpréter de différentes façons, du moins fournit-il une base factuelle et indiscutable de discussion.

Qui plus est, la comptabilité propose une modélisation, c'est-à-dire qu'elle met en évidence les relations entre les différents paramètres, qu'elle simule la logique du système ; en sorte qu'il est possible, au vu d'un bilan, de suivre les répercussions d'une décision à l'intérieur de l'ensemble.

Tel est l'abîme qui sépare les sciences humaines des sciences économiques. Il ne peut qu'incliner à la modestie. Il serait d'ailleurs utopique d'imaginer que l'on pourra introduire dans le secteur non économique toute la rigueur qui naît de la quantification monétaire sur le marché échangiste. Il ne s'agit pas d'obtenir une comptabilité globale établissant les interrelations entre les éléments qu'elle regroupe : un tableau comptable qui permettrait, par exemple, de connaître les répercussions écologiques ou médicales d'une mesure fiscale ; ou qui indiquerait l'ensemble de mesures propres à diminuer l'alcoolisme en France. Il s'agirait plutôt de mettre sur pied un système cohérent d'informations qui, pour chaque aspect particulier, tendrait à la rigueur comptable, tant par l'objectivité de ses mesures, que par la présentation de ses informations. Mais le problème est d'autant moins simple qu'on aborde ici des réalités subjectives et qualitatives, le contraire même d'une marchandise et d'un prix.

Voilà près de dix ans que l'idée d'une comptabilité élargie a été lancée, sans grand succès. Il est vrai que les moyens de recherche, comme toujours en pareille matière, sont restés dérisoires.

Ce n'est qu'à une époque toute récente que l'évidence des faits a imposé la nécessité de ces études. On faisait dans le quantitatif, on veut du qualitatif. Mais une telle mutation des techniques ne s'improvise pas. Longtemps encore les moyens d'une telle réorientation resteront dramatiquement insuffisants.

Les indicateurs sociaux

Certains esprits aventureux souhaitaient définir un « Bonheur national brut ». Ils rêvaient de remplacer le P.N.B. par un agrégat plus large, ayant la même puissance synthétique, mais qui mesurerait le bonheur et non la production ou même le bien-être. C'est une idée séduisante, mais utopique. Elle ne ferait qu'accroître l'arbitraire du P.N.B. sans en améliorer la signification.

Plus modestement des économistes tentent d'appréhender la réalité sociale de façon rigoureuse. Les difficultés qu'ils rencontrent suffisent à limiter les ambitions. L'idée de base est d'abandonner le terrain mouvant des appréciations subjectives pour construire sur le roc solide des faits objectifs. Une première méthode consiste à créer des indicateurs sociaux, c'est-à-dire trouver des grandeurs mesurables qui traduiraient certains aspects non économiques de la vie collective. Ainsi peut-on imaginer que le nombre des journées de grève traduit l'insatisfaction des travailleurs, que les congés-maladie et les journées d'hospitalisation traduisent l'état de santé, que la fréquence des divorces traduit la dégradation des relations familiales, etc.

Séduisante en théorie, cette méthode est aussi délicate que dangereuse dans la pratique. La relation que l'on prétend établir est pleine d'ambiguïté et peut être trompeuse. Rien ne prouve que les travailleurs qui ne se mettent pas en grève sont satisfaits de leur sort. On le constate tous les jours dans l'industrie automobile française. C'est à la Régie Renault que les conflits sont les plus fréquents bien que les ouvriers y bénéficient d'avantages inconnus chez Citroën ou Chrysler.

De même la multiplication des actes médicaux ne prouve ni la bonne ni la mauvaise santé, ni l'efficacité, ni l'inefficacité de la médecine. Dans tous les cas il faut procéder à une longue analyse pour préciser le sens qu'on peut attribuer à l'indicateur choisi.

En outre cette voie conduit à une complexité excessive. On doit utiliser dix statistiques associées pour interpréter un indicateur. Et l'on discute à perte de vue sur la notion « d'espérance de vie alitement non compris » ou de « chômage des jeunes ».

Il en va de même pour les indicateurs écologiques, car les pollutions ne sont pas équivalentes et n'ont pas partout la même signification. Les Américains ont proposé de retenir « le nombre d'individus exposés à une pollution désagréable ou dangereuse ». On imagine les querelles byzantines qui peuvent opposer les experts dès lors qu'il s'agit de fixer les normes de ce qui est « désagréable ou dangereux ».

D'autres méthodes sont à l'étude qui pourraient compléter celle des indicateurs sociaux. L'I.N.S.E.E. tente d'établir une comptabilité sociodémographique dont l'unité de référence serait l'individu. Il faudrait définir un certain nombre de situations particulières : familiales, culturelles, économiques, professionnelles, sanitaire, etc., afin d'observer les flux d'individus passant dans ces diverses catégories. Celles-ci devraient être judicieusement choisies pour se raccorder aux catégories de la comptabilité nationale. Et l'on aurait alors une vision dynamique de la société qui permettrait de connaître les états divers de sa population à un instant donné, ainsi que les grands courants qui la traversent.

Les comptes écologiques semblent encore beaucoup plus difficiles à établir. Il s'agit là de tenir à jour l'état des ressources naturelles d'une part, des rejets, dégradations et pollutions de l'autre. Les embarras des économistes ne proviennent pas seulement de leur ignorance en écologie, mais également de la comptabilité qu'ils ont accoutumé de manier. Tous nos modèles économiques mesurent des flux et non des patrimoines. Ils montrent ce qui bouge : ce qui entre, ce qui sort, ce qui se crée, ce qui s'échange, ce qui se paye, et non l'état du patrimoine qui a été affecté par cette activité. Le travailleur fabrique un produit, la machine rend un service, la tonne de pétrole délivre des calories, le champ donne sa moisson : les statistiques comptabilisent, pour chacune de ces opérations, les entrées et les sorties. D'un côté le travailleur, la machine, le pétrole, le champ, de l'autre le produit, le service, les calories, le blé. La comptabilité n'établit pas l'état initial et l'état final du patrimoine et pourtant ce patrimoine s'est transformé. Il s'est enrichi d'un côté, appauvri de l'autre. Mais pour l'économiste, il n'existe qu'un système quasiment indépendant de ses bases naturelles. Des éléments y sont introduits, venant on ne sait d'où ; d'autres en sortent, pour aller on ne sait où. Tout se passe comme si la traversée du cycle économique intervenait entre deux néants indifférenciés.

Supposons qu'à un moment donné tout s'arrête. Les usines ne tournent plus, les hommes ne bougent plus, les plantes ne poussent plus. Dans ce temps figé que ne troublent nul mouvement et nulle activité, pourrait-on savoir ce que représente le « capital-France » ? Pour étrange que cela paraisse, il serait impossible de dresser un tel bilan, car le patrimoine français n'a pas d'existence comptable.

La France est ce qu'elle fait. Si elle ne fait plus rien, elle n'est plus rien.

Ici encore, les experts sont bien conscients des limites de leur système. Ils ne l'adoptent qu'en raison de sa commodité. Car rien ne paraît si difficile que de passer d'une comptabilité de flux à une comptabilité élargie de patrimoine.

Il serait également utile d'établir des « bilans vrais » dans un certain nombre de secteurs. Parler du bilan de l'automobile d'après le chiffre d'affaires des constructeurs et le nombre de personnes employées est une absurdité. Pour avoir une vision complète de l'automobile il faudrait intégrer en un même compte les matières premières et l'énergie utilisées pour la construction et l'utilisation, le type d'emplois créés, l'espace consacré aux voies de circulation et aux aires de stationnement, les personnes employées pour les réparations, les incommodités créées par les embouteillages, l'évacuation des carcasses abandonnées, les pollutions infligées à l'environnement, enfin et surtout le nombre d'automobilistes tués ou blessés. Il faudrait comptabiliser également les commodités que procure un mode de transport individuel, rapide, confortable et toujours disponible dans le temps et dans l'espace. Alors seulement on saurait ce que représente l'automobile. Ces bilans seraient sans doute très différents des bilans truqués à force d'être partiels qui orientent les choix actuels.

C'est de vérité dont les sociétés industrielles ont le plus besoin, pour se réveiller de leurs illusions. Mais cette meilleure saisie de l'information doit déboucher sur l'action. Il ne suffit pas de savoir ce qui est, il faut encore déterminer les moyens de changer les choses. Pour cela l'homme politique a besoin d'un modèle, d'un système qui établisse les relations entre les différents éléments qui le composent. Alors seulement, il sera possible de faire passer les idées généreuses dans les faits.

Modéliser l'économie est relativement aisé. Alors, ne pourrait-on de même modéliser l'ensemble de la société ? C'est un espoir, l'un des rares qui permette de transformer l'art de gouverner en une science. « La science économique devra inévitablement prendre sur elle de résoudre les problèmes que la science politique, aujourd'hui moribonde, ne sait même plus poser. », note un économiste comme Jacques Attali [1].

Beaucoup considéreront que cette ambition est démesurée. Nous avons l'habitude de considérer l'économie

---

1. Voir Jacques Attali : *Analyse économique de la vie politique*. (P.U.F., 1972).

comme une science rigoureuse et l'ensemble du secteur politique et social comme un monde inaccessible aux méthodes rationnelles et objectives. Le succès très limité des différentes méthodes modernes de décision, comme les évaluations coûts/avantages, ne suffit pas à changer cette opinion. Et pourtant, sans prétendre inventer la politique automatique, il sera certainement possible d'améliorer le gouvernement de la chose publique.

On le voit, la marge est étroite entre les illusions contraires. Le balancier a si fort penché vers l'illusion technique que tout renversement risquerait de le déporter à l'opposé. Par crainte, ou dans l'espoir de cette alternative, les sociétés industrielles risquent de stagner un certain temps encore dans leur état actuel. Incapables de poursuivre un véritable dessein politique, elles poursuivront ce qu'elles savent faire et qui n'est pas négligeable : entretenir le dynamisme productiviste.

Revenir à la réalité, disons au bonheur de l'homme, ne peut se faire sans un changement complet des mentalités, entraînant un changement des méthodes. Tant que l'indicateur d'inégalité sociale ne sera pas aussi important que l'indicateur de croissance, tant que l'indicateur écologique n'aura pas la même place que l'indicateur d'inflation, tant que la quantité de biens ne sera pas corrigée par la qualité de l'homme, la réalité demeurera insaisissable et l'illusion seule semblera réelle. Car ce sont les productivistes qui ont désormais le monopole du réalisme en dépit des mirages qu'ils poursuivent. De fait, ils sont parfaitement cohérents, rationnels et rigoureux dans leur système. C'est l'homme sans doute qui a tort de ne pas s'y intégrer totalement, bien qu'il reste la première et l'ultime réalité de l'économie.

Chaque fois que l'on prétend revenir à la réalité, à l'homme, au bonheur ; chaque fois que l'on prétend dépasser la fiction économique pour retrouver la vie des gens, déterminer l'action en fonction de l'utilité sociale et non de la rentabilité commerciale, on est taxé d'irréalisme. Etrange paradoxe !

Ceux-là mêmes qui donnent dans tous les pièges de l'illusion technique seraient des réalistes sous prétexte que leur action s'inscrit dans le cadre cohérent d'un système économique et débouche sur des résultats concrets et mesurables ! Mais ceux qui mettent en avant l'expérience vécue des individus, qui parlent joie, souffrance, satisfaction, peine, frustration, ceux-là seraient irréalistes, sous prétexte que ces sentiments ne se mesurent pas avec l'étalon monétaire et ne s'inscrivent pas dans des modélisations mathématiques !

Sans doute les tentatives faites pour cerner les phénomènes non économiques, sociaux, culturels, écologiques, et pour les réintroduire dans le jeu économique, risquent-ils de compliquer les mécanismes économiques et d'en diminuer l'efficacité comptable, mais il est grand temps de remettre l'économie à sa place, celle des moyens et des symboles, et de s'inspirer de ses méthodes pour retrouver la vie. Ce n'est que dans ce cadre rénové que le progrès technique retrouvera sa véritable destination et cessera d'être illusoire.

Chapitre 9

LE DIVERTISSEMENT

Au début sont les verbes, et les verbes font les hommes. D'une conjugaison à l'autre, les individus construisent leur existence et les civilisations écrivent leur histoire. « Vivre », « croire », « savoir », « faire », « avoir », « naître », ou « mourir » nous emportent dans le cours du temps. Telle société a choisi de croire, telle autre de faire, telle autre de pouvoir. L'humanisme occidental a prétendu réconcilier toutes ces voies possibles en une gerbe harmonieuse. Nous espérions réussir la grande synthèse, mais les nouveaux verbes n'ont fait que remplacer les anciens. Cédant aux séductions des derniers venus : « savoir », « faire », « pouvoir », « avoir », nous avons laissé dépérir les premiers de tous : « être », « vivre », « croire ». Les sociétés techniciennes, coupées de leurs racines, s'abandonnent aux illusions heureuses du divertissement.

Sans doute n'est-il pas facile d'être pour un animal doué de conscience. Son existence est un jeu de l'Oie dont les pires cases sont inévitables alors que les meilleures sont toujours incertaines. Jeton placé — mais par quelle main ? — sur une case « départ », il ne pourra jamais retenir les dés qui roulent inexorablement pour lui.

L'individualité n'est qu'une structure éphémère qui s'organise, se développe, se dégrade et se détruit. Rien n'en portait l'annonce, rien n'en garde le souvenir. Eternellement les atomes sont recyclés de l'Un à l'Autre. Hélas ! ce n'est pas l'esprit qui se perpétue, c'est la matière.

Le spectacle de la nature montre que l'individu n'est que le moyen d'expression du vivant. La continuité appartient à l'espèce qui, elle-même, n'est qu'un rouage provisoire dans une « niche écologique » de la biosphère.

De la bactérie à l'homme, les existences individuelles apparaissent et disparaissent comme des vagues sur la mer. Quel génie malicieux a coiffé de conscience certaines vagues de l'océan biologique ? Etre un homme, c'est vivre ce conflit permanent entre une réalité biologique dominée et une conscience individuelle dominante.

Le conflit des verbes

Mais qu'importe la réalité objective, ce n'est pas elle qui est vécue. L'homme n'en connaît jamais qu'une vision très particulière : celle de sa société. Par son adhésion à une civilisation, il possède les réponses que la nature ne lui donne pas. Ses croyances sont plus importantes que ses connaissances, ce sont elles qui structurent son comportement, qui résolvent les problèmes de son existence. Croire pour être, c'est l'art de vivre traditionnel.

Encore faut-il que ces deux aptitudes de l'esprit humain, celle qui sait et celle qui crée, n'entrent pas en conflit. Que l'une n'en vienne pas à tuer l'autre. Le « croire » sans le « savoir » conduit à la folie, mais, à l'inverse, le « savoir » sans le « croire » engendre d'autres désordres. Nous découvrons aujourd'hui qu'à trop étudier la réalité, nous ne savons plus l'organiser en une expérience individuelle cohérente. Cette impuissance se manifeste chaque jour davantage dans les sociétés contemporaines.

L'homme escamoté

L'homme moderne fait figure d'enfant gâté. La modernité le comble de ses biens matériels et pourtant il se plaint encore comme le nouveau riche : d'autant plus exigeant que sa fortune est plus récente. Il se découvre des problèmes, et des plus quotidiens, à mesure qu'il surmonte les grandes misères humaines. Il s'empêtre dans les conflits de générations, les frustrations sexuelles, les drames de l'incommunicabilité... Ne sont-elles pas imaginaires ces maladies du monde moderne que nos ancêtres ignoraient quand ils mouraient de peste et de choléra ? C'est ce que le bon sens serait tenté de conclure si Marilyn Monroe ne se suicidait pas au faîte de la gloire et de la fortune, si le nombre des maladies mentales ou fonctionnelles ne cessait d'augmenter, si les tensions ne se développaient dans les sociétés et les frustrations chez les individus. Voilà pourtant ce qui arrive. Et l'on sait aujourd'hui qu'il n'existe pas de malades imaginaires, car un individu sain ne s'invente pas des maladies. Si même l'homme moderne n'était qu'un simulateur, il serait encore malade de simulation.

L'individu ne peut plus trouver dans la société moderne l'assistance morale et culturelle qu'offraient les sociétés traditionnelles. Au lieu de couler son expérience personnelle dans un moule collectif, il doit se construire un destin original, se déterminer à tout moment et à tout propos sans se guider sur un modèle de référence. Cela s'appelle la liberté. On en connaît la grandeur, il ne faut pas en oublier les servitudes.

Que peut apporter une civilisation qui renonce à prendre en charge la personne ? Si elle abandonnait cette fonction sans rien proposer en contrepartie, elle serait bien vite rejetée. Mais la civilisation blanche n'est pas seulement matérialiste, elle est également technicienne. Elle compense dans le domaine matériel ce qu'elle refuse dans le domaine psychologique. A l'individu désemparé face à sa propre destinée, empêtré dans les problèmes de son existence, elle propose une assistance technique et matérielle. Les difficultés ne sont pas résolues, elles sont escamotées.

En regardant sa télévision, on oublie sa solitude ; en avalant ses pilules, on oublie ses frustrations ; en jouant avec son automobile, on oublie son travail ; en cherchant un surcroît d'avoir, on oublie le mal d'être. Cette évolution est précipitée par la pression du monde industriel et la démission du monde intellectuel. L'une développe le système de l'avoir en une véritable « culture », la « culture publicitaire ». L'autre s'adonne à des jeux ésotériques qui font perdre ses dernières chances à l'authentique culture.

Est une « société de divertissement », celle qui applique toutes ses ressources à divertir l'homme de l'essentiel, à multiplier les moyens pour éviter le problème des fins, à substituer le système « Savoir-Faire-Avoir » au système « Etre-Croire-Vivre ». Il n'est que de regarder vivre le monde moderne pour retrouver cette démission derrière la façade rutilante des vitrines, des affiches et des sourires commerciaux.

A l'encontre des cathédrales, des temples ou des pyramides qui proposaient des significations, nos avions, nos barrages ou nos ordinateurs sont muets sur l'essentiel. Quand d'aventure les sociétés industrielles se risquent sur ce terrain, elles ne peuvent guère proposer que l'ordre moral des bourgeois ou les recherches abstraites des intellectuels. Quoi de plus triste, de plus vide, qu'une céré-

monie laïque moderne ? Cette symbolisation de la République sous les traits d'une jeune matrone en bonnet de
nuit, cette emphase déclamatoire de notre Marseillaise,
cette fête du travail qui ne célèbre que le repos, non,
ce n'est pas là qu'il faut chercher une civilisation. Nous
nous exprimons dans nos usines, nos barrages et nos automobiles. Le projet se situe tout entier au niveau des
moyens. Les fins sont de compétence individuelle.

L'effort collectif a fait reculer le malheur. Mais il ne
l'a pas fait disparaître. Et quand il vient à son heure notre
société démissionne. Les civilisations traditionnelles étaient
consolatrices, elles aidaient l'individu à supporter sa condition. La civilisation moderne le laisse se débrouiller. A la
sécurité morale, elle a substitué la Sécurité sociale. Notre
espérance de vie a augmenté, mais notre « savoir mourir »
a diminué.

Et notre « savoir vivre » n'est pas moins dégradé. Que
faire de sa vie ? Comment éduquer ses enfants ? Comment
communiquer avec ses semblables ? Tout « fait problème ».
Plus le monde se « fonctionnalise » et plus l'existence se
complique. Voilà que les « problèmes de riches » se démo-
cratisent. Du manœuvre au P.-D.G. chacun s'offre sa dépression nerveuse, sa fugue, ses crises. Chacun a besoin
d'une assistance personnalisée pour assumer son aventure
individuelle : il faut multiplier les visites chez le psychia-
ire, les traitements à base de psychotropes. Faute d'être
pris en compte par sa société l'individu flotte désespérément. On lui laisse le choix, tous les choix, mais il ne
trouve aucun critère de jugement. Il avance à l'aveuglette
en butant sur le moindre obstacle. Son seul recours, c'est
l'assistance technique et les biens matériels.

Le bonheur obligatoire

Cette constatation ne doit pas inciter à reprendre la
complainte du passé béni. L'indifférence de la société cela
s'appelle aussi la liberté. Il est bon de ne pas trouver dans
son berceau un sens obligatoire à la destinée. Les charmes
de la pénurie, on ne les goûte vraiment qu'avec le recul
des manuels d'histoire. Il n'empêche que la croyance, non
pas seulement la croyance religieuse mais l'adhésion globale à une civilisation, apporte un confort moral, un réconfort même, qu'on ne trouve pas dans le progrès des
techniques. Si sa disparition est la rançon nécessaire du
progrès, il serait temps d'équilibrer nos comptes, car le
bilan risque bientôt d'être franchement négatif.

Ce n'est pas le moindre des paradoxes contemporains que la créativité intérieure paraisse dégénérer, alors que les voies de son accomplissement n'ont jamais été aussi larges. Entre une dizaine de religions principales et des centaines de sectes, chacun est libre de choisir sa propre consolation. La pluralité des idéologies, la diversité des comportements laissent la personne maîtresse de ses engagements. Aux contraintes du destin collectif, nous avons substitué les commodités de la destinée individuelle.

C'est un progrès, et des plus grands qui soient. Encore faut-il que la société aide l'individu dans l'exercice de sa liberté, qu'elle favorise cette quête personnelle sans pour autant imposer son propre modèle. Voilà ce qu'il faudrait faire et ce qui n'a jamais été réalisé, car le divertissement contemporain n'a rien à voir avec cette aide fraternelle de tous pour chacun, ce n'est qu'une fuite collective.

Le bonheur paraît être la valeur suprême de notre civilisation, mais c'est un bonheur terriblement artificiel qui écarte les incommodités de l'existence et ne s'attache qu'à la jouissance des biens matériels. Nous bannissons progressivement le malheur de notre monde. La mort tout d'abord, qui se fait discrète. On meurt de plus en plus souvent loin de sa famille et de la communauté ; le convoi funèbre se glisse dans la circulation. Trois véhicules noirs dans le flot des automobiles. Le contexte laïc nous parle toujours de la mort des autres. Celle des grands hommes ou des soldats. Jamais de la nôtre que, naguère, évoquait le curé. On prend des « assurances sur la vie » qui sont en réalité des « assurances sur la mort ». On « donne la vie » à ses enfants sans jamais reconnaître qu'on leur donne en même temps la mort. Le fameux slogan « mourez ; nous ferons le reste » deviendra bientôt : « vivez — nous nous occupons du reste ».

La solidarité collective soulage le malheur. Elle l'isole aussi. Plus efficace que l'entraide individuelle, elle est également plus lointaine. Les bien portants payent les soins de malades qu'ils ne verront jamais. Car la maladie est progressivement rejetée hors la cité. On se soigne à l'hôpital. Le patient disparaît dans un monde clos, spécialisé. « Mais où étiez-vous mon cher ? » Au pays de l'infarctus, de la tuberculose ou de l'urémie. Après tout, rien qu'un séjour au purgatoire avant de rejoindre l'éden urbanisé.

Selon le même principe les anormaux doivent se tenir à l'écart des gens heureux. Sans doute trouvent-ils dans des institutions spécialisées une assistance plus efficace que dans la société active ; mais les citoyens normaux finissent par oublier leur condition douloureuse. Lorsque les maisons spécialisées n'offrent aucune possibilité d'accueil — ainsi qu'il arrive si souvent — la famille devient un ghetto. Elle se replie sur elle-même afin de ne pas importuner le bonheur du voisinage.

Et puis, il y a les vieux. A l'aube de la vieillesse, alors que leur vue n'offense pas encore les jeunes générations, ils conservent une place discrète, et rendent quelques services : la garde des petits enfants notamment. Mais quand se seront abattues sur eux toutes les misères du grand âge, ils se retireront, loin de la population active. « Tout le monde, il est beau ; tout le monde, il est gentil. » La formule frappe juste. La société moderne se veut heureuse. La publicité omniprésente étale le visage du bonheur. La savonnette, le réfrigérateur, les chaussures et le papier hygiénique, tout est beau, tout sourit. Le paradis n'est plus chanté par les fresques de Giotto, mais par les affiches du métro. Les athlètes, les pin-up ont remplacé les bienheureux aux mains jointes. Les chemins de la béatitude ne passent plus par l'amour et la douceur mais par le slip « Taureau » et la lotion « Capillum ».

« Vous n'y croyez pas ? »

« Moi non plus. »

Mais chacun se comporte exactement comme s'il avait adopté la foi nouvelle. Le conditionnement publicitaire ne montre que la jeunesse et le bonheur. L'individu fuit instinctivement tout ce qui pourrait le ramener aux réalités de son « être ». Et ces lignes rageuses ne sont peut-être qu'un dernier recours pour conjurer un sort qu'il déplaît de regarder en face.

Objectera-t-on que la violence et le malheur s'étalent partout dans la presse, au cinéma, à la télévision ? Il n'empêche que le spectateur garde une marge de sécurité par rapport à l'événement. Morts de fiction, morts exceptionnelles, morts lointaines, morts anciennes. Toujours celle des autres, jamais la nôtre. On joue à se faire peur comme si les récits d'horreurs devaient éloigner le mauvais sort.

La misère hors-la-loi

On éloigne la misère physique qui nous menace, on éloigne la misère matérielle qui nous condamne. Du président-directeur général à l'ouvrier qualifié, la population active s'enrichit. La condition des uns est opulente, celle des autres médiocre ; mais les besoins fondamentaux sont satisfaits. L'inégalité est un problème, pas un drame. Telle est, du moins, la situation tant qu'on reste sur le

pont du grand paquebot « Prospérité ». Car à l'étage
inférieur les soutiers, les passagers clandestins de la cale :
travailleurs immigrés, vieillards sans ressources, agriculteurs à la dérive, chômeurs, infirmes, connaissent le dénuement, le froid, l'entassement, la saleté. Ils ne sont pas
dans le système de « l'avoir plus » et n'y seront jamais.
Ils ont moins que le nécessaire, autant dire rien.

Une ségrégation insidieuse les écarte des passagers.
Dans la petite ville l'hôtel particulier n'est jamais loin
du taudis ; le seigneur côtoie le mendiant en remontant
l'unique rue marchande. La mégapolis en revanche englobe
des mondes qui s'ignorent. Quelle soif d'exploration pourrait bien pousser un Algérien de la Goutte d'Or à venir
se promener avenue Foch ?

Les foyers de misère des minorités en marge sont isolés,
oubliés. Ce sont de « douloureux problèmes » ; pas des
visages.

Douloureux entre tous, l'immense problème du Tiers
Monde. Un milliard — ou davantage on ne sait plus —
d'individus mal nourris ou affamés. Des millions et des
millions de regards enfiévrés qui observent ceux qui
s'empiffrent : Nous. De quoi nous couper l'appétit ? De
quoi nous rendre allergiques au délire alimentaire de la
publicité ? Le fait est que nous digérons mal ; mais la
mauvaise conscience n'est pas responsable de nos dyspep-
sies. Il est si loin le grand radeau de la famine ! Au
reste, à quoi bon penser à ce drame sans solution ! Les
petites filles modèles portaient des tartines beurrées aux
pauvres. Dans mon enfance on roulait en boule le papier
d'argent qui enveloppait les tablettes de chocolat. Lorsque
la boule était suffisamment grosse, on la donnait aux
missionnaires qui s'en servaient, mais je ne comprenais
pas comment, pour nourrir les petits Chinois.

Aujourd'hui les jeunes affamés ne sont plus Chinois
mais Indiens et l'on sait qu'ils sont définitivement trop
à n'avoir pas assez. Que peuvent les tartines beurrées et
les boules de papier d'argent contre cet océan de misère ?
L'impuissance désarme les bonnes volontés.

Désormais les problèmes dépassent toujours l'individu.
A travers l'information, ils prennent une dimension planétaire. L'initiation intellectuelle apprend à rechercher les
causes derrière les effets, à passer du particulier au général en sorte que les drames humains débouchent toujours
sur des discussions abstraites. Il faut changer le système
pour soulager l'homme. Au chevet du mourant les bons
apôtres discutent de développement, d'impérialisme, de
socialisme, de démographie... La forêt finit par cacher
l'arbre. Le malheur du voisin est devenu le malheur du
monde.

Jadis on aidait « son prochain », c'est-à-dire celui qui était proche. La technique a si bien rapproché les hommes que le prochain c'est désormais l'humanité. L'entraide individuelle n'est plus une réponse adéquate quand la question est ainsi posée. A la limite, elle sera dénoncée comme une sorte de collusion avec l'injustice. Mais l'initiative individuelle ne peut pas non plus imposer le modèle abstrait qui devrait résorber ces drames. L'action concrète et personnelle doit céder la place à l'action générale et collective. L'engagement ne consiste plus à aller visiter le vieillard solitaire, à soigner le malade abandonné, à recueillir l'orphelin, mais à se réclamer d'une famille idéologique. Dans le meilleur des cas on paye une cotisation, on participe à des réunions ; le plus souvent on manifeste sa solidarité à l'humanité souffrante par un bulletin déposé dans l'urne. C'est tellement plus efficace et tellement plus commode. En agissant par soi-même, on se reconnaît responsable ; en agissant dans un cadre général on se décharge de sa responsabilité. Il est plus facile d'oublier la misère du monde que celle de son voisin.

Sans doute n'existe-t-il aucune contradiction entre les deux formes d'action, mais pour l'immense majorité des citoyens l'engagement collectif a remplacé l'action individuelle.

Ainsi les gens heureux forment-ils progressivement une communauté fermée, ils ne voient pas le malheur, ils n'y pensent pas. Ils l'ont banni de leur monde. Jusqu'au jour où ils le rencontrent à leur tour et se trouvent exclus de la société du bonheur.

Les bouffons techniques

La vie moderne ne se contente pas de mettre le drame entre parenthèses, de le dissimuler quand il est proche pour l'exposer quand il est lointain, de le faire passer du « vécu » au « pensé », elle propose, elle impose même le divertissement. L'environnement technique et l'usage qui en est fait attirent l'homme vers l'extérieur. Jamais vers l'intérieur. C'est l'évasion permanente dans « l'avoir », jamais dans « l'être ». Les distractions des souverains paraissent dérisoires comparées à celles qu'offrent la télévision, le cinéma, les voyages, la promotion sociale. Le plus modeste citoyen a des milliers de bouffons qui travaillent à l'étourdir.

Le divertissement contemporain a des caractéristiques bien précises qui le distinguent complètement des « fêtes » traditionnelles ou des plaisirs anciens. La fuite devant « les problèmes » en est le préalable. La partie négative en quelque sorte. L'assistance socio-technique en est l'aspect positif.

Son importance ne cesse de croître tandis que diminue la créativité individuelle. L'homme moderne est devenu un infirme qui attend tous ses plaisirs des biens et services fournis par la communauté. En leur absence, le temps libre n'est qu'un temps vide. A l'inverse la qualité des loisirs est liée à celle des moyens dont on dispose pour les occuper. On se distrait mieux avec la télévision en couleurs qu'avec la télévision en noir et blanc, avec une voiture Citroën S.M. qu'avec une 2 CV, avec une villa qu'avec une tente. C'est l'environnement technique, « l'avoir » qui mesure la qualité de « l'être ». Le « mieux » s'obtient par le « plus ».

Cette évolution atteint le comble de l'absurde dans l'industrie du jouet. Elle mobilise des ingénieurs, des bureaux d'étude, de puissantes usines. Elle contraint les parents à des sacrifices souvent très lourds. Elle fait vivre les bambins dans un bazar effarant d'objets, toujours plus compliqués, toujours plus coûteux. Et naturellement les chers petits s'amusent toujours avec des vieilles boîtes et des bouts de bois. Car ils sont arrivés au monde avec un « être » intact qui possède toute sa richesse intérieure. Les sollicitations extérieures ne sont que des prétextes auxquels ils accrochent leur univers. Telle l'huître qui fabrique sa perle sur un vulgaire grain de sable, ils bâtissent des instants émerveillés sur des chiffons et des cailloux. A l'inverse le jouet trop précis dans sa signification et son usage n'intéresse l'enfant que dans la mesure où il peut devenir un point de départ et non un itinéraire imposé.

Mais l'adulte est persuadé que le plaisir est donné par l'objet. Il mesure son amour à la qualité de ces jouets « porte-bonheur » plus qu'à ses propres efforts pour épanouir les facultés créatrices de l'enfant. Comment le père comprendrait-il ce que l'adulte ne sait plus ? Comment l'être appauvri, mutilé, devinerait-il les richesses de l'être juvénile ? Pour l'individu les choses sont ce qu'elles sont, et les plaisirs sont ce qu'elles donnent. On jouit de ce qu'on reçoit et non de ce qu'on crée.

Cette évolution est inscrite dans la nature même des « bouffons techniques » qui diminuent sans cesse la participation de l'individu à son divertissement. Comme si l'effort d'initiation qui ouvre les voies de la création personnelle était le mal à combattre, la contrainte à éliminer. Dans le couple objet-sujet, l'objet est de plus en plus riche de plus en plus actif ; le sujet de plus en plus passif.

L'émetteur donne tout, le récepteur n'a rien à ajouter. Le marcheur qui se promène dans la campagne garde l'esprit disponible, mais il regarde un paysage qui ne se renouvelle guère. S'il n'est pas capable de l'explorer en profondeur, il n'y verra qu'un spectacle monotone. En revanche s'il peut goûter toutes les richesses de la campagne, l'infinie variété des bruits et des odeurs, l'harmonieuse diversité des plantes et des animaux, les changements de la lumière, alors il tirera tous les agréments de sa promenade. Mais un tel déchiffrement de la nature n'est pas donné au départ, il ne s'acquiert que par une longue initiation.

Au contraire l'esprit de l'automobiliste se met en situation de « pilote automatique ». Pendant des heures le conducteur suit la route et se laisse vivre au rythme de son véhicule. Le paysage n'est plus qu'une série de cartes postales à peine entrevues. A quelques détails près, chacun y voit la même chose. L'escale dans les « hauts lieux » du tourisme est généralement trop brève. Juste le temps de « recevoir le choc » sans pouvoir le prolonger par une expérience personnelle. Les sensations se multiplient, mais passivement reçues, uniformément perçues.

L'environnement technique n'est plus une aide à la jouissance, mais la jouissance elle-même. Certes, cet environnement est prodigieusement varié et cette variété donne l'illusion d'une participation individuelle. On s'exprime par ses choix. Mais pour nombreux et divers qu'ils soient, les choix restent préfabriqués. Ce ne sont jamais que des voyages organisés et non des explorations individuelles. Le développement excessif de l'assistance technique étouffe la créativité individuelle au lieu de la stimuler.

On entre ainsi dans un système autoaccéléré. Cédant à la facilité, l'individu perd ses fonctions créatrices et n'est plus qu'un simple récepteur. Faute d'être alimenté en sensations nouvelles, il subit une véritable frustration, et succombe au vertige du vide et de l'ennui. Il n'est même pas possible de s'arrêter à un certain « service de divertissement » : cinéma, télévision, automobile, vacances au bord de la mer par exemple. L'entreprise de divertissement est savamment hiérarchisée. Une fois que l'individu a perdu ses facultés créatrices il se trouve pris au piège. Il est condamné à l'escalade. Tel un intoxiqué, il augmente les doses et veut passer des drogues faibles aux drogues fortes. Radio, télévision, T.V. en couleurs, demain écran mural, réception en relief et visiophone. Petite automobile, puissante routière, avion personnel. Tente de camping, résidence secondaire. Congés payés au bord de la mer, croisière autour du monde. On n'en finit pas de désirer.

Nus dans les draps

Pourtant dans cette fuite générale devant la personne voilà qu'une heureuse évolution se dessine : la libération sexuelle. Nous pouvons raisonnablement espérer que les prochaines générations auront compris qu'entre deux draps le bien se mesure au plaisir partagé et le mal à l'insatisfaction, qu'en matière de sexualité la « vertu » est aussi dangereuse que le « vice ». Ainsi la sexualité redeviendrait une fonction noble comme le goût et la vue, et non une fonction honteuse assimilée aux excrétions.

Le combat est d'autant plus exaltant que les adversaires sont plus haïssables. Comment ne pas mépriser cette morale bourgeoise qui, à la « belle époque » de son triomphe, avait perverti la sexualité au point de diviser les femmes entre le plaisir et la vertu ? Cocottes professionnelles pour la satisfaction des mâles ; héritières vierges et reproductrices pour la dévolution des patrimoines : le noble système !

Aujourd'hui encore, ne voit-on pas nos gouvernements censurer les images érotiques et accepter celles de la violence ? Il paraît que la photo d'un accouplement traumatiserait nos enfants — faut-il que les parents soient de pauvres éducateurs —, mais les quotidiens s'affichent dans tous les kiosques avec, en première page, la photo d'un soldat vietnamien portant les têtes de deux adversaires qu'il vient de décapiter. A la télévision, on se tue dix fois par soirée, mais les individus n'ont pas de culs et, surtout, pas de sexes.

Comment enfin ne pas ressentir le besoin de libérer ce peuple français si tristement médiocre dès qu'on dépasse les fanfaronnades. Quoi ? Voilà des gens qui se sont mis à pratiquer la contraception avant tous les autres. Les premiers ils ont « réussi », dans les années 30, à instaurer la dénatalité. Rien de bien glorieux dans les techniques : coït interrompu, abstinence, ersatz divers. La misère. Dans toutes ces alcôves en quête de plaisir stérile régnait la peur de la grossesse indésirée. Pas moyen de jouir tranquillement, la conception rôdait toujours dans les sexes réunis. En cas de grossesse indésirée commençait la chasse à l'avortement clandestin. La peur de la prison, la peur de l'accident, la peur du bâtard, la peur du nième enfant. La peur, toujours la peur qui empoisonne le plaisir. Cela, tous les couples français, légitimes ou non, l'ont connu au cours des dernières décennies. Ils l'ont vécu dans la répression absolue. Officiellement, ces problèmes n'existaient pas.

Enfin vint la pilule. Et le stérilet, et le diaphragme. Pour les vétérans de la contraception, l'heure de la libération était arrivée. Mais on ne libère pas avec des techniques ce qui est enchaîné par les tabous culturels et religieux. Les couples français ne suivent pas. Alors que les étrangères utilisent « naturellement » ces techniques libératrices, les Françaises hésitent. Il faudrait parler de « ces choses-là » entre mari et femme et non plus entre copains, étudier les réalités personnelles et non raconter des plaisanteries passe-partout. C'est trop demander. On perdra encore une génération.

On serait évidemment tenté de rejoindre sans réserve et sans condition les chasseurs de tabous. Mais dans notre société, la vie sexuelle ne doit-elle pas être protégée ? Et par des tabous, peut-être. Car la répression généralisée nous a préservés de l'illusion technique. Nos chercheurs, nos inventeurs, nos ingénieurs, si prompts à découvrir le parapluie cybernétique, la rôtissoire télécommandée ou le lit à infrarouge n'ont pas encore exercé leur imagination sur la sexualité. Grâce en soit rendue à la répression bourgeoise ! En son absence, le système industriel se serait rué sur ce marché ainsi qu'il tente de le faire dans les pays scandinaves.

Si, comme il est probable, l'érotisme est totalement démystifié dans les années à venir, si les pratiques sexuelles sont banalisées à l'égal du sport, le « progrès » viendra fourrer son nez dans cette affaire. Non point le progrès des amants et maîtresses qui apprennent à connaître, à aimer, leurs corps, mais les progrès des techniques susceptibles de compenser les défaillances humaines. Notre société de consommation imposera l'idée qu'on ne saurait jouir correctement sans les aphrodisiaques de synthèse, les accompagnements audiovisuels de stimulation, les lits vibrants et basculants à séquence programmée, les stages en « cliniques sexuelles ». Dès la puberté, l'adolescent sera familiarisé avec ces machines. Il apprendra que l'une fera de lui un don Juan l'autre, un Casanova. L'effort personnel ne visera que la possession de bonnes techniques. Alors la sexualité sera morte. On ne l'aura libérée que pour mieux l'étouffer.

N'est-il pas merveilleux que l'homme et la femme puissent encore se retrouver nus sur un drap blanc ? Qu'ils soient contraints de vivre seuls, sans assistance, l'aventure de leurs corps ? Que la richesse — ou la pauvreté — des expériences vécues dépende de la créativité personnelle des partenaires et non des ressources de leur environnement technique ? Hélas, dans dix ou vingt ans un couple sera peut-être perdu dans sa seule nudité. Perdu comme des hommes qui doivent discuter sans whisky et sans cigarette, des estivants qui doivent se passer de soleil.

Mais continuera pour l'arsenal érotechnique l'escalade de l'avoir. On lancera des chambres érotiques « toutes équipées » de plus en plus chères et des clubs spécialisés. Les femmes, influencées par la publicité, seront sensibles à la possession de cet environnement comme elles apprécient aujourd'hui celle des voitures rapides. La « chasse aux femmes » passera désormais par la chasse aux « super-machines » d'amour, et le temps de la connaissance commune sera consacré à l'achat du matériel ! Les amants ne vaudront plus que ce que vaudront leurs prothèses, on choisira la technique avant de choisir le partenaire. Sans doute pourrait-on libérer la vie sexuelle sans la réduire aux mécanismes de la distraction moderne, mais cela ne se fera pas sans une véritable culture de l'amour et de la sexualité, une culture qui viserait à libérer les consciences et les comportements sans demander à la technique une assistance parasitaire.

Les relations de consommation

En toutes choses, la consommation doit apporter les plus grandes satisfactions. Encore faut-il s'entendre sur ce terme beaucoup trop à la mode pour qu'on puisse le recevoir sans examen. Elle n'a plus rien à voir avec la satisfaction des besoins élémentaires de l'organisme, c'est une institution sociale très complexe qui recouvre plusieurs réalités fort dissemblables. Philippe d'Iribarne et son équipe du Centre de recherche sur le bien-être, ont fourni la meilleure analyse de ce phénomène, en insistant sur ses aspects psychologiques.

Ils constatent que la satisfaction matérielle apportée par l'usage d'un produit ou d'un service n'est qu'un des éléments de la consommation. Il est de fait qu'en mangeant j'absorbe la ration de calories nécessaire à mon organisme, mais il est évident que lorsque j'invite des amis à dîner, mon souci n'est pas exclusivement de les alimenter. La nourriture devient un langage symbolique. A travers le choix des mets, l'ordonnancement de la table, le déroulement du repas, l'hôte exprime l'intérêt qu'il porte à ses invités.

Dans cet exemple le caractère relationnel de la consommation est évident. Mais il peut prendre différentes formes. La maîtresse de maison peut chercher à s'affirmer auprès de ses invités en leur offrant un repas qu'elle a longuement préparé à leur intention. Elle peut également se contenter d'affirmer son rang social en servant des mets fort coûteux.

Ces attitudes différentes révèlent de multiples motivations. Schématiquement, on peut observer la consommation à trois niveaux superposés. Au premier niveau, elle apporte une satisfaction physique, voire intellectuelle. Les dîneurs mangent pour apaiser leur faim. Le second niveau est celui de la satisfaction sociale. Le produit consommé atteste de la catégorie sociale du consommateur. A propos de n'importe quel type de produit on peut retrouver la hiérarchie sociale. C'est particulièrement évident pour la nourriture. En servant une copieuse portion de foie gras, on manifeste son appartenance à la classe riche qui peut s'offrir de tels mets. Le caviar est un aliment succulent, mais le fait d'appartenir à la catégorie des consommateurs de caviar ajoute énormément au plaisir de la dégustation. Cette satisfaction n'est généralement pas avouée, ni même ressentie sur le plan conscient. On ne veut pas jouer les « nouveaux riches », mais pourtant ce sentiment est bien réel. Il se manifeste très fortement lorsque des individus « accèdent » à un produit. Quelle satisfaction, par exemple, de changer son automobile pour un modèle plus luxueux, de prendre l'avion pour la première fois, ou de commander son premier costume sur mesure.

Les biens deviennent ainsi des marques de statut. Ils permettent à l'homme de se situer par rapport à ses semblables. En échappant à la consommation d'une certaine catégorie, on croit échapper à sa condition antérieure et gravir un échelon dans la hiérarchie sociale. Le consommateur recherche donc une certaine considération ; non en accomplissant un effort sur lui-même, mais en achetant les attributs matériels de ce statut. Vivre comme « les gens de qualité », c'est consommer comme eux. La société industrielle a éveillé en chacun de ses membres le Monsieur Jourdain qui sommeillait.

Il est clair que cet aspect de la consommation est directement lié à l'argent. La hiérarchie des produits suit assez exactement la hiérarchie des prix. Il est « mieux » de posséder la voiture à 40 000 francs que la voiture à 10 000 francs, il est « mieux » de porter un costume à 1 500 francs qu'un costume à 400 francs. A travers les produits on se donne l'illusion d'acheter sa propre qualité en payant le prix fort.

Enfin, le consommateur n'est pas indifférent à la valeur affective ou poétique de ses biens. Dans l'exemple de l'alimentation, l'hôte peut attacher une valeur particulière à un plat en raison de certains souvenirs, de l'attention portée à sa confection, ou encore de sa gourmandise. Il est donc absurde de considérer le bien-être de chacun indépendamment du bien-être de tous. La consommation est d'abord un système relationnel et elle ne prend son sens que dans ses rapports avec la consommation des autres. Ce rôle social n'a cessé de s'accentuer au point de devenir la première fonction du système. Les raisons sont multiples qui ont précipité cette évolution. Historiquement, la révolution bourgeoise a remplacé l'ancienne hiérarchie fondée sur les valeurs par une nouvelle hiérarchie fondée sur la richesse. Dans une société organique la place de l'individu n'est pas forcément liée à sa fortune. Le clerc, le noble ont le pas sur le bourgeois. Aujourd'hui le patrimoine détermine pratiquement la situation de son propriétaire.

Dans le monde dissocié des métropoles, les relations sont à la fois plus nombreuses et plus artificielles. Elles ne laissent pas le temps à l'individu de s'affirmer par des qualités personnelles. Pour situer son prochain, le citadin se fie à des signes extérieurs relativement simples. Au mieux, il considère la profession. Le plus souvent, il s'en tient à ces « marques de statut » que sont les objets. Chacun jugeant ses semblables sur des critères matériels, finit par se juger de même. Le patrimoine n'est pas seulement un être social. C'est l'être tout court. Son accroissement devient la voie naturelle de l'accomplissement individuel. Les classes populaires n'ont pas encore les moyens de jouer ce jeu, mais elles y sont condamnées par l'embourgeoisement général.

Cette recherche de l'accomplissement dans les choses crée des frustrations sociales en ce qu'elle fait dépendre la considération d'une richesse, toujours contestable, et non d'un effort personnel qui est plus aisément reconnu par l'entourage. Elle conduit à une recherche absurde de la valeur individuelle dans l'objet et non dans la personne. Chaque fois qu'on prétend limiter la jouissance des choses, la bourgeoisie proteste contre cette entrave à la diversification des êtres et des comportements. Mais la répression des aspirations personnelles ou culturelles, les seules qui permettraient un épanouissement véritable de la personnalité, n'est jamais ressentie. La bourgeoisie du XIX° siècle sombrait ainsi dans le pire conformisme intellectuel et moral tout en recherchant absurdement à s'affirmer dans ses possessions. Toute limitation dans la possession ou l'usage des biens est dénoncée au nom de la liberté par ceux-là mêmes qui reprochent au gouvernement de tolérer les comportements qui s'écartent des normes sociales.

L'impossible rêve

La perversion est entretenue par l'enrichissement général. Le paysan du XVIII° siècle n'espérait guère changer son mode de vie. Comme il ne pouvait affirmer sa personnalité à travers son patrimoine, il devait rechercher par d'autres voies la considération de son entourage. Mais l'élévation du niveau de vie et le renouvellement des produits donnent à chacun l'espoir de « progresser » à travers les biens qu'il possède. Des millions de Français sont ainsi passés du vélo au vélomoteur, du vélomoteur à l'automobile, de la Dauphine à la R 16, etc. Mais cette progression générale ne change pas la position relative des consommateurs et par conséquent n'apporte pas les satisfactions sociales désirées.

En 1930, les bourgeois qui possédaient un poste de radio en éprouvaient un vif plaisir. Non pas seulement parce qu'ils découvraient un nouveau service, mais également parce qu'ils savouraient le contentement d'appartenir à une élite privilégiée. La démocratisation a supprimé ce plaisir. Il n'est resté qu'une frustration pour les plus pauvres qui ne pouvaient s'offrir un récepteur. Mais entre-temps, le progrès avait donné aux bourgeois une télévision. Nouvelle jouissance de la possession privilégiée. Dans les années 60, les téléviseurs pénètrent dans tous les foyers. Les ouvriers n'en éprouvent qu'une brève satisfaction puisque c'est « normal ». En revanche les vieux qui peuvent enfin acheter un récepteur, souffrent de n'être pas encore téléspectateurs. Ils le deviendront dans les années 70, alors que les bourgeois goûteront les beautés de la vision en couleurs. Et le même mécanisme se poursuivra avec les vidéocassettes, les disques-images, etc.

Le consommateur populaire n'éprouve jamais une satisfaction sociale. En visant la consommation de la catégorie située au-dessus de lui, il vise à rejoindre cette catégorie. Mais le jour où il aura réalisé son rêve, cette catégorie aura changé sa consommation et il se retrouvera avec les mêmes frustrations qu'auparavant.

Ainsi, chaque citoyen vit-il avec un rêve juste au-dessus de ses moyens, un rêve qui, dès qu'il deviendra réalité, cédera la place à un autre mirage. C'est le divertissement dans l'avoir. La consommation devient un jeu épuisant et captivant. L'individu croit se livrer à une véritable chasse au trésor, alors qu'il court comme l'âne après sa carotte. Seul l'enrichissement individuel peut apporter cette satisfaction que recherche inconsciemment le consommateur. Malheureusement, et par définition, il ne saurait se généraliser.

Le langage des objets

Car les individus communiquent sans cesse à travers leur consommation, au point que celle-ci devient pratiquement obligatoire. Rien n'est si difficile que de maintenir des relations humaines en dépit d'un écart dans le bien-être. Chacun évalue le patrimoine de l'autre en fonction de son rang social. Si vous êtes « cadre », vous devez jouir de certaines commodités. Les autres cadres vous inviteront à la campagne sans songer que vous pourriez ne pas avoir d'automobile ; ils vous parleront des émissions télévisées sans imaginer que vous pourriez en être privé et, lorsqu'ils seront chez vous, ils souhaiteront boire du whisky sans se demander si ce breuvage n'est pas trop coûteux pour vous. Un déséquilibre dans la consommation provoque des ruptures constantes dans les relations humaines et risque de vous isoler dans votre groupe social. Le consommateur subit une véritable pression de son entourage qui l'incite à désirer constamment de nouveaux biens pour ne pas se couper de son milieu.

Dans un entretien rapporté par *l'Express,* Bertrand de Jouvenel dit à Emmanuel Berl : « En ce moment, chez toi, nous buvons de l'eau dans des verres qui sont des pots à moutarde, comme chez moi d'ailleurs. Nous trouvons cela très bien. Mais il y a des gens, différents de nous, pour qui le progrès consiste à avoir des verres qui ne soient pas des pots à moutarde. »

Dans son extrême délicatesse, Bertrand de Jouvenel ne dit pas tout crûment : « A la différence de mes contemporains qui boivent du whisky dans des verres, je me contente de boire de l'eau dans des pots à moutarde, mais j'aime discuter avec mes amis ! »

Il n'empêche que cette transgression culturelle que constitue la maîtrise de la consommation n'est le fait que d'une infime minorité. Pour la masse des citoyens, tout décalage dans le bien-être est ressenti comme une véritable atteinte à l'identité.

Toutes les classes sociales ressentent cette tension. L'ouvrier doit effectuer des acrobaties budgétaires pour payer son logement, mais le médecin n'a pas moins de difficultés pour sa luxueuse résidence secondaire. La possession n'apporte jamais un véritable contentement.

Aussi l'accroissement général du bien-être a-t-il des conséquences psychologiques inattendues. La satisfaction passagère qu'apporte un nouveau produit ne concerne qu'une élite privilégiée ; en revanche la frustration qu'il provoque touche la majorité de la population. Tous les écrans de télévision sont devenus tristes quand les récepteurs couleur ont été commercialisés. La veille « on avait la télévision », le lendemain « on n'avait que le noir et blanc ». Dans cette dialectique du désir et de la satisfaction, la frustration l'emporte progressivement sur le contentement.

La publiculture

Cette critique ne vise pas à rejeter en bloc le « confort bourgeois » et à prôner le retour à la « vie simple » de jadis. La salle de bains, le téléviseur ou l'automobile représentent d'authentiques progrès. Mais il est anormal que ces commodités en viennent à étouffer la personne et que la société se fasse la complice de cette emprise paralysante des biens matériels. Il est absurde que la multiplication de ces richesses augmente les frustrations et non le contentement.

Certes, il ne tient qu'à soi de résister à ces incitations. Il n'y faut pas d'héroïsme, simplement une attention de tous les instants. Il n'empêche que la constance dans le refus est plus rare que le courage dans l'instant. C'est pourquoi le parti de la consommation raisonnable compte moins de partisans que la Résistance en 1942.

La société industrielle ne permet pas ce genre de contestation. Elle s'est organisée pour un certain mode de vie, en sorte que tout comportement différent se heurte à des difficultés nombreuses et irritantes. Si l'on se refuse à surconsommer, on se condamne à vivre dans la gêne et les incommodités de toute sorte, car on se place à contre-courant des structures. Les équipements collectifs insuffisants incitent à la consommation privée, les agglomérations inhumaines font naître le besoin d'évasion, les impératifs professionnels imposent un certain « standing », les produits parasités poussent à la dépense. De toute part le citoyen est acculé à choisir entre l'intégration ou la marginalisation.

D'ailleurs cette fuite en avant dans la consommation n'est pas ressentie comme une contrainte, mais comme un jeu. Elle mêle indissociablement la tension et la détente, l'irritation et le plaisir, la jouissance et la frustration.

Toutes ces conditions réunies expliquent que chacun se donne sans résistance au divertissement obligatoire.

Ce divertissement ne se contente pas de nous retenir par l'attrait de biens toujours renouvelés, il s'érige en véritable culture à travers l'entreprise publicitaire. Car il s'agit bel et bien d'une tentative culturelle. Toutes les annonces se conjuguent pour transmettre une idéologie commune, pour imposer une certaine vision du monde, de l'homme et de son destin.

Le message publicitaire tend moins à présenter un objet que la relation de l'homme à cet objet. On ne dit pas « l'automobile... coûte tant et possède telles caractéristiques », ce qui serait une information objective, et par là même contraire à la publicité, qui doit moins informer que convaincre. La démonstration s'effectue généralement en trois temps. Premier temps : le personnage est malheureux, sa vie est empoisonnée par un problème. Deuxième temps : il découvre le produit miracle. Troisième temps : il rayonne de bonheur. La femme séduit grâce au soutien-gorge..., la ménagère retient son mari grâce aux conserves..., l'automobiliste retrouve sa virilité grâce à la voiture..., et la famille est unie grâce au téléviseur... Autrement dit l'état de grâce est toujours provoqué par l'objet ou le service qui est proposé.

Quoi de plus anodin en apparence ? Et pourtant le publicitaire impose ainsi une véritable idéologie, une conception particulière de l'homme. Elle donne à croire que le bonheur de l'individu est en relation directe et automatique avec l'assistance technique dont il bénéficie. Elle fait du consommateur le reflet de sa consommation. Il ne crée pas sa propre félicité, il la reçoit du monde matériel.

Imaginez un instant une société qui dirait : « Cet homme possède un bel appartement, mais il est malheureux car il n'aime pas sa femme », « Ces hommes boivent le meilleur des whiskies, mais ils ne sont point satisfaits car ils se détestent », « Ce monsieur possède une admirable chaîne haute fidélité, mais il n'en profite pas car il ne connaît rien à la musique », « Ces enfants ont des jouets superbes, mais ils sont tristes car ils ne voient pas assez leurs parents », « Cette voiture est très confortable, heureusement, car les automobilistes y passent des heures à cause des embouteillages », « Cette pastille est bonne pour lutter contre la migraine, mais la détente est encore meilleure », « Cet homme est bien séduisant dans son beau costume, mais il est incapable de faire jouir sa femme », etc.

Voilà qui compléterait heureusement l'idéologie publicitaire, qui remettrait les choses à leur juste place. Hélas, les affiches, les annonces, les films, les photos du système commercial disposent d'un monopole de propagande com-

parable à celui du système politique dans les régimes tota-
litaires. Aucune force institutionnalisée ne vient proposer
une autre vision de l'homme. Les mouvements de consommateurs qui se contentent de choisir entre des produits
concurrents, éventuellement de condamner des produits
inutiles, ne répondent pas à ce besoin dans leur conception
actuelle. Il faudrait pourtant montrer au public la perversion fondamentale de la « publiculture », souligner
qu'une marque de cigarette n'a rien à voir avec la qualité
d'une conversation, que le plaisir de la télévision tient
aux émissions plus qu'au récepteur, que les enfants heureux sont ceux que l'on aime et non ceux que l'on gâte,
que la séduction est affaire de personne et non d'accessoires. Et il faudrait pouvoir le faire avec des moyens
aussi puissants que ceux dont dispose le système industriel : 25 millions de francs lourds dépensés pour la presse,
la radio et la télévision !

Les enfants de la publicité

Les véhicules habituels de la culture : famille, école,
livre, théâtre devraient dire ces choses — mais soyons
sérieux ! Que peuvent les parents, les professeurs ou les
écrivains face à Publicis ou Havas ? Que peuvent-ils surtout lorsqu'il s'agit d'éduquer des enfants ? Car c'est la
jeunesse, dès son âge le plus tendre, qui est devenue la
cible favorite des publicitaires : séduire le fils pour gagner
la mère. Et les professionnels de la vente en savent beaucoup plus long que les enseignants sur la mentalité enfan-
tine. S'ils ne savent pas comment apprendre l'histoire —
mais ils ne s'en soucient pas — ils savent en revanche
comment faire passer une idée simple et forte. Sur ce terrain, ils disposent de la compétence et des moyens. L'esprit
des enfants leur appartient. Il n'est que de voir l'intérêt
passionné des très jeunes téléspectateurs pour les spots de
publicité. A coup sûr ces messages, brefs, simples et dis-
trayants sont exactement adaptés au public enfantin.
Nous ne savons plus dans quelle société nous vivons
ou, plus exactement quelle société découvrent nos enfants.
Si nous croyons toujours que nous leur transmettons un
certain acquis culturel à travers les canaux traditionnels,
nous nous trompons. Le jeune esprit qui s'éveille dans
le monde occidental est d'abord impressionné par les
informations de l'environnement matériel et commercial.
Il est instruit par les objets, les vitrines, les affiches, les
annonces, les spots publicitaires bien plus que par les

discours de ses parents ou de ses maîtres. Or ces supports disent tous la même chose, ils répètent à l'envi que nous vivons dans une société d'abondance, et que l'essentiel est de posséder les objets manufacturés.

La publicité, au sens le plus large, donne à croire que le seul problème est de choisir entre les biens trop nombreux qui sont offerts. Chacun étant supposé avoir les moyens d'acheter, il suffit d'éclairer son choix. Tout naturellement l'enfant en déduit que le bien-être est donné, qu'il existe comme l'air et le soleil et que point n'est besoin de le gagner.

L'adolescent vit dans un monde d'assistance technique gratuite. Il attend de la société, ou plutôt de ses parents, qu'ils lui fournissent sa part d'assistance. Toute limitation dans ses désirs sera ressentie comme une brimade. Pourquoi lui refuser ce que tout le monde possède ? Pourquoi lutter pour se procurer ce qui est offert ?

Les adultes s'étonnent que les jeunes prétendent tout à la fois dépendre de leurs parents sur le plan matériel et s'en affranchir sur le plan moral. Mais quoi de plus naturel ? Ils ne font que se conformer au conditionnement culturel reçu dès l'enfance. On imagine aisément la somme de frustrations, de désillusions qu'ils ressentent quand ils découvrent que l'abondance des vitrines n'est qu'une illusion et qu'ils devront travailler constamment pour en jouir. Mais il sera trop tard pour rejeter le système. Habitués à l'assistance technique, appauvris sur le plan personnel, ils devront, à leur tour, consacrer toute leur vie à poursuivre ce plaisir des choses qui fuit au fur et à mesure qu'on s'en approche.

Ainsi, la publiculture est le ferment nourricier de l'illusion technique. Elle détourne l'homme de ses ressources intérieures pour le fixer sur les ressources matérielles, elle fait admettre la priorité des moyens sur les fins, la prédominance de l'avoir sur l'être.

La culture en désarroi

Et la culture, que devient-elle dans tout cela ? N'existe-t-il pas un « humanisme occidental », mi-chrétien, mi-rationaliste, qui devrait lutter contre la philosophie des marchands ? Hélas ! la culture est en désarroi. La culture d'ailleurs qu'est-ce, sinon un certain « art d'être » propre à une civilisation, un « projet d'homme » qui la caractérise ?

Toute société se doit de proposer à ses membres une « assistance culturelle » qui est le complément naturel de l'assistance technique, et grâce à laquelle l'individu dispose de croyances et de repères qui l'aident à construire son aventure personnelle.

L'homme moderne, si douillettement pris en charge par ses ingénieurs et ses chercheurs, est abandonné par ses prêtres, ses philosophes, ses penseurs, ses artistes. Il est d'autant plus vulnérable au divertissement des marchands qu'il est moins retenu par le discours de ses « maîtres » à penser ou plus exactement « à vivre ». La démission de l'assistance culturelle rend illusoire toute réaction. Car le divertissement moderne est infiniment attrayant, contrairement à ce que croient certains penseurs en chambre. Il ne saurait donc être combattu avec des arguments négatifs ou des méthodes répressives. Il ne sert à rien de dénoncer la publiculture et l'illusion technique si l'on ne peut proposer un autre bonheur, plus profond et plus authentique.

Sciences contre valeur

Reconnaissons d'ailleurs que les promoteurs de la culture marchande ont la partie belle. Ils n'ont en face d'eux qu'une culture en miettes et des clercs démissionnaires. Car s'il est impossible, dans une société scientifique et technique, que l'assistance culturelle ait la même efficacité que dans une société traditionnelle, en revanche, la démission des clercs est un travers détestable de notre monde moderne, et particulièrement de la société française.

Il est certes tentant d'imputer au capitalisme, c'est-à-dire au règne de l'argent, la dégénérescence de la civilisation. Cependant cette critique est assez fondée pour qu'on ne la systématise pas jusqu'à oublier les autres causes. Il est vrai que cette toute-puissance de l'étalon monétaire, cette exacerbation du goût de lucre, suffirait à faire dégénérer toute culture ? Mais il serait naïf d'ignorer la force corrosive de la science et de la technique.

La science s'attaque à toutes les vérités, à toutes les valeurs, à toutes les vertus, à tous les tabous et ces assauts, loin d'aller en diminuant, ne font que commencer. Entre la connaissance et les croyances se développe un « conflit de catégories » qui va se radicalisant.

La querelle de l'avortement fournit un excellent exemple de ce divorce. De quoi s'agit-il ? L'homme a posé au départ, en réponse à une exigence intérieure, qu'il possède une identité particulière qui le distingue absolument du règne animal. Appelons âme, conscience ou esprit ce principe proprement humain. Peu importe. Nous ressentons, comme une exigence de notre culture, sinon de notre nature, le besoin d'une barrière nette entre les catégories du conscient et du non conscient. Ainsi seulement pouvons-nous organiser le monde. Nous nous autorisons à tuer la vie animale, non la vie humaine. Mais toute cette belle construction s'effondre si elle ne se retrouve pas dans la réalité. S'il existe des êtres intermédiaires.

Or la science constate que la nature ne connaît pas cette distinction. Préhistoriquement tous les intermédiaires se sont succédé entre l'animal et l'homme, pathologiquement tous les états existent de la démence totale ou du coma profond à la pleine conscience, embryologiquement toutes les étapes de l'évolution sont parcourues par l'individu. Les catégories bien délimitées de conscient et de non conscient ont été inventées par l'esprit humain en dehors de toute réalité.

Dès lors toutes les querelles entre biologistes pour fixer à un instant donné l'apparition de la conscience, ne sont que discussions sur le sexe des anges... ou sur le baptême des produits de fausses couches. D'un point de vue scientifique, la question n'a pas de sens. La réponse est affaire de pure convention. Il n'existe aucune cohérence entre le système moral qui prétend distinguer le fœticide de l'infanticide et l'embryologie qui suit l'évolution de l'être entre la conception et la naissance.

Convention encore que ces catégories du vivant et du mort. Nous avons besoin qu'elles soient nettement tranchées, alors qu'elles ne sont que les deux pôles d'un processus progressif qui se déroule sans solution de continuité. Demain, le développement des fonctions assistées permettra de maintenir en survie un très grand nombre d'êtres dont nul ne pourra plus dire s'ils sont vivants ou morts. La question se pose dans la plupart des hôpitaux. Elle a pris une importance particulière avec les prises d'organes aux fins de transplantations. Les médecins voudraient bien que la nature leur fixe des limites. Malheureusement, elle ne le fait pas. Un jour, ils débranchent les appareils de survie. C'est tout.

Convention aussi que les catégories morales de bien et de mal. Jamais les sciences de l'homme n'en ont trouvé la moindre trace « naturelle ». Dans son traité de morale prospective, Jean Fourastié notait que « ... L'un des traits fondamentaux de l'évolution de l'atmosphère morale contemporaine est, me semble-t-il, l'éclatement de la notion de bien et de mal en au moins trois domaines, celui de la réalité et de l'erreur, celui de la santé et de la maladie, celui du normal et de l'anormal [1] ». Et Michel Foucault franchit un pas de plus : « Tout se passe comme si la dichotomie du normal et du pathologique tendait à s'effacer au profit de la bipolarité de la conscience et de l'inconscient [2]. » Que devient la permanence des institutions morales quand le bien et le mal s'expliquent par le jeu du conscient et de l'inconscient ? Certes les lecteurs de Freud ou de Piaget sont encore peu nombreux, l'anti-psychiatrie n'intéresse qu'un nombre infime d'individus, mais la masse des citoyens se trouve ébranlée dans ses convictions. Les parents ne savent plus éduquer leurs enfants, les époux ne sont plus sûrs de leurs rapports. Chacun sait que les choses ne sont pas si simples et que les belles certitudes morales n'ont plus cours.

Quant à la religion, la suprême consolation, elle est chaque jour malmenée par l'esprit scientifique. Oh ! les savants n'ont point prouvé que Dieu n'existe pas. La question ne sera d'ailleurs pas posée, car telle est la convention sur laquelle s'est établie la coexistence entre la connaissance et la foi. Mais la science, poursuivant son chemin, piétine allégrement les pelouses de la religion.

C'est en effet une chose de croire en Dieu, et c'en est une autre de s'appuyer sur une religion. Cette dernière, surtout quand il s'agit de la religion chrétienne, implique un lien privilégié entre la création, la créature et le créateur. L'existence de Dieu n'est guère consolatrice, c'est sa présence dans le monde qui apporte le réconfort. En cela les religions chrétiennes faisaient merveille. Elles prenaient en compte le fidèle de la naissance à la mort, elles proposaient une réponse à chacune de ses interrogations. Croire, c'était vivre dans la certitude, c'était s'en remettre à l'Eglise.

La science détruit progressivement cette assistance religieuse. Elle explique le monde et l'homme avec des lois qui ont l'indifférence des équations. Elle ne laisse nulle place à une intervention divine, elle dénonce l'arbitraire de toute morale révélée. Bref, elle ne tue pas Dieu, elle le chasse du monde. Il n'intervient pas dans la grande machine de la nature, il n'intervient pas dans l'histoire humaine — il est tant d'autres histoires dans l'univers —, il n'est pas intervenu pour créer l'homme, et pas davantage pour créer la vie, ni même la Terre. Là où pourrait agir la main de Dieu, la science découvre toujours un phénomène naturel. Il reste évidemment la Création, avec un grand C. Là, du moins, peut-on placer sans crainte le

1. Jean Fourastié : *Essais de Morale prospective.* (Denoël-Gonthier).
2. Michel Foucault : *Les mots et les choses.* (Gallimard).

Créateur. Voire ! La moitié des astronomes pensent que l'univers pulse éternellement entre des phases de contractions et d'expansion, sans avoir jamais eu de commencement. En définitive, le problème de la Genèse pourrait bien n'être comme les autres qu'une création de l'esprit humain, sans aucune correspondance dans la réalité objective.

Ainsi il ne reste plus de la religion qu'un déisme nébuleux, la croyance en un principe suprême qui ne manifeste en rien son existence, son dessein ou sa volonté. La divinité est une absence, et la foi religieuse un manque au cœur de l'homme. Cette croyance n'a rien à redouter de la critique rationnelle ou de la connaissance objective, mais elle ne présente plus aucune différence sociologique avec l'agnosticisme. Car c'est la religion et non la foi qui fournit l'assistance religieuse. La religion morte, l'individu doit se débrouiller tout seul. Avec ou sans jugement dernier.

L'espèce bipolaire

Ce conflit de catégories entre science et religion ne prouve rien quant à la foi. Il n'est pas indispensable que la divinité ait inscrit son dessein dans l'univers. Il se peut que les contradictions actuelles ne traduisent que les limites de l'esprit humain. Quoi qu'il en soit, l'incohérence du « croire » et du « savoir » complique la vie des fidèles. Ils affirment toujours croire en Dieu, mais ils se sentent de moins en moins soutenus par leur Eglise.

Ainsi l'entreprise scientifique est devenue une formidable machine de guerre contre les systèmes de croyances. Elle ne les contredit pas, elle les ignore. C'est bien pis. Si les biologistes avaient découvert que la conscience commence au sixième et non au troisième mois, si les psychanalystes avaient établi que la masturbation n'est pas condamnable alors que la sexualité de groupe l'est, il n'y aurait pas grand mal. Il suffirait de rectifier les valeurs traditionnelles en conséquence. Malheureusement, la science ne dit pas du tout cela. Pour elle, ces questions naissent dans l'esprit humain, un point c'est tout, et il n'existe aucune correspondance entre les systèmes intérieurs et la réalité objective.

Ces conclusions paraîtraient bien étranges aux pères de la pensée moderne. Galilée, Descartes, Newton étaient en effet convaincus que l'exploration scientifique de l'univers ne ferait que conforter les croyances religieuses. Gali-

lée n'affirmait-il pas qu'il n'avait « rien entrepris que
par zèle de la Sainte Église ». Ce sera le raisonnement
d'un Dubcek, croyant régénérer le communisme avec le
printemps de Prague. Mais les hommes de l'appareil, qu'il
s'agisse du cardinal Bellarmin ou de Léonide Brejnev,
sont plus clairvoyants que les réformateurs. Plus lucides
parce que plus sceptiques sans doute. Ils savent flairer
les dangers que ne voient pas les candides révolutionnaires.

L'opposition irréductible que nous découvrons aujour-
d'hui entre les valeurs et la connaissance est inévitable.
Il s'agit de deux systèmes antagonistes. Le premier part
de l'homme, de ses instincts, de ses émotions, des nécessités sociales aussi, et construit un ensemble de normes,
de règles et de catégories sur lesquelles s'édifie une représentation du monde. L'ensemble n'est point structuré par
des relations causales et logiques, mais par des corres-
pondances signifiantes de nature symbolique.

La pensée scientifique, au contraire, part de la réalité,
elle entreprend de la décrire à travers des modèles logiques. Mais elle reste la servante soumise des faits, sa
réflexion est celle du miroir. En sorte que, entre le système fondé sur l'homme et le système fondé sur la réalité
naît inévitablement un conflit de hiérarchie. Lequel a le
pas sur l'autre ? Le monde moderne, à la suite de l'affaire
Galilée, a donné la préséance à la vérité scientifique. Si
les deux systèmes se recoupaient, ce ne serait pas grave.
Par malheur, ils ne se recoupent jamais. D'un côté, l'esprit
distingue le bien du mal, les créatures du Créateur, l'âme
du corps ; de l'autre, il sépare le proton de l'électron, les
forces nucléaires des forces électriques et les conducteurs
des isolants. C'est l'éclatement de la pensée. Le cerveau
ancien, celui qui est en prise directe sur l'affectivité,
fabrique un monde intérieur ; le cerveau récent, celui
qui s'appuie sur la démarche rationnelle, explore le monde
extérieur. Entre les deux pôles la concordance est rompue.
L'espèce bipolaire est en voie d'écartèlement.

Certains ont pu caresser l'espoir de voir les valeurs du
monde nouveau naître de la pensée rationnelle. Mais c'est
une illusion. La connaissance objective détruit les croyances traditionnelles, sans savoir en créer d'autres, sans savoir
structurer les comportements et apaiser les consciences.
C'est au cerveau profond, à la pensée irrationnelle, qu'il
appartient d'apporter le réconfort des croyances. Dès lors
qu'il en est empêché par l'hypertrophie de la démarche
rationnelle et objective, cette fonction disparaît et les
grandes valeurs de référence aussi.

A l'assaut de la science qui, répétons-le, ne fait que
commencer, s'ajoute l'action indirecte, mais combien effi-

cace de la technique. Alors que les systèmes traditionnels ont besoin d'absolu et d'exclusivité, le développement
des transports et des communications les place en état
de confrontation permanente. Qu'il s'agisse de religion, de
morale ou d'organisation sociale, l'homme moderne est
tiraillé par le marché concurrentiel de l'idéologie. Il a
toujours sous les yeux un exemple contraire qui lui rappelle la relativité de ses options. Ceux qui pensent et vivent
différemment ne sont plus des barbares ou des infidèles
lointains mais des individus comme lui, qu'il côtoie tous
les jours dans la vie, dans les journaux ou sur les écrans
de télévision. Il ne peut plus douter que d'autres solutions
existent, tout aussi respectables que les siennes.

Et puis l'environnement moderne se prête mal à la symbolisation. Les institutions laïques, les objets fonctionnels
ne sont justifiés que par leur utilité. Réelle ou supposée.
Le roi n'avait pas à être populaire. Il était de droit divin.
Le vol était un péché avant d'être un crime légal. La
maison était un foyer avant d'être un logement. Les choses
devenaient des souvenirs plus que des utilités. Là encore,
l'engagement affectif a disparu. Les objets manufacturés
sont ce qu'ils sont et rien de plus. Leur utilité d'un jour
ne préjuge pas celle du lendemain. Comment investir une
valeur affective dans un objet standardisé, fabriqué en
série, tout entier centré sur une fonction et destiné à une
vie brève ? On s'attachait facilement à des meubles cente-
naires, à des ustensiles qui exigeaient un effort constant
de l'utilisateur. Ils devenaient des compagnons de travail
et de vie. Mais le téléviseur ou la machine à laver se
réduisent à un bouton rouge. Celui-là ou un autre, qu'importe si le service est rendu. L'environnement technique
s'est adapté à l'homme au point que l'homme ne s'adapte
plus à lui ; et l'on voit les bourgeois réserver à leur maison
de campagne — personnalisée sinon rustique — l'attache-
ment qu'ils n'ont plus pour leur appartement moderne.

Ajoutons enfin le renouvellement constant des connaissances et de la technologie, cette mouvance incessante
de la société et de son cadre qui contrarie le système
essentiellement stable et conservateur de la tradition :
on voit que l'assistance culturelle ne peut plus avoir la
force et la cohérence des temps anciens. Elle n'en reste
pas moins indispensable pour guider l'individu et lui éviter
de s'enliser dans les pièges de la vie moderne.

Jadis le peuple vivait sur un héritage culturel fait d'institutions, de traditions et de folklore qui se perpétuaien'
aisément dans le monde stable et clos des collectivités
urbaines ou villageoises. La vie culturelle était entretenue
et vivifiée de la base et non du sommet. L'élite pouvait
se livrer aux jeux de l'esprit pour le plaisir d'un petit

public aristocratique. Il n'était pas essentiel que le paysan de la Corrèze connaisse les pièces qui se jouaient à la cour et les tableaux qui ornaient les châteaux.

Or il en va tout différemment aujourd'hui, où la création culturelle doit être démocratique à l'égal du plastique, du Coca-Cola et de l'automobile. Ce n'est pas une revendication idéaliste, mais le complément indispensable du progrès. Ce changement investit l'élite intellectuelle d'une mission entièrement nouvelle.

Par raison autant que par conviction, par réalisme autant que par optimisme, il est raisonnable de miser sur la conscience collective pour provoquer les redressements nécessaires face aux désordres de l'illusion technique. Mais il ne s'agit pas de cette sagesse populaire qui connaîtrait d'instinct les maux et les remèdes, de ce langage des faits qui se ferait entendre en toutes circonstances. L'espérance doit se fonder sur une opinion adulte. Non point celle d'une foule et pas davantage celle d'une élite ; celle d'un corps social sain. D'un organisme où chaque organe remplit sa fonction. La culture doit être un courant permanent d'échanges grâce auquel le créateur instruit le public et le public instruit le créateur.

Il appartient au pouvoir politique d'organiser une telle fonction. Il est vrai que ce préalable constitue, à lui seul une véritable révolution. Changer la culture, c'est nécessairement changer la société. Aussi longtemps que l'opulence des riches côtoiera le dénuement des pauvres, il sera impossible de réagir contre le goût immodéré des biens matériels. Le luxe de quelques-uns entraînant les besoins de tous, il faut d'abord redistribuer les richesses afin que disparaissent les classes les plus fortunées comme les plus démunies. Alors, et alors seulement, il sera possible de réduire la tension sociale qui exacerbe les désirs.

Mais il faut aussi créer les bases matérielles d'une vie différente. La nature des biens offerts, des structures sociales, des situations professionnelles, tout aujourd'hui pousse le citoyen dans les pièges des marchands. Il conviendrait donc de développer progressivement un secteur de consommation organisée dans lequel les biens collectifs auraient la priorité sur les biens individuels, où les produits simples et robustes prendraient le pas sur les produits sophistiqués et fragiles.

Enfin, devrait être contenue la pression écrasante du conditionnement publiculturel. Ne pourrait-on créer une taxe sur les dépenses publicitaires qui financerait l'éducation des citoyens ? Grâce aux ressources ainsi dégagées, une autre publicité verrait le jour. Elle dirait que la vitesse des voitures ne fait rien à l'agrément des vacances, que les désodorisants sont inutiles quand ils ne sont pas dangereux, que l'on doit améliorer les conditions de travail des O.S. et non la ligne des automobiles, que l'aéronautique gaspille l'argent en renouvelant trop rapidement les modèles, que les jouets chers ne rendent pas les enfants plus heureux.

Dans ces conditions, les industriels n'auraient guère intérêt à multiplier les annonces puisqu'ils favoriseraient simultanément le développement d'une publicité contraire. Ils perdraient enfin le monopole scandaleux de pouvoir utiliser notre cadre de vie pour vanter leur idéologie.

On ne doute évidemment pas qu'il est bien naïf d'énoncer de telles propositions quand le gouvernement français introduit la publicité privée dans la télévision d'Etat. Ce qui, par parenthèse, est une mesure classique de démission politique. Plutôt que de rendre la taxe proportionnelle aux revenus, on préfère imposer les messages publicitaires à tous les enfants de France. Alors, dans dix ans, les parents auront de très désagréables surprises quand ils verront les conséquences de ce choix détestable.

Quel peut être le rôle des créateurs culturels alors que ces préalables n'ont aucune chance d'être satisfaits dans un proche avenir ? Comme pratiquement la société ne changera pas sans qu'intervienne une prise de conscience, les « intellectuels » devraient contribuer à la susciter aujourd'hui en révélant les pièges de la culture marchande et les avantages d'une existence authentique. Certes, leurs possibilités d'expression paraissent dérisoires en comparaison de l'arsenal publicitaire. Pourtant les moyens modernes de diffusion peuvent transformer une œuvre en événement. Mais nous butons là sur le deuxième obstacle qui freine l'avènement d'un renouveau culturel : la démission des élites.

De l'élitisme à l'ésotérisme

Qu'est-ce que l'élite culturelle ? Elle comporte assurément les créateurs artistiques, écrivains, metteurs en scène, artistes ; mais elle comporte également tous ceux qui peuvent apporter de nouvelles réponses, philosophes, sociologues, hommes politiques. Elle comporte enfin, et surtout, l'ensemble du corps professoral qui forme les esprits. Tous ces personnages agissent à un titre ou à un autre, sur leurs concitoyens, même s'ils n'exercent pas leur influence à travers les moyens matériels comme les producteurs, mais à travers des créations intellectuelles.

Cette élite — faudrait-il dire ces « culturateurs » ? — possède une double mission qui correspond à la double mission de la communauté scientifique. Cette dernière poursuit également un travail de recherche fondamentale et un travail de fabrication industrielle. Et de même la communauté culturelle doit-elle se livrer à la recherche d'avant-garde en poussant plus avant sa réflexion, en expérimentant de nouveaux moyens d'expression, en explorant les profondeurs de la personne humaine et du corps social, tout en assurant une certaine production qui apporte au plus vaste public l'information, l'éducation, la réflexion et la distraction. Les deux domaines ne sont pas plus séparés que la science fondamentale de ses applications, pourtant il importe de bien les distinguer et d'assurer entre eux un juste équilibre afin d'éviter tout à la fois les pièges d'un ésotérisme inaccessible et d'un « réalisme socialiste » à la pesante stupidité. Face à la « production populaire » proposée par l'industrie et le commerce, il faut une « production populaire » d'œuvres culturelles. Il ne s'agit point d'une revendication idéologique, mais d'une nécessité sociale.

Il suffit de définir ainsi la « fonction culturelle » pour dresser un réquisitoire contre les créateurs intellectuels français. Tout comme leurs collègues scientifiques, toujours attirés par les délices de la recherche pure ou de la technologie avancée, ils se sont livrés aux plaisirs de l'avant-garde en négligeant complètement les besoins d'un public populaire.

Bien sûr, il y a eu le T.N.P., l'exemple même de l'entreprise culturelle réussie. Si ce n'est que Jean Vilar n'a créé aucune œuvre importante d'un dramaturge français contemporain. Aucun grand auteur populaire n'est apparu en France depuis trente ans.

De Genet à Beckett et de Gatti à Billetdoux tous les dramaturges recherchent de nouveaux moyens d'expression alors que le public populaire court toujours au Châtelet. Les animateurs des maisons de la Culture ont bien souvent suivi cette mode. Le théâtre français continue à produire des œuvres de grande qualité, mais qui ne sont jamais accessibles aux non-initiés. Il n'y a que les vaudevillistes pour savoir encore s'adresser à un public populaire.

Et pourtant n'est-ce pas un vaudeville le Mariage de Figaro qui a lancé les plus virulentes attaques contre l'ancien régime ? le Malade Imaginaire ne ridiculisait pas les médecins de l'antiquité, mais ceux du xviiᵉ siècle. Molière n'hésitait pas à piller l'arsenal comique de l'époque, tel un « gagman » d'Hollywood, pour pousser la satire et atteindre « le parterre ». Plus récemment Jules Romain a su faire rire la France entière avec Knock. N'y a-t-il plus rien à reprendre dans la médecine moderne, plus rien qui pourrait provoquer la prise de conscience par la distraction ? Pourquoi faut-il qu'on ne déclenche le rire qu'avec les adultères des bourgeois et que la dénonciation des tares sociales prenne obligatoirement la forme d'austères analyses ou d'œuvres alambiquées ?

Et pourquoi les écrivains qui ont la pensée la plus originale ont-ils aussi le style le plus difficile ? Pourquoi les musiciens de qualité ne produisent-ils que pour une toute petite élite d'initiés ? Pourquoi les peintres novateurs se perdent-ils dans des recherches déroutantes ? Partout et toujours il semble que la qualité du fond doive se marier à la difficulté de la forme. Ainsi le public — le vrai celui que l'on qualifie de « non-public » dans les milieux de la « théâtralogie » — doit-il se rabattre sur les productions « commerciales », les seules qui lui soient accessibles et qu'il ne les choisit pas en raison de leur néant intellectuel, mais précisément de leur simplicité formelle.

Des œuvres de qualité peuvent obtenir un grand succès populaire quand elles sont aisément accessibles. Jean Ferrat a chanté pour la France entière l'exode rural, la mère au foyer ou la déportation. Costa-Gravas a montré l'affaire Lambrakis à des milliers de spectateurs et Stellio Lorenzi l'époque cathare à des millions de téléspectateurs. Si de telles œuvres ne constituent pas des événements sur le plan artistique, du moins répondent-elles parfaitement aux impératifs de la « production populaire » qui doit coexister avec la recherche d'avant-garde. Il est vrai que Jean Ferrat a écrit : *Je twisterais les mots s'il fallait les twister pour qu'un jour les enfants sachent qui vous étiez.*

Mais combien de créateurs accepteraient de « twister les mots » pour atteindre le public populaire ! Bien peu en vérité, un tel effort étant généralement qualifié de « concessions commerciales » alors qu'il s'agit simplement de respect du public. Il est non moins faux de prétendre que le système capitaliste étouffe la créativité intellectuelle, puisque les œuvres réellement populaires deviennent généralement des succès commerciaux et qu'elles trouvent aisément des promoteurs pour les lancer. Quelle maison de disques refuserait d'enregistrer Georges Brassens ?

Evidemment il arrive au gouvernement d'interdire certaines œuvres. C'est détestable sur le plan des principes, et absurde sur le plan des réalités, car il s'agit le plus souvent d'ouvrages ésotériques qui ne sortiront pas d'un petit cercle parisien. Il faut être borné comme certains de nos ministres pour s'alarmer des *Paravents* ou de *Eden-Eden*. Hélas ! la communauté culturelle n'est plus digne de la censure ! Combien a-t-elle produit de *Jacquou le Croquant* ? Si peu en vérité qu'il n'y a pas de quoi fouetter un auteur ou payer un censeur.

Le moins triste n'est pas que cette élite intellectuelle ne cesse de proclamer ses convictions de gauche et n'a que les mots « peuple » et « révolution » à la bouche. Mais il est courant de mener une idéologie de gauche et une activité professionnelle élitiste. En définitive les seuls créateurs qui se soucient d'atteindre le peuple le font dans un esprit de lucre. Ils se disputent le marché en rivalisant de conformisme et de complaisance. Les bons auteurs, eux, ne mangent pas de ce pain-là ; et c'est pourquoi le peuple doit en manger.

Faut-il déplorer cette incommunicabilité ? On le demande. Si l'élite intellectuelle ne sait pas parler au public populaire, il n'est pas prouvé pour autant qu'elle ait quelque chose à lui dire. Si l'on considère les « thèmes à la mode », on n'y trouve en effet rien de bien exaltant : impossibilité de vivre, échec, solitude, drame. Aucune œuvre ne présente cet « autre bonheur » qui devrait attirer les esprits. Car le bonheur est idiot. Chanter l'amour, l'amitié, la réconciliation, proposer une perspective heureuse en dehors de notre horizon quotidien, cela s'apparente automatiquement au boy-scoutisme ou à l'imbécillité de la culture officielle socialiste. La bonne culture doit être suicidaire. Et si la subversion contemporaine était celle du bonheur ? De l'autre bonheur ? Mais encore faudrait-il présenter les avantages d'une société régénérée.

Lorsque monsieur Mansholt tenta de proposer un renouveau culturel en compensation d'une austérité relative, il se heurta à une incompréhension totale. Le public n'avait pas idée de ce que pourrait être cette « autre vie » dont il parlait. Nul ne la lui avait jamais présentée. Et de fait, il serait absurde de troquer nos divertissements commerciaux contre les tristes jeux intellectuels que l'on baptise « culture ».

Certains diront : « c'est l'époque qui veut ça » ; en réalité, c'est la démission d'une élite coupée du peuple, ignorante de ses fonctions sociales et tout entière préoccupée de sa propre satisfaction. La communauté culturelle crée pour elle un monde abstrait, souvent sinistre, et qui ne correspond plus en rien à la réalité vécue par les hommes contemporains.

Triste l'école

Une production culturelle, si populaire, si heureuse soit-elle, ne saurait pourtant compenser toutes les occasions qui furent gâchées dans l'enfance. C'est l'enfant qu'il faut éduquer en priorité et non l'adulte. Hélas, notre Éducation nationale n'est nullement capable de fournir cette culture de base qui enrichit l'individu « quand il a tout oublié ». Il n'est que de juger l'arbre à ses fruits. Notre enseignement secondaire, pour autant qu'il n'est pas un enseignement professionnel, devrait être une « initiation à la culture ». Et de fait, le jeune bachelier français s'est beaucoup frotté à « l'héritage ». Il connaît ses auteurs, distingue les écoles littéraires, et possède un lot d'alexandrins dans son tiroir à citations. Il disserte sur les amours contrariées de Bérénice, calcule la force qui distend un ressort à boudin, et vous mitraille de dates historiques, tel un candidat du « Quitte ou double ». Sans doute possède-t-il même un « bagage » plus riche que ses camarades étrangers. Mais il a rempli ses valises dans un magasin d'antiquité ; on n'y trouve ni l'automobile, ni le téléphone, ni l'appareil photo, ni rien de ce qui nourrit l'expérience quotidienne. C'est un trésor desséché.

Aussi le Français, si bien nourri de « culture » durant sa vie scolaire, est-il un être assez inculte. Il lit très peu — et certainement pas les Classiques —, il n'est ni mélomane, ni artiste. Il se désintéresse de la connaissance scientifique s'il n'en fait pas sa profession. Bref, il est tout sauf un « homme cultivé ». Et de plus, il est incapable de mettre la technique au service de ses plaisirs culturels. Il aime la voiture, la télévision, la photographie ou la stéréophonie, mais il les aime au niveau des moyens ainsi que le lui enseigne la publicité. Car nul ne lui a appris l'art de vivre avec les robots modernes. Nul, sinon les agents de la publiculture.

Car la conception de la culture qui a fait faillite, c'est malheureusement celle du corps enseignant. Eduquer dans cette optique cela signifie transmettre un héritage, et cette notion d'héritage est aussi fausse que celle de transmission. Dans un monde changeant comme le nôtre le legs du passé perd de son poids, sinon de sa valeur. Le romantisme d'aujourd'hui ne se trouve plus dans Lamartine, mais dans l'art de rouler à petite vitesse sur les routes secondaires en admirant le paysage, dans la manière de prendre la photo-souvenir qui ne sera pas la carte postale de touriste. Le classicisme n'est plus seulement dans Racine, mais dans les disques, qu'il faut savoir choisir avec discernement malgré le matraquage publicitaire, dans les objets modernes, souvent fort beaux et pas forcément très chers.

Philosopher, ce n'est plus disserter sur des discours généraux et anciens, mais poser un regard lucide sur la réalité la plus quotidienne. C'est connaître également les mécanismes du marché, les structures sociales, le travail des agriculteurs modernes et le fonctionnement d'un téléviseur. Et ce sera aussi — mais seulement « aussi » — posséder certaines racines profondes.

Cet acquis, il ne s'agit pas de le transmettre, c'est-à-dire de le transvaser dans une mémoire ainsi qu'on introduit un programme dans un ordinateur. L'homme cultivé n'est pas un homme de savoir, mais un homme de goût. Il est riche de ce qu'il désire connaître et non de ce qu'il connaît. Cultiver, cela ne signifie pas « apprendre », mais « donner le goût ». Cette définition suffit à condamner tout notre enseignement. En bonne théorie, il faudrait faire passer le bachot à l'âge de quarante ans. C'est alors seulement que l'on pourrait juger si l'éducation reçue par l'enfant a profité à l'adulte. Gageons que le pourcentage d'échecs serait élevé et que la rentabilité du système apparaîtrait enfin pour ce qu'elle est : dérisoire.

La responsabilité des pouvoirs publics dans une telle faillite n'est pas contestable. Depuis un demi-siècle ils laissent tourner à vide la grande machine scolaire. Les maîtres n'ont ni la formation ni les moyens nécessaires pour actualiser l'éducation. Mais il est trop commode de toujours rejeter les responsabilités sur l'Etat qui s'est généralement contenté d'entretenir le conservatisme stérilisant du corps enseignant.

Peut-on encore régénérer l'école ? Ce n'est probablement pas possible aujourd'hui. Les enseignants forment un clergé corporatiste coupé de la vie productive et ne souhaitent pas l'ouverture sur la société. Redoutant justement la culture mercantile dont ils peuvent constater les ravages sur les esprits enfantins, ils prennent une attitude de repli et de défense vis-à-vis du monde industriel et commercial. Ainsi, l'Education nationale devient-elle peu à peu une Bastille de la culture. Il vaudrait pourtant mieux ouvrir délibérément l'école au monde moderne pour régénérer à la fois son enseignement et la vie sociale.

Il faut voir aussi les risques d'une telle entreprise. Mal conduite, elle aboutirait à institutionnaliser la publiculture comme idéologie officielle. Il n'empêche que la politique actuelle livre les jeunes pieds et poings liés au conditionnement publicitaire. Alors que risquons-nous à provoquer délibérément la confrontation des deux cultures ?

Ouvrir l'école, cela voudrait dire faire entrer en force le monde moderne dans l'enseignement. Apprendre à être automobiliste : préférer le sourire échangé avec le piéton qu'on laisse traverser au regard triomphant lancé au conducteur qu'on double. Apprendre à être téléspectateur : regarder certaines émissions délibérément choisies et non

l'ensemble du programme. Apprendre à voyager : construire sa propre aventure plutôt que s'en remettre aux
agences de tourisme. Apprendre à être amoureux : utiliser
les ressources de la contraception pour vivre pleinement
une expérience amoureuse et non pour limiter l'amour à
la « génitalité ». Apprendre à être malade : défendre soi-
même sa santé et non démissionner entre les bras de
la médecine.

Mais comment trouvera-t-on encore le temps d'apprendre « l'héritage » ? Sans doute ne pourra-t-on plus enseigner les « humanités » comme aujourd'hui. L'élève quit-
tera le lycée avec des « trous » abominables. Qu'importe
s'il a pris goût à la culture ! Désormais, l'enseignement
doit parier sur l'avenir, il doit viser à révéler plus que
le savoir : le plaisir d'apprendre et de s'enrichir.

Un corps enseignant cléricalisé, voué à la pédagogie
de vingt à soixante ans, vivant dans le monde clos de
l'Education nationale, coupé de la vie productive par ses
activités, son entourage et son statut, n'est certainement
pas capable de donner une telle formation. Sans doute
faudrait-il un noyau de pédagogues professionnels, recevant une formation spécifique, mais il faudrait aussi peut-
être qu'une grande partie des professeurs exerce une autre
activité dans la cité.

Ne pourrait-on faire enseigner les sciences par des
ingénieurs ou des médecins, les langues par des cadres
commerciaux, le français par des fonctionnaires, des avocats ou des journalistes, etc. A l'inverse des enseignements
de formation ne pourraient-ils travailler durant plusieurs
années en dehors de l'Education nationale ? Pourquoi un
agrégé de lettres ou d'histoire ne se convertirait-il pas
un temps dans la banque ou l'administration ? La rentabilité de l'ultraspécialisation n'est jamais qu'une fausse
rentabilité, s'il est difficile de mêler les hommes et les
genres, ces mélanges sont souvent profitables.

On devrait plaindre sincèrement le ministre de l'Education nationale qui tenterait de mettre en pratique certaines de ces idées. Il verrait se dresser devant lui le
corps professoral comme un seul homme. Mais ce qui
est vrai aujourd'hui ne préjuge en rien de l'avenir. La
condition sociale et psychologique de l'enseignant ne cesse
de se modifier, de se dégrader. Toutes les enquêtes prouvent que les enfants s'ennuient à l'école. A la veille de
mai 1968 un éditorialiste célèbre diagnostiquait : « La
France s'ennuie. » On sait désormais comment la jeunese
réagit à l'ennui. L'enseignement ne correspond plus à la
vie moderne, et ce divorce rend le travail des professeurs
de plus en plus pénible, mais l'on doit considérer ces
difficultés comme d'heureux présages. Tant que les enfants

acceptaient passivement l'éducation désuète, les maîtres n'étaient guère incités à la renouveler. La nouvelle attitude des élèves les oblige à se remettre en question. Pour le pire, ou pour le meilleur. Pourquoi pas ?

« Quand on parle culture, je sors... » dit le Français qui boude avec conscience et persévérance toutes les émissions télévisées, dites culturelles. Et quand il sort, il trouve le marchand.

Rien ne prouve que la fausse adaptation de l'homme à ce monde artificiel du divertissement et de la culture publicitaire continuera indéfiniment. Rien ne prouve non plus que la nouvelle culture ne naîtra pas spontanément de la population même. Mais ce renouveau, s'il doit intervenir, sera d'abord le fait du bonheur et de la joie.

Pour briser le mirage des vitrines, il faut croire aux éclats de rire plus qu'aux pavés et plus au plaisir qu'aux barricades pour échapper à la publiculture. « Faites l'amour et soyez heureux ! » C'est devenu le slogan révolutionnaire absolu. Non pas l'amour génital, mais l'amour de la musique, de ses amis, de ses enfants, des arbres et de la montagne de tout ce qui ne s'achète pas, de tout ce qui ne devrait pas s'acheter.

En ces temps d'illusion, la culture est tout simplement devenue « l'art de l'essentiel ». Remettre chaque chose à sa place. L'homme au centre, les choses autour. Il n'en faut pas plus pour remettre le monde sur ses pieds et sortir des illusions.

Si cette révolution doit se propager, elle se répandra plus par contagion que par conversion. Car il faut que ce bonheur vrai soit vécu ; alors seulement il fera envie. Il sera contagieux. Que des individus, toujours plus nombreux, préfèrent, comme Bertrand de Jouvenel, prendre le temps de converser avec un ami en buvant de l'eau dans un verre à moutarde, plutôt que de « traiter » superbement des « relations » ; alors quelque chose aura changé. Alors l'exemple de quelques-uns suscitera l'interrogation et l'envie des autres.

Pour la fête

Enfin, nous aurons réussi cette renaissance, le jour où nous aurons retrouvé la fête. Aucune société n'a vécu comme la nôtre dans ce morne écoulement d'un temps uniforme. Toutes ont senti le besoin de ces ruptures, de ces plongées dans l'imaginaire. Mais nous, nous avons réduit la fête au congé et sa célébration au repos. S'il est une marque tangible de dégénérescence dans notre culture, c'est bien celle-là. Comme elles sont tristes ces foules désœuvrées qui flânent dans les rues parce que c'est l'Ascension ou le 14 Juillet ! Que célèbre-t-on ? Nul ne le sait. Au reste, cela n'a aucune importance, c'est un dimanche de plus. Rien d'autre. Il reste Noël. Une petite réjouissance dans le cadre restreint de la famille. Heureusement que les enfants ont gardé le sens de la fête ! Sans eux on s'emmerderait autant à Noël que le lundi de Pâques.

Je me souviens avoir assisté dans mon enfance à de grands pardons bretons. Je revois Paimpol décoré de l'église au port. Chaque fenêtre, chaque bateau, chaque boutique, chaque habitant, tout était paré pour ce seul jour. La population, bannières en tête, accompagnait la Vierge dans les rues de la ville. Chacun, ou presque, avait versé son obole pour payer une couronne de joyaux à la statue qui s'avançait, précédée des cardinaux qui balayaient le sol de leur immense traîne rouge. Dans quelques années les pardons auront disparu. Ceux qui subsisteront seront organisés par le syndicat d'initiative à l'intention des touristes. Sur le plan des principes, je n'aurai pas l'hypocrisie de regretter leur disparition, mais je peux attester que, ces jours-là, il se passait quelque chose. Et je suis convaincu que, désormais, il ne se passera plus rien. Rien que les bals du samedi soir et les défilés de la fanfare précédée par les abominables majorettes. Qu'importe si ces fêtes étaient absurdes, je sais que la Bretagne se sera appauvrie, de les avoir perdues sans rien créer en remplacement.

Ne doit-on pas regretter la disparition du carnaval ? Du vrai carnaval. Que chacun retrouve un temps sa totale liberté, hors des contraintes sociales, que les envies réprimées dans le temps normal puissent s'exprimer. Sans culpabilité. Les individus s'enrichiraient, se régénéreraient, se libéreraient dans cette « désocialisation » des comportements. Qui n'a pas ressenti cela en mai 1968, n'a rien compris à l'événement.

Chapitre 10

LA NOUVELLE FATALITE

Plus les sociétés industrielles progressent, plus leur paradis terrestre paraît peuplé de mirages. Toutes les cartes, toutes les boussoles indiquent qu'elles avancent dans la bonne direction, et, de fait, les actionnaires du progrès touchent d'énormes dividendes, mais les merveilles annoncées perdent leur réalité à mesure qu'elles deviennent accessibles, et les bénéficiaires ont le sentiment d'être floués.

Il ne suffit pas de dire et répéter que nos ancêtres connurent les malheurs en comparaison desquels nos difficultés ne sont que des incommodités. Nous avons remporté tant de succès qu'il n'est pas concevable de se référer au passé pour justifier le présent. Les embarras de la Rome antique n'excusent point ceux de Paris et les épidémies médiévales ne peuvent servir d'alibi à la médecine moderne.

L'homme étant le seul juge de son bonheur, il faut bien admettre qu'il existe un malentendu. Nous avons beau réunir toutes les conditions que nous jugeons nécessaires, nous n'obtenons pas l'effet désiré. Force est de réexaminer les hypothèses de départ.

Les rendements décroissants

Il est frappant de constater le décalage croissant entre les succès économiques et techniques d'une part, les difficultés des sociétés et des individus, de l'autre. C'est là que le système paraît s'être déréglé. Le progrès, le vrai, celui qui se réfère au bonheur et non au bien-être matériel, semble s'épuiser dans sa course en avant.

La progression devient de plus en plus difficile, les bénéfices de plus en plus minces, les inconvénients de plus en plus grands : nous subissons la loi des rendements décroissants. Les progrès de l'emballage apportent moins de satisfactions que le tout à l'égout, la thérapeutique moderne fait moins progresser l'espérance de vie que l'hygiène et la vaccination, le visiophone enrichira moins les communications que la télévision. Le rapport coûts/avantages se détériore. Dans certains cas, il est déjà franchement négatif.

Ce fait est masqué par la présentation comptable des résultats qui transforme tout bilan positif en bulletin de victoire. Mais voilà un certain temps que la réalité dénonce la fiction. Dans tout le monde occidental, le décalage entre les comptes fictifs et les mécomptes réels s'impose comme une évidence, et les critiques formulées ici ne sont pas les premières. Chacun sent plus ou moins confusément que le progrès ne correspond plus à une amélioration de l'existence, que l'entreprise s'est emballée à la manière d'une machine qui n'embraye plus sur son travail.

La loi des rendements sociaux décroissants remet en cause les postulats de l'état libéral. Si l'avancement de la technique et le développement de la production n'entraînent pas automatiquement une amélioration de la vie, le système « d'économanie » devient absurde. C'est pourquoi le capitalisme libéral perd un à un tous ses zélateurs. La droite n'est pas moins ardente que la gauche à flétrir dans ses discours le « capitalisme sauvage » et tout le monde paraît d'accord pour « corriger les inégalités », « dépasser la croissance comptable », « restaurer la qualité de la vie ». Ces pétitions de principe n'ont pas toutes la même sincérité, pourtant elles traduisent une prise de conscience générale. Ceux-là même qui profitent des illusions actuelles — et qui souhaitent continuer à en profiter — n'osent plus les défendre ouvertement.

Mais il semble que la volonté politique n'ait plus prise sur les événements et que l'exacerbation des crises et des contradictions soit seule capable d'en infléchir le cours. Bref, le monde industrialisé serait le jeu d'une nouvelle fatalité, comme si son dynamisme créateur s'était transformé en une force aveugle qui le domine et l'entraîne.

D'une fatalité à l'autre

La fatalité, ce n'est pas une nouveauté dans l'histoire humaine. Elle a dominé toutes les sociétés traditionnelles. Aujourd'hui encore elle écrase les peuples du Tiers Monde, paralysés en outre par l'habitude de se résigner et de subir. Alors même que la fatalité des forces naturelles n'existe plus, celle d'un passé culturel continue à écraser toute volonté de progrès. La modernisation de l'agriculture se heurte aux traditions ancestrales, la contraception au mythe de la virilité, l'esprit d'entreprise à des millénaires de résignation. L'homme reste prisonnier de son univers socioculturel et, quel qu'en soit son désir, il ne peut le modifier.

L'histoire industrielle, elle, n'est pas millénaire. Tout juste centenaire. Elle est née de la volonté et non de la résignation. Pourtant elle conduit aux mêmes résultats. Le P.-D.G. prétend qu'il fera faillite s'il s'écarte des fictions comptables ; le ministre des Finances craint de provoquer une crise économique s'il veut dépasser les préoccupations productivistes ; l'ingénieur démontre qu'aucune solution n'est applicable en dehors de ses prothèses technologiques.

Pour tous ces responsables, le progrès est unidirectionnel et ne nous laisse de choix qu'entre la voie de l'illusion et celle des désastres. Un étrange déterminisme condamnerait les sociétés industrielles à gaspiller follement leurs forces créatrices pour conserver ce dynamisme sans lequel elles s'effondreraient.

En définitive, l'homme n'aurait abandonné une fatalité que pour retomber dans une autre. Hier incapable d'adapter son milieu, il serait aujourd'hui incapable d'adapter son action. Entre l'inertie qui le paralyse et la force qui l'emporte, il resterait l'oublié de sa propre aventure.

Il faut rechercher à la base de la civilisation technicienne l'aberration qui lui a fait perdre l'homme et, dans ses réalisations présentes, le piège qui lui interdit de le retrouver mais, une fois de plus, nous devrons interroger d'abord les sociétés traditionnelles.

La mise en problèmes

Le monde de la tradition est essentiellement intériorisé. Il n'accomplit pas son projet au niveau des réalisations concrètes mais au niveau des consciences. Chaque aspect particulier de la vie collective, travail, famille, village, médecine, religion, politique, morale est incompréhensible si on l'isole de l'ensemble. C'est la globalité, reconstituée au niveau de l'expérience vécue, qui donne à chaque fait sa signification. Quand les ethnologues veulent trouver le pourquoi des choses, ils sont entraînés dans une série d'explications en cascade qui finissent toujours par relier le détail au fondamental. C'est ainsi qu'au fil des millénaires et de façon tout empirique chaque communauté humaine a construit sa propre cohérence, une cohérence subjective et non objective, globale et non partielle. Mais ce qu'un homme de la tradition appellera une cohérence sera une incohérence pour l'organisateur moderne.

Gessain rapporte que les Ammassalimut ne font pas des réserves suffisantes pour l'hiver. Ils se conduisent donc de façon absurde à nos yeux : « Imprévoyance, insouciance, penseront les Occidentaux... Mais, dans un monde où les forces du vent et des glaces sont si puissantes, où les forces de la nature sont si déterminantes, n'est-il pas mieux de vivre dans la confiance ? Ce n'est pas en faisant des réserves qu'on obtient des dons. Trop de réserves, ne serait-ce pas impoli vis-à-vis de ces âmes immortelles qui, dans un éternel retour, offrent leur corps animal [1] ? »

Étrange retournement des choses ! Les Eskimos préfèrent, inconsciemment, assumer les risques d'un environnement qui garde sa signification plutôt que de les diminuer au détriment de cette représentation symbolique qui les aide à vivre. La réalité c'est l'homme, sa vie ; c'est-à-dire une totalité. Résoudre la question des réserves indépendamment de toute l'expérience vécue, c'est un non-sens. La cohérence n'est pas recherchée dans le problème particulier, car celui-ci n'a jamais été perçu isolément, elle est dans la conscience vivante de chacun. Les choses ne sont pas ce qu'elles sont, mais ce que l'esprit en retient.

Au contraire, notre civilisation s'est complètement extériorisée. Elle ne considère pas l'expérience vécue, mais la situation objective, qu'elle tente de transformer. Pour appréhender son objet, elle utilise la raison : une espèce de bistouri intellectuel qui tranche dans le vif pour lui conférer la simplicité de l'inanimé.

La méthode rationnelle, comme l'apprend Descartes, consiste « à diviser chacune des difficultés... en autant de parcelles qu'il se pourrait et qu'il serait requis pour les mieux résoudre ». Il s'empresse d'ajouter pourtant que s'il veut commencer par les choses les plus simples, c'est pour : « monter peu à peu comme par degrés, jusqu'à la connaissance des plus composées ». On voit bien tout l'avantage d'une telle approche. La meilleure façon de comprendre une automobile, c'est encore de la démonter. Mais on ne doit pas sous-estimer les risques de cette opération, relativement facile, que constitue la segmentation en objets élémentaires, car elle détruit le réel sans l'expliquer. Un étalage de 1 000 pièces détachées n'est pas une automobile, et n'est pas davantage explicite de son

---

1. *Ammassalik ou La civilisation obligatoire, op. cit.*

fonctionnement. C'est la remontée du plus simple au plus complexe, la synthèse, qui permet seule d'atteindre la compréhension. C'est en effet peu de chose de bien connaître chacun des éléments, l'essentiel est de saisir l'ensemble des relations qui les unissent.

Or l'approche moderne segmente à l'infini la réalité. Et de cette division naît l'efficacité. Mais cette atomisation ne vise pas à comprendre la réalité, elle prétend s'en débarrasser, déterminer des structures d'action plus commodes qu'une globalité paralysante. Tout se passe comme si les garagistes, après avoir démonté le véhicule, s'emparaient chacun d'une pièce et entreprenaient de « l'améliorer », sans souci du fonctionnement d'ensemble. Mis en pièces — ou plus exactement en « problèmes » — la société et l'individu n'existent plus. Ce réductionnisme est une mise à mort pure et simple. Quant à la vérité subjective, cette vision totalisatrice et récréatrice de la conscience, elle est purement et simplement ignorée. Ainsi, l'efficacité rationnelle, loin de comprendre son sujet, le trahit doublement, en ignorant le plan subjectif d'une part, en négligeant les interactions complexes de l'autre. La civilisation technicienne ne joue plus l'homme, mais les choses, elle ignore le tout pour se concentrer sur les parties. D'une réalité insaisissable, elle fait mille réalités faciles à appréhender. C'est l'explosion de l'action et l'éclatement de la vie.

La perte du réel

La civilisation technicienne a beau être matérialiste, elle n'est pas pour autant réaliste. En effet la réalité première de toute civilisation, c'est l'homme. Non pas le reflet d'une certaine condition objective, mais le centre créateur d'un univers affectif : une réalité subjective. Une société n'est réaliste que si elle appréhende le monde dans sa totalité et sa diversité et si elle tente de l'organiser en fonction de l'expérience vécue par ses membres. En dehors de cette démarche s'ouvrent les voies de l'illusion. Est illusoire le progrès qui s'accomplit au niveau des symbolisations et qui vise à mystifier l'individu faute d'améliorer son sort, illusoire également celui qui transforme l'univers matériel sans délibérer cette action dans une perspective proprement humaine. Tel est le nouvel irréalisme, plus subtil, plus insidieux, qui emporte les sociétés industrielles vers l'illusion technique. Il convient de schématiser cette démarche qui, de la pensée à l'action, éloigne toujours davantage le monde moderne de la vérité humaine.

— *L'assimilation du vécu au réel.* Se voulant matérialistes, efficaces et objectives, les sociétés industrielles s'en tiennent aux faits, c'est-à-dire aux choses. Le passage des biens aux sentiments et des conditions de vie à la vie est une affaire individuelle qui ne fait pas partie du projet collectif. Chaque citoyen a — ou devrait avoir — son téléviseur, son automobile, son salaire, etc. Tel est l'objectif. Il est considéré comme atteint alors même que ces richesses n'ont été obtenues qu'au prix d'une frustration constante, sinon croissante.

— *La mutilation de la réalité.* Les sociétés industrielles rejettent hors de leur domaine tout ce qui pourrait entraver leur désir de puissance et d'action. C'est ce que nous avons constaté en suivant les frontières de l'économie. Les biens naturels, pour ne prendre que cet exemple, ne font pas partie du réel tant qu'ils ne sont pas incorporés dans l'appareil de production.

— *La fuite dans la modélisation.* Ici encore, il n'est que de se reporter aux critiques de l'économie. Elles montrent que la réalité perd son essence à travers la quantification monétaire. On crée « des emplois », on fait « du chiffre d'affaires », on réalise des « bénéfices », sans que la nature de ces opérations apparaisse jamais dans les bilans. Ceux-ci, qui constituent le mode d'appréhension du réel, deviennent la réalité elle-même.

— *La mise en problèmes.* Les sociétés humaines sont fortement intégrées en sorte que toutes les parties sont en constante interaction. Elles constituent de véritables unités organiques comme un être vivant ou un milieu naturel. Toute action devrait donc s'exercer en fonction de l'ensemble. C'est évidemment impossible. L'entrepreneur délimite des problèmes qui lui permettent d'isoler cette part du terrain sur laquelle il prétend agir et d'ignorer tout ce qui ne paraît pas directement relié à son entreprise. On étudie les pièces détachées, jamais le mécanisme global. La société n'est plus qu'une somme de problèmes, et l'individu qu'une somme de besoins.

— *La spécialisation.* Lorsque la société a été mise en pièces, des moyens spécialisés sont affectés à chacun de ces éléments. Les hommes, le temps, l'espace, les fonctions, les techniques se répartissent en un nombre toujours plus grand d'unités fonctionnelles qui s'isolent dans la solution de problèmes particuliers.

— *La concentration.* Dans ce miroir brisé, l'unité n'est

plus donnée par le cadre naturel ou la communauté humaine, mais par le problème. La réduction généralisée révèle que la diversité des situations n'existe qu'au stade de l'ensemble et non du détail. Tous les hommes ont les mêmes besoins quand on les traite en consommateurs, et toutes les sociétés ont les mêmes problèmes en tant que systèmes économiques. Or les moyens paraissent d'autant plus productifs qu'ils sont plus spécialisés et utilisés à plus grande échelle. Cette banalisation de la demande incline donc à concentrer la production en unités toujours plus importantes, à regrouper la population en métropoles toujours plus grandes.

— *La complication.* Le double mouvement de spécialisation et de concentration accroît sans cesse la complexité des problèmes. Le cadre traditionnel de l'action humaine, village, tribu, province, était subtil dans ses relations mais réduit dans ses dimensions. Le cadre moderne c'est le pays, parfois le continent. En outre, le nombre des fonctions sociales n'a cessé d'augmenter. En sorte que les systèmes modernes sont encore plus difficiles à saisir que les systèmes traditionnels. Cette difficulté est d'autant plus grande que l'art de gouverner ne consiste pas à maintenir, mais à transformer.

— *La volonté de puissance.* D'une part, l'entreprise scientifique et technique traduit un désir de dominer intellectuellement ou matériellement la nature. D'autre part, la révolution industrielle a été poussée en avant par la volonté de puissance de la bourgeoisie. Le progrès technique s'étant fondu dans l'entreprise capitaliste est devenu un instrument du pouvoir, non plus de l'homme sur le monde, mais de l'homme sur l'homme. L'évolution des sociétés industrialisées a généralisé les tendances impérialistes. Impérialisme des économies nationales les unes contre les autres, des entreprises en concurrence, des individus lancés dans une compétition sans fin du haut en bas de la hiérarchie sociale. Les possibilités de la technique sont mises en œuvre pour permettre aux pays de se dominer les uns les autres, aux entreprises de croître, aux individus de se dépasser. Dans ces affrontements, c'est toujours la technologie qui départage les concurrents à travers la puissance et les richesses qu'elle fournit.

Au total, il ne reste plus rien de la diversité dans l'unité qui est le propre de toute réalité humaine, sociologique ou écologique. L'homme moderne poussé par sa volonté d'agir et de dominer s'est recréé une condition artificielle, uniforme dans ses éléments, dissociée dans sa totalité. La civilisation technique n'est plus qu'un chaos de réalisations admirables qui broient l'individu.

Les pièges de la rentabilité

La volonté de puissance utilise sans discernement les ressources de la pensée rationnelle et du principe d'efficacité. Ces outils d'un monde meilleur deviennent des armes destructrices que chacun brandit dans la mêlée générale sans plus connaître le sens du combat. Ainsi l'appropriation du progrès technique par l'impérialisme bourgeois, de drame social devient drame psychologique. Perversion de l'esprit. Chacun s'agite dans des structures de pensée et d'action imaginaires qui assurent des succès partiels et spectaculaires sans signification pour la personne humaine.

L'homme moderne trouvera peut-être ce jugement outrancier. Il voit bien l'irréalisme dans les incantations du sorcier dansant autour du malade, dans les guerres précolombiennes destinées à fournir des prisonniers pour les sacrifices humains, dans les jeux du cirque organisés par les empereurs romains, dans les croisades et les guerres de religion, mais en revanche il trouve sa société profondément réaliste. Trop réaliste même. Il y voudrait un peu plus de fantaisie, de folie ; un peu moins de calcul et de sérieux. Tel est le piège de l'action contemporaine. Plus redoutable encore que la caverne de Platon. Le palais des miroirs.

Au centre de ce piège, la rentabilité. A tous les niveaux, dans tous les domaines, nous anticipons sur les résultats pour vérifier qu'ils correspondent bien aux efforts nécessaires. Ainsi sommes-nous assurés de ne rien entreprendre qui ne soit juste et raisonnable. Cette rentabilité peut être la plus saine des méthodes ou la plus redoutable des mystifications, selon l'application qui en est faite. Dès l'instant où les critères de jugement sont faux, et les cadres de décision artificiellement réduits, elle devient absurde comme tout raisonnement logique qui se fonde sur des prémisses erronées.

Les sociétés industrielles fondent leur action à partir d'un univers mutilé, dissocié, et artificiellement reconstitué. Si les calculs sont justes, les données sont fausses. Tant que l'on reste dans le cadre arbitraire du « problème », le compte est bon et l'illusion totale. C'est ainsi que les esprits les plus réalistes peuvent participer en toute inconscience à cette schizophrénie collective.

Il ne faut donc point s'étonner de voir le gouvernement encourager la consommation de boisson et de tabac tout en soignant les alcooliques et les fumeurs, le système industriel provoquer les désirs et les frustrations tout en produisant les biens destinés à les apaiser. Ces incohérences n'apparaissent pas dans les structures de décision. Le patron peut croire, sincèrement, qu'il améliore le sort de ses semblables en créant des emplois grâce à l'abominable système des « trois-huit » ; et le promoteur peut s'estimer philanthrope quand il construit des grands ensembles sans aucune vie collective, le commerçant dynamique se glorifier de ses « usines à vendre » qui font baisser les prix. Et M. Antoine Riboud peut simultanément porter des critiques « progressistes » sur la société et promouvoir la consommation d'eau emballée, M. Dalle bombarder le public de sa publicité pour cosmétiques et réfléchir aux imperfections de notre monde...

Du ministre au consommateur, chacun effectue son petit calcul de rentabilité. Un tout petit calcul. Et dans cette perspective étriquée, il décrète, il produit, il achète. Dans chaque cas un bilan partiel prouve la rentabilité de l'opération. Partant, son réalisme. D'ailleurs l'addition de tous ces bilans partiels est forcément positif. Rappelons-nous qu'au xix° siècle les sociétés américaines de chemins de fer ne voulaient pas construire de passages à niveau. Elles avaient calculé qu'il coûtait moins cher d'indemniser les ayants droit des personnes qu'elles écrasaient. Calcul impeccable. Tout comme celui qui conduit à choisir les techniques polluantes, à puiser dans les ressources disponibles et non renouvelables, à produire des objets de faible utilité, à parcelliser le travail.

Tant que l'on reste prisonnier du monde clos du « problème », la solution la plus absurde sur le plan de l'intérêt général paraît la plus rentable. L'entrepreneur, — le décisionnaire, au sens le plus large — est réaliste dans un univers de fiction, et celui qui prétend prendre la vie comme elle est, paraît irréaliste puisqu'il a perdu les structures d'action en retrouvant la réalité.

Ce système n'est en somme que la transposition au niveau intellectuel de l'impérialisme bourgeois. Tant que l'action est asservie à l'utilité sociale, qu'elle se réfère à la personne humaine dans sa vérité psychologique, et qu'elle considère l'ensemble des relations qui l'unissent, de proche en proche, à toute la réalité écologique, sociale et individuelle, elle reste entravée et l'instinct de puissance des producteurs et des marchands ne peut s'exprimer en toute liberté. L'entreprise doit alors être considérée pour et par l'ensemble de la communauté. Voilà ce qu'une bourgeoisie dominatrice ne pouvait accepter. Elle a donc défini — de façon non délibérée, il est vrai —, des structures de pensée et d'action qui permettent d'exprimer sa

volonté de puissance et d'efficacité. Aujourd'hui ce système n'est plus lié au capital, il a pris son autonomie et
s'impose autant dans le secteur public que dans le secteur
privé.

Partout on prend la carte pour le territoire, la statistique pour la réalité, le produit pour le plaisir, et le bilan
comptable pour la vérité sociale. Préférant la dissociation
à la réconciliation, et l'image à l'objet, la société industrielle ne peut plus retrouver un monde qui n'est pas la
somme de ses parties, mais la somme des relations qui
les unissent. « Le sujet n'a pas été traité », comme disent
les correcteurs, mais on donne une mention au candidat
qui possède cet art de traiter les faux sujets.

Tel est, en dernière analyse, le secret de la fantastique
efficacité qui pousse en avant les sociétés industrielles.
Elles ont totalement libéré l'action. Elles lui ont donné
le plus formidable moteur : la volonté de puissance. Elles
ne lui proposent que des objectifs aisément réalisables :
des exercices de démonstration. Elles s'attaquent uniquee-
ment aux problèmes qu'elles savent résoudre. On ne triomphe si bien que dans le combat que l'on s'est à soi-même
préparé. D'une condition humaine si difficile à saisir, si
malaisée à transformer, la civilisation bourgeoise n'a retenu
que les « problèmes pratiques ». Dans sa soif d'entreprise,
elle a même créé des problèmes artificiels pour étendre
le champ de son action sans s'aventurer sur le terrain
difficile de « la vie comme elle est ».

L'éclatement de la vie

De cette perversion initiale, nous retrouvons les retom-
bées sur tous les aspects du monde moderne.

N'insistons pas davantage sur les pièges des fictions
économiques, de l'assistance technique et du divertissement ; survolons maintenant l'ensemble de nos sociétés
techniciennes pour en dégager les grands traits.

La réalité psychologique étant niée, l'individu n'est plus
ce lieu de transmutation du réel, ce centre, toujours unique, de joies et de souffrances, d'enthousiasme et de
révoltes, mais le carrefour obligatoire de certains besoins
matériels : c'est un consommateur. Le rôle de la société est
de faire converger sur chaque citoyen des réseaux toujours
plus nombreux d'assistance technique qui livreront biens
et services à cette espèce de grand estomac vide qui les
dégradera. Toute la créativité individuelle est mobilisée
pour la production, le projet collectif s'arrête à la livraison.

L'homme vrai, celui qui utilise ces richesses n'est que le reflet passif des objets. Toujours affamé, jamais rassasié. Les mécanismes sociopsychologiques de la consommation ouvrent la route à la production en créant les désirs et en entretenant les frustrations. Aujourd'hui encore, une grande partie de la population française ressent des besoins matériels tout à fait réels. La prospérité française a laissé le quart de la population dans la pénurie. Si nous savons déjà que le progrès technique et économique va satisfaire ces besoins dans les années à venir, nous savons aussi qu'il n'en résultera guère d'amélioration sur le plan psychologique.

Il est admirable de proposer à chacun des vacances ensoleillées ; mais il peut être désastreux sur le plan psychologique de développer le mythe du soleil. Car la population vit ordinairement sous des cieux gris et doit supporter les incommodités du froid, du vent et de la pluie. A tant répéter que la vraie vie ne peut se passer de ciel bleu et de températures élevées, on augmente l'inconfort psychologique des intempéries. D'une main on offre quatre semaines de vacances, de l'autre on fait vivre les gens, onze mois sur douze, en état d'exilé. Les caprices de la météorologie sont de plus en plus durement ressentis, et chacun tend à se créer un « droit au soleil ».

C'est constamment qu'un progrès tout entier objectif crée des « déséconomies » subjectives qui contrebalancent les satisfactions matérielles. Le système de consommation individuelle et inégalitaire engendre de tels inconvénients. Le plaisir que l'on retire de la possession privilégiée induit nécessairement les tensions sociales. La voiture de sport, la villa luxueuse, les objets « de rêve » catalysent les désirs inassouvis. La satisfaction de quelques-uns avive la frustration du plus grand nombre. Mais la civilisation technicienne ne fait pas de sentiments. Elle s'en tient aux faits. C'est sa façon à elle d'être réaliste.

D'ailleurs, sur le seul plan des faits, le système conduit encore à une impasse. Car les déséconomies de la consommation privée ne sont pas moins objectives que subjectives. Tout bien matériel mobilise des matières premières, consomme de l'énergie, occupe de l'espace, produit des nuisances. Pour autant que les conditions sociopsychologiques de la consommation condamnent à accroître sans cesse le parc des robots, ces déséconomies finissent par augmenter de façon intolérable. A supposer qu'une bonne fée donne d'un coup de baguette magique le confort du cadre américain à tous les Français, il en résulterait des phénomènes de saturation tels que chacun n'en tirerait que des avantages très réduits.

Car la voie de l'autonomie individuelle et de la possession privée est la plus coûteuse qui soit. Elle revient à multiplier le nombre des machines dans des conditions d'emploi telles que le rendement de chacune est très faible. Qu'il s'agisse de transport, de confort domestique ou de loisirs, la consommation particulière conduit à de fantastiques gaspillages, mais elle correspond tout à la fois aux aptitudes du système industriel et aux vœux de la classe possédante. Elle se développe donc jusqu'à ce que la situation soit complètement bloquée.

La civilisation technicienne remplit des fonctions, fonction-production, fonction-transport, fonction-distribution, fonction-santé, fonction-loisirs, en recherchant dans chacune prise isolément un maximum d'efficacité, puis elle tente de coordonner l'ensemble dans un système cohérent, devenant ainsi un fouillis inextricable de réseaux. La réalité est inscrite dans un cadre artificiel dont les dimensions ne cessent d'augmenter. L'ensemble se complique tellement que l'harmonisation devient impossible.

A coups d'entreprises partielles nous avons fini par provoquer l'éclatement généralisé. De l'espace : campagne agricole « monoculturisée » qui nourrit la population, nature touristique qui accueille les estivants, centre industriel qui produit les biens manufacturés, ville d'habitation qui abrite les travailleurs en semaine. Du temps : du temps du travail, de l'éducation, des loisirs, de la retraite. En passant d'un temps à l'autre, on change d'univers. Du corps social enfin, par la spécialisation des individus. Spécialisation dans le travail, dans le revenu, dans les tranches d'âge. Chacun est à sa place, isolé dans son statut et sa fonction.

Cette organisation, fort utile dans son principe, devient désastreuse quand elle est systématique. D'une part, il manque toujours une école, une route, un centre commercial ou une usine. D'autre part, l'individu multiplie sa consommation. Il doit vivre en des lieux différents pour trouver toutes les satisfactions qu'il cherche. A mesure que le niveau de vie s'élève, le nombre des résidences secondaires — temporaires ou permanentes — croît aussi. Il faut donc augmenter sans cesse les moyens de transport et de télécommunications pour répondre aux besoins d'une population qui se déplace constamment d'un centre à un autre. Chaque lieu, chaque instant étant spécialisé doit être perpétuellement « amélioré », tant et si bien qu'il en coûte deux à trois fois plus pour apporter une même satisfaction.

Mais c'est encore sur le plan psychologique que les résultats sont les plus mauvais. Car la personne ne peut éclater ainsi que la société. Elle conserve en permanence la totalité de ses facultés et de ses aspirations. Loin de rechercher une succession de satisfactions partielles, elle désire un état permanent d'harmonie et d'équilibre. Seule, la fiction statistique peut compenser la tristesse du cadre urbain par les évasions dominicales, l'ennui du travail par la machine à laver, la fatigue des transports par le spectacle de la télévision, et la détresse du grand âge par le confort des maisons de retraite.

Dans la réalité vécue de chacun, ces additions n'ont pas de sens. Il suffit qu'un élément soit défaillant pour que l'ensemble perde tout intérêt. Dès l'instant que « les enfants tournent mal », que la crainte du chômage hante les esprits, que la solitude ou la mauvaise santé ronge l'existence, que la tension sociale dégrade le climat familial, que reste-t-il de toutes ces richesses ? L'individu est malheureux en dépit des statistiques, et ce malheur-là, c'est « la vie — telle qu'elle est ». La dépression nerveuse, la scène de ménage, l'alcoolisme du chômeur, les querelles de voisinage, l'amour à la sauvette. La misère dans le confort.

C'est une malédiction du capitalisme bourgeois qu'ayant effectué et réussi la deuxième révolution industrielle, il n'ait retrouvé que le consommateur et pas l'homme. Les sociétés industrielles ont toutes les apparences de travailler pour le bien commun, elles manifestent la plus grande efficacité dans cette voie, mais l'outil intellectuel ne permet plus de corriger l'erreur initiale. Dans un univers éclaté, fractionné, cloisonné, les subtiles relations qui permettent à l'individu de réaliser son bonheur ne peuvent plus jouer.

Les hommes entre eux

Pour lutter contre l'augmentation constante des maladies cardio-vasculaires et des troubles mentaux, il serait peut-être bon par exemple de prévoir une demi-heure de sport ou de relaxation dans la journée de travail. Mais ce n'est pas possible puisque le succès de l'entreprise et les dépenses de santé n'apparaissent pas sur le même compte. Et l'on ne peut pas davantage libérer l'individu de ses incertitudes matérielles en lui assurant son salaire, ou bien soulager les services municipaux en limitant la pratique de l'emballage perdu. La société, si entreprenante pour lancer des actions partielles, devient infirme dès l'instant qu'il s'agit de les équilibrer sur le plan politique.

Les réalisations matérielles et les réalités psychologiques s'opposent de plus en plus. La spécialisation généralisée appauvrit la vie. Elle change sans cesse, mais, point par point. L'existence est unidimensionnelle. Or c'est précisément la richesse et la diversité des situations qui permettent à la conscience de construire un sentiment général de bonheur. Que l'amitié se mêle au travail, la créativité aux loisirs, les plaisirs esthétiques aux systèmes fonctionnels, que les choses portent toujours une autre signification que leur fonction, voilà ce qui enrichit la vie. Hélas cette exigence est en contradiction avec la recherche d'une rentabilité maximale dans les bilans partiels. Bien qu'elle conduise à des « vécus » plus heureux, elle apparaît comme une régression au travers de nos lunettes déformantes.

Pour l'individu, le bonheur c'est d'abord un état d'équilibre et de sérénité. Il peut s'atteindre à tous les niveaux de la richesse matérielle, depuis le dénuement du chasseur néolithique jusqu'à l'opulence du milliardaire. Mais le bien-être, mesuré quantitativement, ne fait rien ou presque à l'affaire. C'est d'abord en luttant contre les déséquilibres, les troubles et les tensions qu'on peut favoriser le contentement. Et tant qu'on laisse subsister ces éléments contraires, les plus grandes victoires matérielles ne servent à rien.

Or il y a peu de chances qu'un réseau complexe de services puisse jamais assurer à chaque citoyen une situation apaisante. C'est au sein de collectivités humaines authentiques que l'on peut réunir le plus aisément de telles conditions. Car l'homme possède des ressources admirables pour créer et entretenir ce bien-être affectif qu'il recherche. Les déséquilibres qui apparaissent au niveau des choses et de l'organisation globale se corrigent par l'interaction des individus. L'hospitalité, la sympathie, l'entraide, l'organisation de la vie commune offrent mille occasions de compenser les tensions et les frustrations qui s'opposent au bonheur. Mais ces ressources des relations humaines ne peuvent jouer dans une société gigantesque et éclatée, elles n'existent qu'au sein de communautés plus réduites et plus riches. L'atelier, l'immeuble, le quartier, le village, la province, sont des réalités vivantes ; la mégapolis, l'usine géante, les plages démesurées, les autoroutes, ne sont que des tissus cancéreux. Des amas de solitude.

La mise en pièces de la réalité humaine est irréaliste, car elle détruit les aptitudes naturelles de la vie commune à résoudre les problèmes matériels et psychologiques des individus. Qu'elle prétende remplacer les interactions directes par une organisation générale n'est qu'une illusion.

Ces vérités s'estompent progressivement quand la richesse permet d'apporter un surcroît de divertissement et c'est pourquoi nos sociétés paraissent aimables aux riches. Mais que l'on regarde les plus pauvres...

Que sont les H.L.M. sinon de fausses maisons bourgeoises ? Pour y vivre agréablement il faut y disposer du confort ménager, et de tous les accessoires de l'autonomie individuelle. A cette seule condition, les individus peuvent peut-être oublier les insatisfactions de la solitude et d'une vie éclatée. Pourquoi n'avoir pas créé de véritables communautés vivant autour de services communs : laverie automatique d'immeuble, garderie d'enfants, cabine téléphonique, etc., gérés par les intéressés ? Cette organisation permettrait sans doute d'assurer un même confort matériel à un moindre coût et d'entretenir les relations de voisinage. Il pourrait en aller de même dans l'entreprise ou dans le quartier. Mais cette autonomie de petites communautés est très difficilement compatible avec notre organisation. Nous préférons toujours atomiser les problèmes pour les réorganiser à une échelle inhumaine.

Notre civilisation objective croule sous les déséconomies faute de miser sur les vraies ressources de l'homme. Si les plaisirs matériels ne vont point sans contreparties défavorables, il n'en va pas de même pour les plaisirs affectifs. Deux amoureux qui s'aiment ne créent pas de déséconomies, non plus que des amis qui devisent ensemble, une famille réunie dans une commune affection, un individu plongé dans la lecture d'un livre ou un jeune disputant une partie de football. Ces satisfactions ne provoquent ordinairement ni déséconomies matérielles, ni déséconomies « psychologiques ». En outre elles apportent un contentement plus authentique et plus durable. Tout l'effort de la société devrait viser à favoriser ces satisfactions pour répandre un bonheur authentique sans se perdre dans des difficultés de plus en plus grandes.

Les sociétés industrielles n'ont aucun intérêt pour ces réalités humaines. Cette vérité psychologique. Seules les choses retiennent leur attention. Un martien débarquant dans le monde occidental raconterait dans ses « Lettres terriennes » que les hommes de ces pays ont créé une religion particulière : la religion des choses.

Les plus beaux édifices sont consacrés à la production des biens matériels. Dans les grandes villes industrielles les bâtiments les plus luxueux sont les sièges sociaux des grandes sociétés. Ce sont elles qui construisent les plus somptueux gratte-ciel, qui mobilisent les meilleurs décorateurs. Ces immeubles de rêve sont l'équivalent des châteaux et des archevêchés qui abritaient les privilégiés sous l'Ancien Régime. Ce sont des palais au service de la production.

L'essentiel des recherches psychologiques porte également sur la relation de l'homme aux choses. Ce sont toutes les études de marketing, les recherches de motivation.

Les meilleurs psychologues sont mobilisés pour déterminer l'image du plastique ou de l'automobile dans l'inconscient. Cela seul importe : connaître la place des choses dans l'esprit humain. C'est l'équivalent des recherches théologiques qui tentaient de déterminer le rôle de la grâce et des influences démoniaques dans le cœur de l'homme. Périodiquement les peuples communient dans de grandes fête des choses. C'est le Salon de l'auto, la Foire de Paris, ou le Salon de la navigation de plaisance. Enfin des chapelles dédiées aux objets, des magasins, sont installés tout le long des rues. Les choses-idoles sont parées comme les statues des saints. Sur tous nos murs les affiches exposent ces mêmes objets avec l'ostentation et la naïveté d'images pieuses. On chante la gloire des objets, en ressassant les slogans publicitaires.

L'homme, en revanche, n'intéresse personne. Jamais on ne célèbre l'amour, l'hospitalité, l'amitié, la tendresse. Jamais on ne consacre une étude sérieuse à déterminer l'image du voisin dans l'esprit des locataires de H.L.M., ou les incidences psychologiques de la hantise du chômage. Quelques universitaires sans moyens suffisent à effectuer ce travail mineur. En revanche on ne lésine pas sur les budgets quand les produits marchands sont en cause. C'est toujours l'homme au service des choses. Le monde à l'envers.

En définitive le survol des sociétés modernes, tant au niveau de leur démarche intellectuelle qu'à celui de leurs réalisations matérielles, révèle un profond irréalisme. Or il existe désormais toute une « technostructure », tant administrative qu'industrielle, pour soutenir cette façon d'agir et de penser qui répond à son désir d'efficacité et de puissance. Comment ne pas adhérer à un système qui s'impose comme le seul possible et qui propose tant de satisfactions matérielles et morales ? Aussi les cadres de la société actuelle sont-ils acquis à l'économanie et à l'impérialisme industriel tout comme la bureaucratie soviétique l'est au dogmatisme idéologique et au parti. Dans les deux cas l'identification de l'individu à la structure est totale, et le sentiment de réalisme dans l'irréalité, absolu.

L'impossible alternative

A supposer même qu'une société industrialisée devienne consciente de ce piège, pourrait-elle lui échapper ? Non, sans doute. Et c'est en cela que réside la nouvelle fatalité.

Le système est désormais inscrit dans nos villes, dans nos ports, dans notre nature, dans nos usines. Il se peut que la concentration de la population en d'énormes métropoles soit le fruit d'un mauvais calcul. Mais c'est un fait irréversible. La France ne peut plus être un pays de villes moyennes, elle ne peut plus réintroduire la douceur de la nature dans la brutalité de son cadre urbain. Tout au plus pourrait-on éviter d'aller plus avant dans cette voie. Stabiliser la situation en un premier temps. Changer le sens de l'évolution par la suite. Mais ce serait très long. Or la progression est étonnamment rapide dans le « scénario de l'indésirable », selon la formule des spécialistes de la Délégation à l'aménagement du territoire. Les phénomènes de concentration auront bientôt saisi l'ensemble de la société.

De même ne pourrait-on aisément revenir sur le choix fondamental de la consommation privée, puisque notre production est orientée tout entière vers l'autonomie individuelle. Qu'il s'agisse de transport ou de distraction, le producteur a toujours l'individu en point de mire, jamais la communauté.

Même si le pouvoir politique voulait changer le cours de cette évolution, il se heurterait à un obstacle pratiquement insurmontable : celui de la planétarisation. Dans un système de marché libéral, chaque entrepreneur est condamné à s'orienter sur ces bilans fictifs. Dès qu'il refuse de jouer le jeu qui lui est imposé par la concurrence, il est menacé de faillite. En revanche le gouvernement peut toujours changer ses lois. Il peut également changer sa façon de gouverner.

Mais cette latitude n'existe que s'il reste maître du jeu économique ou, du moins, s'il peut le contrôler dans une certaine mesure. Et tel n'est plus le cas. Le développement des moyens de transport et de communication a unifié la planète en un seul marché. Désormais, la distance a cessé d'être un facteur économique important. Toute entreprise dynamique se pense à l'échelle mondiale, tant pour ses approvisionnements que pour ses débouchés. Le fer de Mauritanie concurrence à Dunkerque celui de Lorraine, et les automobiles japonaises défient à Paris, celles de Renault, Rolleiflex fabrique ses appareils photographiques à Singapour, et le moindre épicier offre des produits venus des quatre coins du monde. On peut transférer instantanément des millions de dollars de Stockholm à Buenos Aires, et diriger une entreprise indienne depuis le Canada.

Cette spécialisation et cette concentration à l'échelle mondiale ont entraîné un accroissement spectaculaire du commerce international. Songeons qu'un seul cargo mo-

LE BONHEUR EN PLUS

derne transporte plus de marchandises que toute la flotte
de Venise à la Renaissance ! Ce développement des échanges a contribué pour une large part à la prospérité contemporaine. On exploite les plus riches gisements, les plus
riches terres, on produit pour le monde entier ; chacun
fait bénéficier les autres de ses aptitudes particulières.
Cette concurrence planétaire stimule évidemment les entreprises. Celles qui somnolaient à l'abri des barrières doua-
nières doivent produire plus et mieux pour survivre.

Les nations ont donc accru considérablement leur inter-
dépendance. Le P.N.B. français dépend pour un tiers du
commerce international ; chaque ouvrier travaille deux
jours par semaine pour l'exportation. Si demain le courant d'échange s'arrêtait ou se ralentissait tout le système
économique se bloquerait : ce serait la crise, la pénurie
et le chômage. Au total, chaque économie se trouve, vis-à-
vis du marché international, dans la même situation que
l'entreprise dans le marché national. Les règles du jeu
s'imposent aux gouvernements comme aux chefs d'entreprise. Seul l'accord des principales puissances pourrait les
modifier. C'est dire qu'elles échappent complètement à la
volonté politique. Chacun est condamné à faire comme
les autres pour ne pas être dominé. Malheur aux Britanniques qui apprécient trop leur confort et leur sécurité !
Aux Italiens qui ne veulent plus se plier aux dures réalités
du travail industriel ! Sur toutes les nations pèse la fatalité de l'économie planétaire.

Au cours des vingt dernières années nous n'avons guère
apprécié que les avantages de cette planétarisation. Chaque
pays voulait — et veut toujours — développer ses échanges, car ce développement est un facteur essentiel de la
croissance économique.

Cet état d'euphorie économique fait place progressivement à une situation de tension, de crise et de pénurie.
Le monde s'installe dans la guerre chronique sur le plan
économique et monétaire. Les pays ressentiront d'autant
plus les conséquences de ces conflits qu'ils seront engagés
plus avant dans le marché mondial. Pour soutenir ces
batailles, il leur faudra s'évertuer davantage dans la voie
de l'illusion technique. S'efforcer de tenir ceux qui les
tiennent pour ne pas être écrasés. A ce jeu les Etats-
Unis sont assurés d'être gagnants en raison de leur puissance et, plus encore, de la faible part du commerce international dans leur économie. La grande force de la position
américaine dans les négociations actuelles, c'est de ne
faire que 5 % de leur P.N.B. avec les échanges internationaux. Ils ressentent peu les effets des tempêtes qui
secouent leurs partenaires.

Les nations qui dépendent pour un pourcentage très

important du commerce international seront tout entières prises dans les affrontements qui se préparent. Il ne
leur restera aucune latitude de liberté pour opérer à temps
les redressements qui s'imposent sur le plan intérieur. Les
préoccupations des gouvernements seront reportées sur
les champs de bataille extérieurs.

Epuiser ses forces dans ces conflits, c'est renoncer à
tout projet politique capable de corriger les erreurs
actuelles. Ignorer ces nécessités de la concurrence internationale, c'est se condamner à la domination et à la
crise. Seuls les neutres pourraient encore tenter de construire une nouvelle société. Mais n'est pas neutre qui
veut en matière économique.

La neutralité absolue, c'est l'autarcie. La solution chinoise. La neutralité relative, c'est la limitation des échanges à un pourcentage raisonnable du P.N.B. Une telle
politique se traduirait inévitablement par une diminution
de la croissance et du niveau de vie, tels que nous les
mesurons aujourd'hui. On ne peut prétendre en même
temps jouir des avantages du système planétaire et n'en
pas supporter les inconvénients.

Tel est le prix que les Etats devraient payer pour recou-
vrer leur souveraineté, c'est-à-dire pour pouvoir engager
le progrès dans une voie nouvelle. Un prix qui paraîtra
trop élevé à ceux qui mesurent le bonheur au bien-être
matériel. Un prix raisonnable pour ceux qui croient à la
possibilité d'un autre bonheur.

Toutes ces illusions paraissent à ce point liées à la
modernité que la tentation est grande de rejeter le progrès
technique dans son ensemble. C'est la communauté dans
les Cévennes : l'élevage des moutons, le tissage des habits,
la cuisson du pain et le dentifrice d'argile. Voilà une autre
réduction des problèmes. Ayant ramené la société à quelques membres, ayant renoncé aux commodités et aux
complications de la technique, les contestataires retrouvent
la simplicité de la vie primitive. C'est la fuite en arrière
pour éviter la fuite en avant. Ces réactions régressives,
si elles peuvent convenir à quelques rares individus, n'apportent aucune solution à l'échelle des nations industrialisées.

Cette alternative d'avant et d'arrière fait songer à une
« histoire de fou ». Deux fous marchent le long d'une
voie ferrée. « Jusqu'où marcherons-nous ? » demande le
premier. « Jusqu'à ce point là-bas, où les rails se rejoi-
gnent », répond l'autre. Ils marchent tout le jour. Le
soir venu, le premier s'arrête et s'assied sur le ballast.
Puis il regarde en arrière et dit à son camarade : « Tu
as vu. Nous avons dépassé notre but sans nous en rendre
compte. » Ainsi va le monde. Il avance sur les rails du

progrès à la poursuite d'objectifs illusoires et ceux qui refusent de le suivre cherchent en arrière d'autres objectifs tout aussi illusoires.

L'utopie de référence

Refusant également les mirages de l'hyperindustrialisation et la nostalgie de la sous-industrialisation, il reste à définir ce monde harmonieux qui réconcilierait l'homme et le progrès technique. Le définir d'abord, en déterminer les possibilités de réalisation ensuite. A ce dernier point sera consacré le chapitre de conclusion.

Il ne sert à rien de décrire en détail la société idéale qui serait libérée des illusions présentes. Une telle entreprise serait inutile et même nuisible. Elle serait inutile car elle ne tiendrait aucun compte de la situation actuelle et des multiples contraintes qui s'opposent à toute évolution. Elle serait nuisible car elle reviendrait à définir un modèle unique, ce qui irait à l'encontre de tout ce qui a été dit jusqu'à présent. Une civilisation planétaire est nécessairement artificielle et inhumaine. Une civilisation authentique et humaine implique la diversité. Il appartient à chaque société de retrouver sa vérité humaine, historique, culturelle et écologique. Autant de sociétés, autant de modèles. C'est la voie du réalisme.

L'utopie de référence doit fixer des objectifs à poursuivre, des priorités à respecter et non un programme à appliquer. C'est ainsi qu'elle peut conserver son utilité tout en restant sur le plan de l'idéal. Inaccessible comme l'étoile polaire, elle sert de référence universelle pour tracer les voies du progrès.

Ces objectifs découlent des choix idéologiques qui furent posés dès les premières pages de cet ouvrage. Le projet politique doit se fonder sur une vision globale de la personne humaine conçue comme le centre créateur d'une expérience unique et non comme le carrefour nécessaire de certains besoins matériels. Il a pour but suprême de favoriser la recherche du bonheur, c'est-à-dire d'éliminer les contraintes matérielles qui s'y opposent et de proposer une organisation socioculturelle qui facilite les sentiments de contentement, de joie et de sérénité. Pour progresser dans cette direction il convient de préférer la satisfaction du plus grand nombre à celle d'une minorité privilégiée, les rapports de justice, de solidarité, de fraternité aux rapports de force et de domination. Il convient également de n'utiliser les ressources de la technique que dans la mesure où elles s'accordent bien à ces principes, d'élargir les perspectives de l'action politique en intégrant l'ensemble de la réalité psychologique, sociologique et écologique, de dépasser les préoccupations immédiates pour considérer les conséquences à moyen et à long terme.

Dans cette perspective, le monde matériel et les techniques ne valent que par les sentiments qu'ils peuvent provoquer, soit qu'ils suppriment des états douloureux, soit qu'ils accroissent des états agréables. C'est dire que l'appareil de photo n'est rien et l'enfant photographié, tout, que les relations de voisinage importent autant que le confort ménager, que la difficulté de payer les traites peut contrebalancer les commodités de l'automobile.

La liberté individuelle ne permet pas d'aller au-delà de cette option fondamentale entre l'être et l'avoir, la personne et les choses, la communication et la domination. Mais cette alternative représente bel et bien un choix de société. La démission politique n'est nullement la garante de la liberté. C'est l'abandon à l'un des deux systèmes. Au plus défavorable.

« Mener une vie de con »

Peut-on, sur un principe aussi général, fonder une politique, une action et une société ? On peut, en tout cas, formuler des refus, et c'est ce que font les jeunes quand ils déclarent ne pas vouloir « mener une vie de con ». C'est-à-dire refuser une vie d'aliénation et de divertissement. Mais « changer la vie » cela n'implique pas nécessairement revenir à des systèmes primitifs ou traditionnels, cela peut signifier développer son être plus que son avoir en utilisant les possibilités de la civilisation technicienne. Et cette image en négatif laisse bien deviner ce que pourrait être un véritable progressisme.

« Mène une vie de con », le travailleur qui passe chaque jour 12 heures hors de chez lui à cause des transports, le médecin qui multiplie les actes médicaux sans aucun vrai contact avec ses malades et que sa fatigue empêche de profiter de ses honoraires, le citadin qui rêve d'évasion campagnarde et qui met deux heures à quitter sa ville, la femme qui s'ennuie dans les cités dortoirs et qui trompe son mari pour tuer le temps, le jeune cadre qui multiplie les intrigues et ne pense qu'à sa carrière, l'ouvrier qui rentre le soir trop épuisé pour s'amuser avec ses enfants, la famille qui rêve toute l'année de son mètre carré de soleil dans la foule cancéreuse des plages estivales, la secrétaire qui gâche sa jeunesse à désirer les robes et les sacs qui la narguent dans les vitrines, le patron qui maintient un climat social détestable pour protéger une large marge bénéficiaire, le bourgeois, prisonnier de son statut et de son patrimoine, qui se prive de tout contact humain avec les autres catégories sociales, l'automobiliste qui jette un regard de défi au conducteur qu'il double, le ministre honteux d'avoir un fils « maoïste » qui milite en usine, le bon père de famille qui demande aux prostituées les plaisirs qu'il n'ose demander à sa femme...

Une liste jamais close qui décrit parfaitement les valeurs que devrait promouvoir une culture moderne. Il ne s'agit plus de rechercher les fortes vertus d'antan, mais de vivre dans la modernité, de s'en servir sans se laisser asservir, de distinguer l'essentiel dans la prolifération cancéreuse de l'accessoire. Cette exigence ne peut se fonder sur une morale ou sur une religion de référence, elle ne peut proposer un modèle déterminé, elle doit être tout à la fois plus modeste, plus relative et plus humaine. Dédaignant l'appel aux grandes ressources spirituelles — qui ne sont pas ou plus de sa compétence — la collectivité peut encore aider chacun à orienter correctement sa recherche du bonheur en équilibrant sa personnalité entre la volonté moderne d'adapter le monde et l'exigence traditionnelle de se forger un monde intérieur harmonieux et équilibré.

Les sociétés modernes ont une « mission civilisatrice » qui consiste à entretenir les forces de progrès tout en les maintenant asservies à cette idée de la personne humaine. Remplir cette fonction dans le respect de la liberté, c'est prétendre réussir le mariage des contraires et la quadrature du cercle. Deux voies de la facilité s'offrent aux gouvernements : ils peuvent sacrifier cette mission en s'abandonnant au libéralisme total ou bien sacrifier la liberté en recourant au totalitarisme. Reste la voie malaisée d'un progrès fondé sur l'homme. C'est une entreprise incertaine dont on ne possède aujourd'hui aucun exemple véritable.

Les coûts et les avantages

D'un point de vue théorique, la société idéale devrait pouvoir justifier son action par des études coûts/avantages, étendues à l'ensemble de la réalité et respectant ces principes fondamentaux.

L'avantage, c'est « le surcroît de bonheur ». Malheureusement il est devenu bien difficile d'effectuer une telle estimation. Les trop grandes inégalités ne permettent plus de se fier à la demande telle qu'elle s'exprime sur le marché. Sans compter que le conditionnement des esprits par la « publiculture » tend à fausser l'optique des intéressés.

En fait le bénéfice est d'autant plus grand qu'il corrige une situation plus pénible. Le sort des vieillards ou des malades fournit une meilleure rentabilité sociale que le confort des adultes en bonne santé. Mais il faut encore considérer le nombre des bénéficiaires. Ainsi peut-on préférer le vaccin de l'hépatite virale à la greffe du cœur, bien que la première thérapeutique soulage un mal non mortel alors que la seconde pourrait sauver des vies humaines. Ainsi les avions gros porteurs sont-ils plus intéressants que les avions supersoniques qui ne concernent que 1 ou 2 % de la population. Mais le même raisonnement peut conduire à mettre l'accent sur le transport urbain plutôt que sur l'aviation puisque 4 % seulement des Français utilisent la voie aérienne.

En regard de ces avantages, il faut évaluer les coûts. Non pas les coûts commerciaux, mais les coûts réels. Ceux-ci comprennent également les charges écologiques, les répercussions culturelles, les incidences professionnelles et enfin tous les effets psychologiques. De tels calculs sont irréalisables dans l'absolu. Une société ne saurait subordonner la moindre de ses activités à de telles analyses. Ce rigorisme entraînerait bientôt une paralysie générale. L'orientation de la politique selon ces critères doit découler de l'organisation sociale. Nos institutions canalisent le progrès dans une certaine direction ; d'autres institutions exerceraient un effet directeur dans un autre sens. Le problème n'est pas de prendre, au coup par coup, de justes décisions, il est de transformer en profondeur les structures afin que l'action réponde naturellement aux justes finalités du progrès.

Ayant rejeté les modèles passe-partout, il est impossible de préciser les réformes concrètes qui assureraient les corrections nécessaires. Au niveau de l'application, tout est affaire de techniques d'organisation et de circonstances particulières. Mais ce pragmatisme des moyens doit s'accompagner d'une intransigeance totale en ce qui concerne les objectifs.

Les illusions actuelles sont si générales dans leurs effets et si profondes dans leurs causes que le nombre des mesures propres à les corriger est pratiquement infini. De l'urbanisme à la sexualité, de la défense nationale à l'organisation des entreprises, il faut partout porter le fer. Le catalogue des erreurs à redresser serait interminable.

La justice. C'est la première exigence. Rien d'essentiel ne pourra être changé tant que nos sociétés resteront fondées sur la discrimination entre les riches et les pauvres, les nantis et les démunis. Il ne s'agit pas de viser l'égalité qui est pure chimère. Que les situations matérielles varient de l'un à l'autre ; c'est inévitable. Que les écarts de revenus, varient du zéro à l'infini, que cette discrimination repose moins sur les services rendus ou les mérites acquis que sur la naissance ou l'habileté à s'enrichir, c'est absurde.

Absurdes encore ces privilèges que donne la fortune. Le droit d'accaparer les biens naturels, d'avoir accès à la meilleure éducation, à la meilleure médecine, aux meilleurs conseillers juridiques et avocats, d'utiliser la législation à son profit.

Ces injustices entretiennent les rapports de puissance, multiplient les frustrations et l'agressivité. Créent un climat permanent de tension. Si l'on ne supprime pas cet ordre social il est vain de tenter quelque autre réforme que ce soit.

Le travail. Cet objectif, également essentiel, doit être poursuivi dans trois directions complémentaires.

— Mobiliser les ressources de l'invention afin de réconcilier chacun avec sa profession. Des progrès immenses peuvent être accomplis dans cette voie. Pour les réaliser il faut renoncer au système actuel qui tend à perpétuer la frustration du travailleur en gavant toujours davantage le consommateur.

— Réévaluer le travail. En ce domaine tous les critères actuels sont arbitraires. Dans de nombreux cas ils devraient être purement et simplement inversés. La contrepartie matérielle et morale d'un travail doit dépendre de la pénibilité et de l'utilité sociale. Les avantages dont jouissent les cadres, les intermédiaires et tous ceux qui se consacrent à des professions libérales sont des privilèges largement injustifiés. L'agrément d'une profession doit venir en déduction des autres bénéfices qu'elle procure et non s'y ajouter.

— Démocratiser l'entreprise. Tôt ou tard il apparaîtra intolérable que les grandes entreprises puissent faire l'objet d'une propriété absolue au même titre qu'une automobile. L'entreprise c'est le travail des hommes. D'une certaine manière, c'est leur vie. Aujourd'hui elle se dirige, se vend, se transmet ou s'achète comme n'importe quel autre bien. Les patrons échangent leurs employés comme les boyards jouaient aux dés leurs moujiks. Démocratiser l'entreprise, c'est la rendre à sa fonction sociale en supprimant les privilèges abusifs de la propriété. C'est aussi

donner à chaque travailleur le droit dont dispose chaque
citoyen, de donner son avis — et non pas un simple avis
consultatif — sur le gouvernement de la communauté à
laquelle il appartient.

La culture. Régénérer la culture, c'est remettre à leur
place les choses et le système industriel qui les produit.
L'essentiel c'est la personne. Le monde matériel n'est
qu'accessoire. Cette hiérarchie ne peut être rétablie qu'en
contenant le système de « publiculture » qui prétend
imposer l'ordre inverse. Le rôle des industriels et des
marchands est de produire les biens. C'est une fonction
sociale très importante, mais qui ne doit, à aucun moment,
s'ériger en système de civilisation.

L'indépendance. Ce n'est pas l'indépendance des puissants dont la force tient les autres en respect. Encore
moins celle de l'impérialisme qui se permet d'ignorer
autrui et de le dominer. C'est celle qui naît de la sagesse.
Est indépendant celui qui a contenu ses besoins pour
éviter la dépendance qui aliénerait sa liberté. Il est illusoire
de penser que la France assurera son indépendance énergétique en multipliant les accords politiques avec les
pays producteurs de pétrole ou qu'elle assurera son indépendance monétaire en accroissant ses exportations. Ces
mesures sont nécessaires, mais elles ne serviront de rien,
si les Français ne s'efforcent pas de contrôler leurs
besoins et de vivre autant que possible des ressources
disponibles sur leur propre sol. En tout état de cause,
il sera nécessaire d'assurer un volume très important
d'échanges internationaux. Il importe que ce volume ne
s'accroisse pas indéfiniment afin que le pouvoir politique
se réserve la possibilité de conduire une action novatrice.

— *La technologie.* Elle ne constitue jamais qu'un moyen
parmi d'autres pour résoudre les problèmes. Ce moyen a
généralement l'inconvénient de s'attaquer aux effets et
non aux causes et de créer des déséconomies considérables. Au contraire les ressources de l'organisation collective, de l'action politique ou culturelle ne présentent pas
de tels désavantages. Ils doivent être utilisés en priorité.

Il appartient à chaque société de trouver les mesures les
plus appropriées pour poursuivre ces objectifs. Nombreuses
sont les solutions qui permettent de progresser dans ces
directions. Prétendre les définir à l'avance et les imposer
à tous alors que les méthodes nécessaires ne sont même
pas au point, serait donner dans l'illusion idéologique.
La recherche de la justice sociale doit prendre des formes
différentes d'un pays à l'autre, d'une époque à l'autre.
A ce stade, il s'agit de tactique. C'est affaire de cir-

constances. Il s'agit aussi de technique et l'on sait combien
nos sociétés sont mal armées sur le plan des méthodes
pour mener une véritable politique de progrès social.

L'autre progrès

De telles réformes se traduiraient dans les statistiques
par une régression du niveau de vie, ou, du moins, de
sa croissance. Pourtant il ne s'agit pas d'instaurer un état
de pénurie, d'austérité et de restrictions. Une telle politique ne viserait pas à culpabiliser la consommation,
mais, au contraire, à la régénérer. Il ne s'agit pas de
vivre plus mal, mais de vivre mieux ; car l'accroissement
constant de la richesse individuelle ne peut plus se traduire par une amélioration des conditions d'existence.
C'est désormais une organisation de la consommation,
une intégration des moyens matériels dans un vaste projet civilisateur, qui permettra d'apporter un surcroît de
satisfaction. Il est naturel que le citadin veuille utiliser
son automobile quand il doit parcourir trente kilomètres
pour se rendre à son travail et quand il ne dispose que
de transports en commun malcommodes et inconfor-
tables. Mais le vrai progrès consiste à rapprocher le lieu
de travail du lieu d'habitation et à développer les transports publics. Si ces aménagements peuvent être réalisés,
les travailleurs vivront mieux en se passant de leurs
automobiles.

De même ne procure-t-on qu'une fausse satisfaction
en assurant à chacun ses deux beefsteacks quotidiens. Il
est évident que cette viande produite au prix d'artifices
zootechniques ne peut pas être de bonne qualité. En
revanche, on peut faire d'excellents repas sans viande ou
bien avec les bas-morceaux. Mais il faut que les conditions
de vie permettent la confection de tels plats. Il est raisonnable de considérer qu'une cuisine familiale traditionnelle était de meilleure qualité que la consommation biquo-
tidienne de viande industrielle.

Des enfants qui disposent d'activités culturelles et spor-
tives dans des équipements collectifs sont-ils moins heureux que ceux qui disposent d'une moto et d'une disco-
thèque particulières payées à grands frais par les parents ?
Le citadin qui vit dans une cité calme, agréable, embellie
de nombreux monuments, agrémentée de vastes parcs et
qui n'éprouve pas le besoin de s'enfuir vers la campagne

le dimanche est-il plus à plaindre que celui qui rêve toute la semaine de l'évasion dominicale ?

Nos statisticiens mesurent imperturbablement le pourcentage des Français qui partent en vacances. Ils constatent que ce pourcentage augmente et ils s'en réjouissent. Mais il suffit de regarder les plages au mois d'août pour douter que cette augmentation du nombre des départs traduise un véritable progrès. Ces troupeaux entassés sur les rivages ensoleillés donnent une bien triste idée de notre civilisation. Et pourtant la moitié des Français ne prennent pas de vacances. Que se passerait-il s'ils pouvaient tous se ruer vers la mer ?

Car l'absence de toute politique des loisirs a conduit chaque citoyen à considérer que les vacances dignes de ce nom nécessitent la réunion de ces trois éléments : la mer, le sable et le soleil. Les Français ont la chance de posséder l'un des plus beaux pays du monde et d'être relativement peu nombreux. Ainsi disposent-ils d'une nature belle, accueillante et disponible. De l'Ardèche à la Bretagne et du Périgord à l'Alsace, il y a de la place, de la nature et de la beauté pour tous. Mais les estivants ne font que traverser la France à 140 km/h pour rejoindre cette ligne de désir : le littoral.

Une minorité s'y livre à des activités comme la pêche sous-marine ou la navigation qui ne sauraient s'exercer ailleurs que dans le milieu marin, mais l'immense majorité ne pratique pas les sports nautiques. Elle ne fait que se joindre à l'entassement général. Organiser la consommation, ce serait faire en sorte que les Français découvrent la France, qu'ils apprennent à passer des vacances heureuses sans la mer et, peut-être même, sans le soleil. Ce serait interdire l'utilisation privative du littoral. En revanche attirer toute la population sur le rivage, et laisser les riches s'y tailler d'énormes propriétés privées, c'est se condamner à une satisfaction médiocre. L'augmentation constante des départs en vacances n'y pourra rien changer, bien au contraire.

Il en va de même pour les voyages touristiques qui perdent leur intérêt à mesure qu'ils deviennent plus aisément réalisables. Le progrès permet aux gens de se déplacer, mais il uniformise si bien les hommes et les sites que les voyageurs n'en éprouvent aucun enrichissement comme ces Américains qui font le tour du monde en allant d'un hôtel Hilton à l'autre.

Grâce aux ressources de l'organisation, il n'existe aucune contradiction entre une diminution de la consommation, telle que nous la mesurons aujourd'hui, et une augmentation des plaisirs qu'on peut en retirer. Cette sagesse est celle du jouisseur raffiné et non celle de l'ascète. Mais, si nous ne parvenons pas à faire cette civilisation de la consommation, alors les déséconomies de toute sorte l'emporteront progressivement sur les satisfactions. Nous serons plus riches, mais certainement pas plus heureux.

La nouvelle recherche

Une telle approche ne se traduirait pas par un ralentissement de l'effort actuel en matière de recherche. Bien au contraire. S'il est vrai que nous avons progressé très vite en certains domaines, il est également vrai que d'autres secteurs sont très en retard. Nombreuses sont les techniques dont nous avons un pressant besoin et qui ne sont pas encore disponibles faute d'un effort suffisant. Tel est le cas des méthodes immunologiques si difficiles à maîtriser, mais si riches de promesses ; du recyclage des déchets qui faciliterait nos problèmes d'approvisionnement en matières premières ; de l'avortement chimique par prostaglandines qui éliminerait les traumatismes psychologiques des interventions mécaniques ; de la prévision météorologique à long terme de la gazéification du charbon qui permettrait de transformer les mines en fabriques de méthane; des « bases de données » pour systèmes informatiques grâce auxquels on décentraliserait la vie des entreprises et des administrations ; des automatismes capables de supprimer le « sale travail » ; des prothèses électroniques pour faciliter la vie des handicapés ; de la récupération de la chaleur produite dans les centrales et que l'on rejette absurdement dans les rivières ; du chauffage par rayonnement solaire ; de la construction préfabriquée ; de la lutte contre l'incendie ; de la longévité des produits manufacturés ; de la lutte « écologique » contre les animaux nuisibles, etc. Nous n'aurons que l'embarras du choix pour sélectionner les thèmes de recherche appliquée sur lesquels il serait souhaitable de doubler ou de décupler l'effort actuel.

Ceci pour ne parler que de pure technique, car si nous nous tournons vers les sciences humaines, nous n'en sommes qu'aux temps de la diligence. Nous ne savons rien des méthodes qui permettraient de réconcilier l'enfant avec son école, l'adolescent avec sa société, le citadin avec sa ville, l'individu avec ses semblables, le travailleur avec son travail. Dès qu'intervient le niveau psychologique, nous plongeons dans l'incertitude la plus totale. Les ingénieurs nous fabriquent de superbes machines à enseigner, mais nous ne savons pas ce que devrait être le contenu de l'éducation ni le cadre dans lequel elle devrait être donnée. Nous construisons des gratte-ciel, des métros express, mais nous ne savons pas pourquoi un homme aime à se promener dans les rues de sa ville. Nous ne le savons pas parce que nous n'avons jamais cherché à le savoir. Tout l'effort de recherche, stimulé par la volonté de puissance militaire ou industrielle, a porté sur la technologie. La pédagogie, l'urbanisme, la psychologie, l'étude des comportements, n'ont jamais eu droit qu'à des crédits ridicules en comparaison de ceux qui étaient affectés aux « belles machines ». Il est vrai que ces études portent sur la plus négligée de toutes les machines : l'homme. Et encore, les travaux effectués jusqu'à présent ont-ils été fortement marqués par toutes les illusions idéologiques. L'homme paraît avoir été un prétexte à discours plus qu'un véritable sujet d'étude.

Ce retard dramatique ne permet pas de tirer tout le parti possible des solutions sociotechniques. Car celles-ci doivent toujours faire intervenir l'homme comme acteur et non comme spectateur. Or l'homme reste, aujourd'hui comme hier, « cet inconnu ».

Dès lors, le refus de la fuite en avant dans la technologie avancée constitue bien une voie progressiste et, non régressive, il ne trahit pas l'idéal de l'entreprise scientifique ; il tend, au contraire, à le retrouver. Si nous étions au xviii° siècle, l'engagement dans une telle voie pourrait conduire à organiser la vie autour d'unités de taille moyenne, mi-rurales, mi-industrielles, très proches de la nature. Quelques unités industrielles, largement automatisées, raffineries, centrales électriques, usines pour production de grande série, seraient aménagées de telle sorte qu'elles ne conditionnent pas le cadre de vie. Telle est d'ailleurs l'utopie des écologistes britanniques, le « plan de survie » pour passer d'une société industrielle de croissance à une société écologique stable. Mais l'état présent du monde industriel, l'énormité de ses réalisations et l'emprise qu'il exerce sur les esprits, ne permet guère de viser un tel objectif, à supposer même qu'il soit le meilleur possible. Or il faut bien nous définir en fonction de notre avenir et non en fonction de celui qui s'offrait à nos ancêtres.

Cet avenir a été décrit dans les moindres détails par les moins imaginatifs des auteurs de science-fiction. Ils se sont plu à montrer un monde dans lequel l'avancement des machines serait poussé jusqu'au stade extrême de l'assistance technique. L'homme ne serait plus qu'un roi fainéant servi par des milliers de robots.

Une approche plus humaine aboutirait sans doute à des solutions qui nous paraîtraient « inachevées ». Avec nos mentalités de 1973 nous aurions le sentiment que l'on n'a pas tiré tout le parti possible de la technologie. Imaginons un instant que certaines sociétés continuent dans la voie de l'illusion technique alors que d'autres s'engagent dans cette nouvelle direction, les premières auraient l'impression que les secondes sont « en retard ». « Comment, vous ne climatisez pas vos cités, vous n'en dépoussiérez pas l'air et n'en contrôlez pas le taux d'humidité ! Vous ne livrez pas encore à domicile les plateaux-repas quotidiens ! Vous ne téléguidez pas vos voitures sur les autoroutes ! Vous ne remplacez pas vos organes usés par des prothèses électrochimiques ! Vous n'avez point chez vous de terminaux d'ordinateurs pour passer vos commandes et préparer vos vacances ! Vous ne portez point au poignet des « micro-informateurs » qui vous indiquent l'heure, le temps qu'il fera, les appels téléphoniques qui vous sont adressés et le programme de votre journée ! Vous n'avez point créé des « centres audiovisuels d'aventure » pour distraire vos personnes âgées ! » Car ils auraient tout cela. Ils auraient également, implantés dans le crâne, des stimulateurs électriques de bonheur ; des broches à laser intégré pour lutter contre les agressions, des « sexorooms » pour faire l'amour, des « lits pédagogiques » pour s'instruire en dormant, des drogues inoffensives, etc. Ils seraient « superprotégés », « super-prothésés ».

L'ingénieur trouverait-il mille occasions d' « améliorer » une société qui se serait progressivement écartée de l'illusion technique. Il sortirait sans cesse sa règle à calcul pour apporter les « perfectionnements » qui, manifestement, feraient défaut. Mais il ne verrait pas la subtile harmonie qui réconcilierait l'homme avec le milieu technique, il ne comprendrait pas que l'individu apporte ce qu'il est vain de demander à la technique. Car les hommes de « notre » progrès ne savent plus que le succès d'une civilisation ne se mesure pas à la splendeur de ses réalisations, mais au sourire de ses hommes.

Recherchant la voie désirable et non l'état d'utopie, il n'est pas souhaitable de décrire ces pays fortunés où l'humanité aurait retrouvé également l'usage de ses deux jambes. Souhaitons que nos enfants se dirigent dans cette direction. Si la graine est bien semée, il faut se réserver la surprise des moissons.

Mais à quoi bon parler de ces futurs différents si les rails que nous suivons nous emportent vers une autre destination ? N'est-ce pas caresser des chimères que discourir sur des mondes dont nous nous sommes interdit l'accès ? C'est la question, la plus malcommode assurément. Il importe d'y répondre en terminant.

Chapitre 11.

LE BONHEUR EN PLUS

La valeur d'un essai se juge moins à l'analyse critique qu'aux propositions constructives. C'est même une loi du genre que l'importance de la première partie nuit à celle de la seconde. Car, en poussant trop avant l'étude du mal, on montre par là même, la difficulté d'y porter remède. Il n'est que trop facile de dénoncer les imperfections d'une société et cela ne dépasse guère l'exercice intellectuel ; mais quand il faut tirer les conclusions d'une telle démonstration, c'est là que le discours perd de sa superbe. Nous voici pourtant à cette page de vérité. Après avoir tenté de démontrer, à travers un certain nombre d'exemples concrets, que les sociétés industrielles mésusent du progrès par une double perversion des fins et des moyens et que l'erreur, baptisée ici « illusion technique », loin de représenter un simple travers de ces sociétés, en constitue l'essence même, après avoir mis au jour les mécanismes, tant psychologiques que matériels, qui bloquent la situation et s'opposent à toute correction, il faudrait conclure que la civilisation technicienne ne saurait se réformer de l'intérieur et qu'il convient de la jeter à bas pour reconstruire sur d'autres bases.

Une vieille lune

Une fois de plus un effort critique semble devoir accoucher de cette vieille lune : la révolution. Etait-il donc nécessaire de se donner tant de mal pour découvrir une nouvelle raison de faire la révolution ? Il y a si longtemps

que ces raisons s'accumulent et si longtemps que les
sociétés industrielles les ignorent qu'il doit bien exister
quelque part un vice dans ce genre de raisonnement.
Car le monde moderne — et principalement le monde
capitaliste — a été si souvent condamné que sa survie
tient du miracle. Pourtant certains procureurs ne sont
point ébranlés par cette opiniâtre résistance de l'accusé.
Ils savent que le jugement est sans appel et que, tôt ou
tard, la justice passera. Alors, du soir au matin, le monde
changera. Rien n'est possible avant, tout sera possible
après.

Tel est le piège de l'illusion idéologique, un mal qui
frappe très durement les intellectuels français. Quelle que
soit l'imperfection qu'il dénonce, l'état des routes, la crise
du théâtre, le nombre de médailles olympiques, les maladies vénériennes ou le prix des pommes de terre, l'idéo-
logue lance son cri de guerre : « Tout est politique » et
vous emporte dans une chevauchée dévastatrice qui ne
laisse rien du vieux monde. Retenez-vous de proposer une
explication plus limitée ou un remède moins radical, ce
serait prouver que vous n'avez rien compris. Aussi sûr
de sa vérité que M. Purgon de son clystère, il vous prou-
vera « par raisons démonstratives et convaincantes »
que vos solutions ne seraient que cautères sur jambe de
bois.

Il faut évidemment rendre cette justice aux « révolu-
tionnaristes » qu'il n'est point de solution plus cohérente
que la leur. Dès que l'on prétend changer le monde sans
le détruire, on s'empêtre dans un opportunisme médiocre
dont rien, absolument rien, ne garantit le succès.

Mais à quoi sert un remède s'il n'est pas applicable ?
A-t-on jamais vu qu'une ordonnance suffise à guérir le
malade ? Il est vain de prescrire la révolution si celle-ci
n'a aucune chance d'intervenir. Ce qui semble bien être
le cas dans les pays industrialisés. Encore convient-il de
s'entendre sur les termes. Nous parlons d'une mutation
brusque et violente : d'un événement historique daté qui
modifie radicalement l'état de la société. Pour qui a
jamais regardé vivre les Français en 1973, un tel processus
est hautement improbable, à supposer même qu'il soit
désirable.

Les sociétés industrielles reposent aujourd'hui sur un
très large assentiment populaire ; car, en dépit de leurs
imperfections, elles ont apporté des satisfactions très
réelles. Les citoyens ont perdu le goût de l'aventure politique en découvrant qu'ils avaient quelque chose à perdre.
C'est ce que les événements de mai 1968 ont parfaitement
démontré.

Des peuples nantis, ou qui croient l'être, peuvent diffi-

cilement conserver une vocation révolutionnaire. Certes,
ils désirent des changements profonds, mais ils entendent
aussi conserver les avantages acquis. On pourra discuter
à perte de vue sur le caractère réel ou illusoire de ces
avantages, le fait est qu'ils sont appréciés. Par conséquent tout mouvement trop brutal qui paraîtrait menacer
— ne serait-ce que pour un temps — le bien-être actuel se
heurterait à une opposition tant bourgeoise que populaire.
Car l'illusion technique n'est point oppressive, mais
séductrice. Elle repose sur un consensus général, et ceux
qui en dénoncent les excès vont rarement jusqu'à la
rejeter en bloc.

Alors, que faire, en vérité, si la situation actuelle est
bloquée et s'il n'existe aucun moyen de la modifier brutalement ? Faut-il conclure que l'illusion technique est
notre lot et que nous la vivrons jusqu'à ce que décadence
s'ensuive ? Ces sombres pronostics sont fort cotés par ces
temps qui galopent, et l'on a beaucoup vu, ces dernières
années, les discours cataclysmiques prendre la relève des
discours idéologiques. Dans un salon parisien on peut également proclamer qu'il faut faire la révolution ou que tout
est foutu. Si l'on refuse la première extrémité, faut-il
pour autant se résigner à la seconde ?

Le malheur des prophètes

Marquons tout d'abord une pause. On a fait grand
cas d'un rapport établi par le Hudson Institute sur l'avenir
économique de la France [1]. Les auteurs y concluent que
la richesse française surpassera celle de tous les pays
européens au cours des prochaines années. Imaginons, un
instant, qu'une telle étude ait été effectuée, non pas en
1972, mais en 1930. N'aurait-elle pas conclu que la France
était en voie de sous-développement et de dépopulation,
qu'elle allait inéluctablement se « portugaliser » dans
les années à venir ? Le verdict n'aurait-il pas été encore
plus sombre si les experts avaient retenu comme hypothèse que ce pays allait perdre une guerre et tout son
empire ? Etait-il prévisible alors qu'après avoir roulé au
plus profond de l'abîme, il repartirait vers les sommets
économiques ? Voilà pourtant ce qui s'est passé.

Cette évolution n'est pas liée à un changement politique
— elle s'était amorcée sous la IVᵉ République — ou à la

1. Edmond Stillman : *L'envol de la France*, 1973. (Hachette
littérature). Nota : il serait curieux d'en connaître la version
revue et corrigée à la suite de la crise pétrolière.

découverte de richesses matérielles — les gisements miniers n'ont cessé de s'épuiser — ou à l'apparition d'une nouvelle idéologie — la France est restée un pays capitaliste de tradition catholique — ou à quelque cause évidente et prévisible. Elle ne répond à aucune loi historique.

Confrontés avec de tels faits, les experts ne sont pas avares d'explications. Mais ces analyses rétrospectives ne les empêchent pas d'être régulièrement surpris par l'événement comme les hommes politiques français par les barricades de mai 1968. Or des évolutions aussi surprenantes ne sont pas rares.

Qui aurait pu prévoir cette « revanche des vaincus » qui paraît s'imposer aujourd'hui comme une véritable loi historique ? Pourtant, en 1945, l'Allemagne et le Japon, dévastés, meurtris, humiliés, écrasés ne semblaient guère promis à un brillant avenir économique. Mais, le plus surprenant, n'est-il pas le succès de la R.D.A. ? Les tristes bilans économiques de l'Europe communiste ne sont, hélas ! plus discutables. S'il est un pays pour lequel un tel échec pourrait aisément l'expliquer, c'est bien l'Allemagne de l'Est. Ici le régime a été brutalement imposé par un vainqueur détesté, un énorme tribut a dû être payé qui s'ajoutait à l'hécatombe et aux dévastations de la guerre ; qui plus est, ce pays a perdu l'essentiel de ses « élites » qui est passé à l'Ouest. Toutes les conditions étaient donc réunies pour que la R.D.A. ne puisse jamais se relever, cet échec du communisme aurait été le seul que l'on puisse totalement expliquer et excuser. Or ce fut le succès.

Naturellement les historiens démontrent rétrospectivement que tout cela est parfaitement normal et nullement surprenant. Ils décortiquent de même les causes objectives de l'expansion française, de la stagnation britannique, du miracle italien puis du miracle espagnol.

Il n'empêche que ce type de recherche n'aura de valeur explicative que le jour où l'on atteindra un minimum d'exactitude dans les prévisions ; le jour, par exemple, où il sera possible de proposer deux ou trois scénarios de l'avenir en déterminant les conditions qui infléchiront les événements dans une direction ou dans une autre. Ce qui n'est pas le cas lorsque les experts se contentent d'extrapoler les futurs possibles à partir du présent.

Ces simples constatations montrent que le seul futur prévisible est celui qui n'a pas besoin d'être prévu, c'est-à-dire celui qui correspond à une continuation des tendances antérieures. Qu'on cesse donc de condamner l'avenir au nom du présent puisque rien, absolument rien, n'autorise ce prophétisme.

La réflexion sur le futur n'a pas pour but de le prévoir, mais seulement de déterminer les actions propres à l'infléchir dans le sens désirable. Affirmer que tel type de société ne peut connaître tel type d'évolution, c'est donner dans le prophétisme. Il arrive que les prophètes aient raison, mais rien ne permet de présenter une prophétie comme une certitude scientifique. Ce n'est qu'un pari, rien de plus.

Et ce pari est singulièrement aventureux en ce qui concerne l'illusion technique. Sans doute des obstacles insurmontables s'opposent-ils actuellement au redressement radical de cette erreur, et l'on ne voit pas comment une société industrielle pourrait s'engager résolument dans une voie propre à la sortir de ces ornières, mais on ne peut en conclure que l'enlisement va se poursuivre indéfiniment. Sur ce point l'ignorance est générale.

La prise de conscience

En revanche, on peut être assuré que les choses ne resteront pas en l'état et que les tendances passées ne se poursuivront pas sans changement. Des transformations vont s'opérer tant dans le jeu économique que dans les mentalités. Nous en avons vu les premiers symptômes — encore bien incertains il est vrai — au début de cet ouvrage, et nous allons maintenant y revenir.

Si l'on suit l'évolution de la France entre les deux moitiés de ce siècle on constate qu'une nation démissionnaire a cédé la place à une nation entreprenante sans qu'aucune cause évidente vienne expliquer cette transformation. Comme diraient les entraîneurs : « l'Equipe France a retrouvé le moral ». Tout s'est passé comme si la « conscience collective » de ce peuple s'était modifiée.

Evidemment c'est là une description — on n'ose parler d'explication — bien peu satisfaisante, sur le plan de la critique historique. En quoi consiste cette « conscience collective » ? A quelles lois obéissent ses variations ? S'agit-il de phénomènes économiques, sociaux, psychologiques, culturels, etc. ?

Sous cette appellation commode se dissimulent des attitudes extrêmement complexes et extrêmement variées. Chaque classe sociale, chaque génération, chaque groupe professionnel, chaque famille politique ou religieuse possède sa mentalité propre et ces différentes mentalités n'évoluent pas de façon concordante. Parler de « conscience collective » c'est effectuer un amalgame discutable pour dégager un sentiment moyen qui ne se retrouve nulle part. Il n'en reste pas moins que le Français de 1973 n'admettrait ni l'esclavage, ni le mariage des enfants, ni la torture publique, ni l'oppression religieuse, ni quantité d'autres situations qui paraissaient naturelles à ses ancêtres. Il existe donc bien un dénominateur commun de la culture qui évolue dans le temps. En simplifiant outrageusement, on peut le baptiser « conscience collective ». Or une telle « conscience » s'est considérablement modifiée entre 1930 et 1950 et cette transformation explique pour une bonne part l'expansion économique de la France.

Mais ces transformations ne sont point des causes premières. Les Français ne se sont pas convertis à la manière des apôtres recevant l'Esprit Saint à la Pentecôte. C'est un certain nombre de changements dans les conditions objectives qui ont provoqué cette évolution psychologique. Malheureusement on ne connaît pas les lois selon lesquelles des faits influencent les consciences. Nul n'avait prévu que l'arrivée de l'homme sur la Lune contribuerait à développer chez les Américains la méfiance à l'égard de la technique, ou que la défaite stimulerait l'ardeur productiviste des vaincus. On constate ces interactions, on ne peut pas les prévoir. Concluons simplement qu'il existe une opinion, qu'elle évolue et que les lois de cette évolution ne sont pas connues.

Mais on constate également que la « conscience collective » joue un rôle capital et généralement méconnu. Si l'on étudie l'histoire récente, on voit que la plupart des problèmes ont été posés par elle avant d'être résolus par le pouvoir politique. On peut même dire que les solutions qui ont finalement prévalu n'ont fait que traduire dans les faits, un résultat déjà acquis dans les esprits. Certes l'évolution des situations et l'action des hommes sont également indispensables, mais elles ne transforment la société en profondeur que si le changement existe dans l'opinion. Tout le courage politique n'aurait pas permis de donner l'indépendance à l'Algérie en 1955, et ce même courage n'aurait pas permis de la lui refuser en 1970. En dix ans un territoire considéré comme « le sol sacré de la patrie » s'était transformé en un « boulet ». L'action du général de Gaulle a facilité grandement la solution, mais en son absence tout gouvernement aurait fini par pratiquer la même politique. L'opinion américaine a connu la même évolution à propos du Vietnam. Johnson ne pouvait pas faire la paix. Nixon ne pouvait plus faire la guerre. L'action des gouvernants permet de gagner ou de perdre quelques années, elle ne modifie guère l'issue.

On peut aussi parier que tout le mauvais vouloir du

professeur Lejeune n'empêchera pas les Françaises de
se faire avorter librement dans les années à venir. Mais
on peut également soutenir que toute la conviction de
Gisèle Halimi ne lui aurait pas permis d'imposer cette
mesure si elle avait été ministre de la Santé en 1955.
Il est significatif que certains hommes de gauche qui se
déclarent aujourd'hui partisans de l'avortement libre
n'aient rien fait dans ce sens quand ils étaient au gouvernement.

Exemplaire entre tous est le problème de la pollution.
Il existe depuis fort longtemps et les experts ne l'ignoraient pas. Mais il paraissait à ce point insoluble que nul
ne voulait l'envisager. Tout gouvernement qui aurait pris
le risque d'imposer l'épuration, aurait gravement handi-
capé son industrie dans la concurrence internationale.
Les gens sérieux n'y pensaient même pas.

En 1965, la contestation écologique n'était pas citée par
Herman Kahn parmi les dix-sept « causes possibles de
changements surprenants dans les « Vieux Pays » qu'il
envisageait dans son ouvrage « l'An 2000 ». Elle ne figu-
rait pas non plus parmi les prédictions à long terme
faites, à la même époque, par un groupe de la Rand
Corporation sous la direction d'Olaf Helmer.

Il a suffi de quelques mois pour que l'opinion américaine ouvre les yeux. Un livre le Printemps silencieux —
pourquoi celui-là et pas un autre ? — un mouvement
étudiant à la recherche d'une cause, une opinion désorientée : la prise de conscience écologique se répandit
comme un foyer d'incendie dans la pinède. Deux années
suffirent pour qu'elle franchisse les océans. En 1972 le
monde entier se réunissait à Stockholm, non pour résoudre le problème, mais pour manifester une commune
préoccupation. Qui aurait eu l'idée d'une telle manifes-
tation en 1955 ? A l'époque nul gouvernement n'aurait eu
la témérité de braver son opinion publique en imposant
des mesures antipollution. En 1975 nul n'aura celle de
laisser le milieu naturel à l'abandon. Il était aisé de prouver en 1955 que le problème était insoluble. Cela ne l'a
pas empêché de trouver un début de solution vingt années
plus tard. L'évolution qui a permis de transformer une
situation bloquée en une situation ouverte est essentiellement subjective et, de ce fait, était totalement imprévi-
sible.

Il peut sembler juste de conclure que l'illusion technique est un mal inguérissable si l'on rêve d'un remède
global et si l'on considère la situation présente et les
hommes d'aujourd'hui, mais ce pessimisme radical est
totalement irréaliste bien qu'il ait toutes les apparences
de la rigueur logique.

Il est vrai que la « conscience collective » ne connaît pas, et ne connaîtra sans doute pas, les transformations brusques, totales et radicales propres à soutenir un mouvement révolutionnaire. Ce n'est pas en l'espace d'un mois ni même d'un an que les Français renonceront aux mirages de l'illusion technique. Ils ne se poseront sans doute même jamais le problème en ces termes. Le fameux « choix de société » dont les leaders nous rebattent les oreilles ne semble guère correspondre aux préoccupations des citoyens qui réagissent au « coup par coup » en fonction des situations concrètes.

Sans doute ces mutations ponctuelles traduisent-elles une aspiration plus globale, mais celle-ci n'est pas formulée en un programme fondé sur de grands principes. Le citoyen réagit à des problèmes particuliers sans expliciter le projet politique — généralement incohérent — que traduit en fait l'ensemble de ses réactions.

Les microrévolutions

Tandis que certains attendent la révolution globale, il se déroule sous nos yeux myopes d'innombrables microrévolutions. C'est l'évolution des mœurs, la contestation au sein de l'Eglise catholique, ou le refus de l'Organisation scientifique du travail. Certes on ne change pas de civilisation en huit jours, ni même en dix ans. Jadis cela demandait des siècles ou certains événements catastrophiques. Aujourd'hui on peut se passer de la catastrophe et se contenter de quelques décennies. Encore faut-il prendre ce peu de temps. Croit-on que le suffrage universel, l'égalité matrimoniale, l'abolition de l'esclavage ou la tolérance religieuse se soient imposés en l'espace d'une année ?

Les réformes qui ont pu être suggérées ici ou là dans cet ouvrage peuvent paraître gauchistes, chimériques, irréalisables. Et sans doute sont-elles tout cela si l'on ne considère que la situation présente. Mais si nous faisons l'effort de nous reporter dix ou quinze années en arrière, nous découvrons que l'abolition du travail à la chaîne et de l'O.S.T., la libéralisation de l'avortement, la lutte contre les pollutions, la défense des consommateurs, le partage des responsabilités entre enseignants et enseignés étaient également des utopies gauchisantes. Et pourtant ces chimères d'hier constituent la réalité d'aujourd'hui.

Ces changements se sont opérés sans révolution globale, sans que le public ait même le sentiment d'avoir changé de société et, surtout, sans que les pouvoirs en place aient pris l'initiative de ces évolutions. Bien au contraire, ils les ont le plus souvent subies à contrecœur.

Car notre monde s'est installé dans la mouvance. Chaque jour l'invraisemblable devient la vérité, l'impossible le possible. Il faut donc penser l'avenir en dehors des situations présentes. Si même cette réflexion conduit à des conclusions qui paraissent irréalistes, il faut la poursuivre. La réalité à venir ne ressemblera pas à la réalité présente.

Mais ce futur est inévitable. Il faut le savoir. Il n'y a pas à se demander si les orientations que nous croyons deviner sont ou non « orthodoxes » par rapport à notre façon de penser actuelle. Si l'analyse est juste, l'évolution se fera dans cette direction en dépit de toutes les objections idéologiques. En recherchant les contradictions présentes et en s'efforçant de les corriger, on n'attire pas le mauvais sort. On le conjure. Et ceux-là qui profitent le plus de la situation actuelle, seraient sages d'en rechercher les suites inévitables. Faute de quoi, les changements se retourneront vraisemblablement contre eux.

D'ailleurs ne voit-on pas que, de toute part, les assises traditionnelles du comportement sont remises en cause ? Que le citoyen est constamment assailli par le changement, que ses croyances se dérobent sous ses pas, que son cadre de vie se transforme comme un décor d'opérette ? Le monde va se renouveler complètement d'ici à la fin du siècle, et ces bouleversements affecteront autant le cadre matériel que le cadre culturel. Par quelle inertie congénitale, l'homme seul ne changerait-il pas ?

Nul ne peut prévoir le visage de l'homme à venir. Quel père deviendra-t-il quand la pédagogie et la connaissance de l'enfant seront enfin adultes ? Quel amant sera-t-il quand la psychanalyse sera sortie de ses ténèbres infantiles ? Quel croyant sera-t-il quand il aura assimilé les grands enseignements de la science ? Retrouvera-t-il la vie collective ou bien s'enfoncera-t-il dans sa solitude lorsque la télédistribution aura envahi nos cités ? Trouvera-t-il un nouvel équilibre familial et sexuel lorsque les prostaglandines auront définitivement résolu les problèmes de la contraception et de l'avortement ? On peut s'efforcer d'orienter et de canaliser ces transformations, mais nul ne sait si le flux empruntera bien le canal.

L'individu ressemble à un radical chimique dont les valences ne sont pas saturées et qui saute d'une molécule à l'autre. Il n'est plus fixé et plus assuré. Faute de savoir pourquoi il agit, il est tenté d'agir autrement. Son conformisme est d'habitude ou de lassitude. Les circonstances changeantes lui posent les questions qu'il s'efforce d'éviter. Mais insensiblement, à contrecœur, il évolue.

Depuis toujours la justice est, dure aux pauvres, clémente aux riches. Nos pères l'avaient admis. Mais l'emprisonnement d'un notaire — au reste innocent —, celui d'une femme pauvre coupable d'avoir émis de petits chèques sans provision, cela suffit à choquer l'opinion. Elle déchiffre tout à coup la fable de l'actualité. Elle découvre combien il paraît normal à nos juges que les puissants soient en liberté et les misérables incarcérés.

Et puis voilà qu'un biologiste se risque à tirer les conséquences philosophiques de sa discipline. Il constate que la méthode scientifique est amorale et athée, que les mécanismes biologiques ne laissent nulle chance à l'intervention divine. Banale constatation, qu'avait déjà tirée à sa manière Jean Rostand, après tous les rationalistes du XIXe siècle, que pourrait tirer tout esprit tant soit peu nourri de culture scientifique. Mais, précisément, nul ne voulait remarquer cette « incohérence des catégories », chacun faisait « comme si » il y avait concordance entre le système du monde décrit par la science et celui que laissent supposer nos croyances. Jacques Monod met les points sur les i. Des milliers de lecteurs reçoivent son « hasard » et sa « nécessité » comme une brutale révélation. « Savez-vous que le cher professeur n'a pas trouvé de bon Dieu au bout de son microscope ? » La belle découverte !

Pourtant, c'est toute la querelle de l'athéisme relancée en France. Pendant des mois les salons ne parlent que de cela. Puis ils se passionnent pour le mariage des prêtres. Ce qui n'est guère nouveau. Mais on en discute ; et cela, c'est nouveau. A peine a-t-on un peu oublié ce prêtre au visage de jeune premier qui a osé parler de son épouse à la télévision que l'on se passionne pour le sort de Buffet, le criminel promis à la guillotine. Les mêmes gens qui ont appris sans frémir l'exécution de Bastien-Thiry, s'interrogent à ce propos sur la légitimité de la peine capitale.

Que reste-t-il de tous ces débats, de toutes ces remises en question ? On ne peut pas plus le prévoir qu'on ne peut annoncer la nature des prochaines interrogations.

Ces interrogations, ces réactions vont se multiplier dans l'avenir, elles n'auront pas pour résultat de résoudre les problèmes, mais de les poser. C'est-à-dire d'opérer le retour au réel, si nécessaire à une société prise d'illusions.

Car c'est la réalité qui va parler désormais. La réalité matérielle à travers les encombrements, les pollutions et les pénuries, la réalité psychologique à travers les frustrations, les désillusions et les crises. De gré ou de force, elle se fera entendre.

Le forum de la vie

Si la mouvance de l'opinion paraît démentie par la stabilité, l'inertie même du corps électoral, c'est que la prospérité continue n'incite guère à un changement global de système. En revanche, la permanence des étiquettes politiques n'empêche pas la transformation des comportements. La vie est un scrutin permanent. A chaque instant, les individus se déterminent sur des problèmes concrets. C'est là que l'on observe le véritable changement.

En définitive, aucune des grandes mutations contemporaines n'a été lancée par les partis politiques, encore moins par les gouvernements. Le problème de la contraception a été posé par les fondateurs du Planning familial, celui de l'université par la révolte estudiantine, celui de l'environnement par les associations américaines, celui des prisons, par les prisonniers, celui du travail industriel par les grèves sauvages d'O.S., celui de l'avortement par des mouvements féministes, celui de la justice par le jeune syndicat de magistrats, celui du petit commerce par les manifestations violentes. A chaque fois, le « Tout-Etat », ainsi que Jean Ferniot qualifie l'élite dirigeante, a été surpris par le mouvement et s'est efforcé, tant bien que mal, de prendre le train en marche. Tout se passe comme si la novation ne pouvait plus naître que de la rue, ou, du moins, de la vie. Il faut que des paysans barrent les routes, que des prisonniers saccagent les prisons, que des ménagères boycottent la viande, qu'un avocat attaque General Motors, ou que des médecins se proclament avorteurs pour que le personnel politique découvre la réalité des problèmes. Ces manifestations spécifiques sensibilisent l'opinion et les partis se mettent aussitôt à sa remorque.

La leçon de l'histoire récente est claire : ce n'est pas le jeu politique classique qui construit l'avenir ; c'est l'interaction de la « conscience collective » avec certains événements et certaines situations, qui déclenche le processus évolutif. Les forces institutionnalisées se contentent de suivre. De ce point de vue, les « faits porteurs d'avenir » demeurent invisibles dans les campagnes électorales, les débats parlementaires ou les déclarations gouvernementales. Lorsqu'ils reçoivent cette consécration, ils appartiennent déjà au présent.

Les observateurs se perdent en conjectures sur l'avenir du mouvement réformateur, sur les rapports de forces dans les coalitions politiques, et sur le destin des différents leaders. Laissons-les faire. Cela n'a guère d'importance.

LE BONHEUR EN PLUS

Au moment où ces lignes sont écrites, le futur ministre du Travail est inconnu et la Régie Renault est à nouveau paralysée par une grève « sauvage » des O.S. Il est évident que le fait porteur d'avenir n'est pas le nom du ministre qui succédera à Edgard Faure, mais l'extension et les répercussions du conflit chez Renault. Il a fallu, ne l'oublions pas, cette grève de 1971 que nul n'avait prévue — ni direction ni syndicats — pour que l'O.S.T. se trouve remise en cause. M. Ceyrac, président du C.N.P.F., a reconnu lui-même que ce mouvement avait posé le problème en des termes nouveaux.

Ainsi de nombreuses forces sont en gestation qui peuvent complètement modifier notre futur, et ces forces ne sont pas politiques au sens étroit du terme. Est-ce que l'évolution de l'Eglise en fera une force progressiste ? Est-ce que les mouvements de consommateurs deviendront des partenaires économiques majeurs ? Est-ce que les militantes féministes parviendront à susciter un courant profond parmi les femmes ? Est-ce que la contestation écologique se tranformera en une véritable force populaire ? Est-ce que l'incompréhension entre les générations finira par créer de véritables classes antagonistes ? Est-ce que les jeunes resteront sensibles à la valorisation du travail ? Est-ce que les grandes villes — et notamment Paris — continueront à drainer la population française ? etc., voilà les vraies questions.

Mais leurs réponses ne sont pas inscrites dans les faits tels que nous savons les observer aujourd'hui. Des incidents fortuits, des actions individuelles, l'interaction de nombreux facteurs, mille causes différentes et imprévisibles peuvent provoquer des évolutions dans un sens ou dans un autre. Sur tous ces problèmes l'opinion, à tout le moins une partie de l'opinion, est en attente. Or aucun sociologue ne connaît les lois d'interaction qui pourraient la précipiter dans telle ou telle direction. C'est la part d'incertitude dans laquelle réside, heureusement, notre espoir.

L'éclatement des cadres politiques traditionnels n'empêche nullement les gouvernants de mener une politique volontariste, car il est possible de favoriser les prises de conscience désirables. Mais il contraint à l'évolution des gouvernements qui n'y sont guère portés. Souvent même des conservateurs réussissent mieux leurs réformes tardives que des progressistes poussés par un zèle hâtif. Parfois aussi, une trop longue attente rend la situation explosive...

Les courants novateurs auraient donc grand tort de se limiter à l'action parlementaire. Désormais, le pouvoir n'est plus lié au Pouvoir et peut prendre les moyens d'expression les plus variés.

Cependant les changements nécessaires se heurtent à des obstacles objectifs et non seulement subjectifs. Il ne suffit pas qu'un peuple se découvre soudain l'envie de secouer les servitudes de la technologie, il faut encore qu'il ait la possibilité matérielle de le faire. Or la dimension planétaire le paralyse. Et la nécessité de maintenir sa place dans le système d'échanges internationaux ne semble laisser aucune liberté d'action.

La contagion des idées

Fort heureusement, les mêmes moyens modernes de transport et de communication qui tissent les liens du marché mondial véhiculent également les mentalités et les comportements. Une idée nouvelle, une mode originale traversent les frontières aussi facilement qu'un chargement de pièces détachées. Par conséquent, le même mécanisme qui interdit l'action à un certain moment peut la provoquer à un autre. En ce domaine encore l'exemple de la lutte contre la pollution est édifiant.

Les Américains furent les premiers à prendre conscience du problème. Mais en dépit de leur richesse, ils se seraient trouvés dans une position difficile s'ils avaient été les seuls à entreprendre une action. Par chance la conscience écologique, née sur les côtes californiennes, n'a mis que quelques années à franchir les océans ; en sorte que tous les États se trouvent aujourd'hui dans la même situation et peuvent agir.

On assiste à un phénomène identique dans les mouvements de consommateurs, le refus du travail industriel, les revendications féministes. Avec un décalage plus ou moins grand, le refus de la dictature technologique s'étend au monde entier. Là encore, les démonstrations pessimistes sont mal venues. C'est le monde occidental tout entier qui évolue au sein de cet immense village innervé par les routes terrestres, maritimes, aériennes et radioélectriques.

En fait, ce n'est pas un optimisme de principe qui conduit à rejeter le catastrophisme : c'est la simple observation de la réalité. Le système industriel n'a d'idéologie que son dynamisme, son impérialisme. Il avale les obstacles qui se présentent sur sa route afin de continuer sa progression. Dans certains cas, la « récupération » est totale et il n'en résulte aucun changement ; dans d'autres l'opération s'accompagne d'une réelle évolution. En définitive, rien n'est si hasardeux que de prévoir l'avenir des sociétés, de prétendre connaître ce qu'elles ne peuvent pas faire ou devenir.

Tout ce que l'on peut constater c'est que le recours à la contrainte paraît de plus en plus difficile dans les sociétés industrielles. La plus grande leçon de mai 1968, c'est certainement que les forces de l'ordre n'ont pas tiré. Le régime n'a pas réprimé dans le sang un mouvement qui paraissait le menacer dans ses bases mêmes.

A moins d'une catastrophe économique, tous les gouvernements occidentaux devront agir de même.

Lorsque les O.S. de chez Renault refusent leur statut, lorsque des médecins se proclament avorteurs, lorsque les travailleurs de chez Lip s'installent dans une « autodéfense » illégale, le pouvoir n'ose pas recourir à la force ouverte. Il transige et s'efforce d'étouffer l'affaire. S'il n'y parvient pas, il s'adapte tant bien que mal à la nouvelle situation. Les pays capitalistes paraissent libérés de la menace révolutionnaire, mais ils sont privés du recours à la force brutale. Face à la contestation, il leur faut toujours se dire : « Et si c'était la vérité de demain ? » Quand le « forum de la vie » pose un problème, le gouvernement ne peut plus faire donner la garde. Il doit, de mauvais cœur, ouvrir le dossier.

Cette nouvelle situation ouvre la voie à une multitude de futurs qui étaient jadis fermés par un peloton de gendarmes. Mais les dirigeants n'ont pas encore compris cette nouvelle règle du jeu. Chaque fois qu'un courant novateur se dessine, ils tentent de le rejeter. Si les nouvelles idées s'imposent dans la conscience collective, ils improvisent à la hâte des solutions de compromis.

Les évolutions à venir iront-elles spontanément dans le sens désirable ? Rien n'est moins sûr. On peut simplement constater que les tendances actuelles sont suffisamment accentuées pour que tout changement tende à les corriger plus qu'à les renforcer. Mais c'est une maigre consolation. En réalité, ces mouvements garderont un caractère erratique qui ébranlera l'édifice social, et qui pourrait même le jeter à bas en cas de crise majeure.

En effet la régénération de la vie publique qu'apporte cette fermentation de l'opinion, risque de dégénérer en une dissociation complète du corps social. Lorsque chaque intérêt particulier cherche à s'exprimer directement en dehors des voies institutionnelles, il se crée un climat de tension qui profite souvent aux forces les plus réactionnaires. Sans compter que les groupes sociaux n'ont pas tous les mêmes moyens de se faire entendre. Il est banal de constater que la grève est une arme injuste. Elle permet

aux pilotes de ligne d'obtenir des salaires princiers tandis
que les ouvriers agricoles ne peuvent se faire accorder un
salaire décent. La généralisation de ce système transformerait la société en une gigantesque foire d'empoigne
dans laquelle les perdants seraient toujours les mêmes :
personnes âgées, handicapés, catégories socioprofessionnelles à la dérive.

Telle est pourtant la situation présente. Le gouvernement se saisit des dossiers comme le goal d'une équipe
en détresse plongeant sur tous les ballons qui filent vers
le but. Toujours surpris, toujours menacé, toujours acculé.
La croissance constante de la production permet à tous
les dirigeants de se croire progressistes. On ne peut être
taxé d'immobilisme quand on file sur la route de la prospérité à 8 % l'an. Le système accumule ainsi une énorme
énergie cinétique qui le détruirait si la croissance s'arrêtait trop brutalement.

Les seuls progrès qui sont effectués viennent de l'extérieur. Pour une loi sur la formation professionnelle permanente préparée et voulue par le gouvernement, combien
de lois sur la contraception, sur la réforme du service
militaire ou de l'université adoptées à la hâte et dans le
compromis sous la pression des événements.

Le temps venu

Et pourtant les choses évoluent. Plus vite qu'elles
n'ont jamais évolué. En dépit de l'impatience de certains, de l'obstruction des autres, notre société se transforme. Mais le délai qui nous est imparti est bien court.
Nous avançons si vite dans la voie de l'erreur que ces
quelques corrections ne peuvent suffire. Il faut désormais
que la volonté politique prenne en main cette nouvelle
situation et qu'elle en tire parti pour redresser la barre.
Concrètement cela signifie que le gouvernement devrait
saisir les multiples occasions qu'offrent les scandales
immobiliers, les révoltes dans les prisons, les conflits
sociaux ou la pénurie et le renchérissement des matières
premières pour porter le débat devant l'opinion, susciter
les prises de conscience et faire accepter par le plus
grand nombre les réformes indispensables. Telle serait la
voie du courage et du réalisme. Elle est plus que jamais
ouverte.

Les transformations à opérer sont immenses. Il ne
s'agit pas de quelques réformes, ni même d'une révolution, mais de dix révolutions, si l'on considère non point

le mode de changement mais son importance. Il est utopique de penser qu'un gouvernement, quel qu'il soit, entreprendra d'appliquer un programme qui prétendrait mener
toutes ces actions de front, puisque des mutations si
profondes doivent s'inscrire dans les esprits avant de
s'appliquer dans les faits.

Pour susciter ces prises de conscience, on peut compter
sur des événements imprévisibles, des actions non institutionnelles. De ce point de vue, il n'existe pas de situation
bloquée. La « conscience collective » évolue de façon
bien déroutante. Tantôt elle reste figée, alors qu'on atten-
drait une transformation. Tantôt elle connaît un brusque
retournement que nul n'avait prévu.

De nombreux auteurs avaient dénoncé l'anomalie choquante que constitue le droit de propriété appliqué aux
grandes entreprises. Ils avaient revendiqué pour les travailleurs la possibilité de participer véritablement à la
gestion et au destin des sociétés qui les emploient. Ces
critiques n'avaient guère rencontré d'échos. Mais le sort
du personnel de Lip, menacé de chômage par l'incapacité
d'un propriétaire de droit divin, suscite de multiples interrogations. Le patronat qui ne s'était guère ému des analyses marxistes prend peur. Il redoute, et il n'a peut-être
pas tort, que cette histoire exemplaire donne des idées
aux autres travailleurs.

On peut imaginer beaucoup d'événements du même type.
Il paraît impossible aujourd'hui de rendre justice aux
personnes âgées. Elles n'intéressent pas la gauche car elles
votent à droite, elles n'intéressent pas les conservateurs
car elles consomment peu, elles n'intéressent pas la population active car elles sont à sa charge. La situation est
bloquée.

Mais il apparaît de plus en plus probable que l'âge de
la retraite sera très prochainement ramené à 60 ans. Une
telle mesure pourrait modifier radicalement le problème.
En tant que phénomène social, la vieillesse n'est pas une
question d'âge, mais d'activité. Le vieux, c'est le retraité.
Si l'âge du départ en retraite est avancé à 60 ans nous
aurons beaucoup plus de « vieux », et ils seront « plus
jeunes ». Les veuves de 75 ans peuvent difficilement faire
entendre leur voix. En revanche une population de 60 à
70 ans sera capable de s'organiser, de manifester. Il n'est
pas impossible que, dans quelques années, toutes les
grandes villes de France soient bloquées par des retraités
qui s'assoiront sur la chaussée en scandant « doublez les
retraites ! » C'est alors seulement que le sort misérable
des personnes âgées paraîtra aux Français pour ce qu'il
est : un scandale. La situation sera débloquée.

Sur un plan plus général, tous les anathèmes lancés contre les excès de la consommation et la soif dévorante des biens matériels s'apparentent à des vœux pieux. Dans tous les domaines les citoyens veulent « davantage » et les appels à la sagesse semblent dérisoires en face de cette avidité générale. Mais on sait que la situation va profondément évoluer dans les années à venir. Les peuples industrialisés n'ont encore vu que la pollution et les encombrements. C'est peu de chose comparé à ce qui les attend. Lorsque les déséconomies s'accroîtront jusqu'à bloquer le système, lorsque les premiers effets de la pénurie mondiale feront flamber les prix des matières premières, lorsque les nouveaux produits nés de la croissance se révéleront de plus en plus décevants, lorsque la menace des crises fera réapparaître le spectre du chômage, lorsque de nouveaux exemples prouveront aux consommateurs populaires qu'en accédant à de nouvelles possessions ils ne font qu'un marché de dupe, lorsque des cadres et des bourgeois, toujours plus nombreux, ne supporteront plus les contraintes diverses de leur vie dorée, alors il se créera une nouvelle situation. Les mesures, aujourd'hui impossibles, deviendront inévitables. Les situations, aujourd'hui acceptées et même désirées, seront refusées. Il deviendra possible d'appliquer certains remèdes que nous avons préconisés et qui paraissent totalement « irréalistes ».

Il ne s'agit pas de croire que la force d'une idéologie finira par s'imposer à tous les esprits. Les critiques qui ont été formulées dans cet essai reposent sur des faits. L'accusation première qui a été portée est celle d'irréalisme. On peut désespérer des théories, mais pas des faits car ils sont têtus. Avoir la conviction que, tôt ou tard, ils s'imposeront avec la force de l'évidence, ce n'est pas nourrir un espoir mystique, c'est simplement prendre la réalité comme elle est.

Les gens sans importance

Pour que les prises de conscience interviennent, il faut tout à la fois que les individus se sentent concernés et que les responsables gardent le contact avec la réalité. De ce double point de vue, des actions devraient être envisagées. Elles viseraient tout à la fois à remettre au pouvoir la réalité c'est-à-dire la masse des gens sans importance et sans compétence, et à donner aux élites dirigeantes une formation qui les éloigne des illusions contraires de la technique et de l'idéologie. Beaucoup de progrès sont à accomplir en cette matière dans la société française.

Les pays industrialisés tendent naturellement à concentrer le pouvoir entre les mains de « gens compétents », à provoquer la démission du plus grand nombre. Cette spécialisation des dirigeants, cet éloignement des centres de décision, bref cette technocratie généralisée, constitue la base politique de toutes les illusions. Il faudrait briser ce système en réintégrant dans les mécanismes de décision les simples citoyens qui en subiront les conséquences. Tout a été dit sur les inconvénients, voire les impossibilités, d'une démocratie directe. Il est vrai qu'en ce domaine la plupart des tentatives aboutissent à des résultats décevants. Au contraire, les procédures autoritaires et technocratiques offrent les plus grandes commodités. Elles permettent de prendre rapidement des décisions cohérentes. Mais on sait que cette efficacité n'est souvent qu'apparente. La vie des hommes, largement déformée par ces méthodes, ne souffre pas toujours d'être ainsi maltraitée. Et l'on retrouve, au niveau de l'exécution, les inconvénients que l'on avait évités au niveau de la décision.

Mais s'il faut permettre aux intéressés de participer directement à la gestion de leurs affaires, un tel résultat ne peut provenir que d'une décentralisation du pouvoir, non pas seulement dans l'administration, mais également au sein de l'entreprise. Plus les centres de décision se rapprochent des exécutants, plus les problèmes sont traités à petite échelle et moins on risque de se perdre dans les fictions comptables et administratives. Le cadre naturel de l'homme c'est l'atelier, la commune, voire le quartier, l'association à laquelle il appartient, l'immeuble dans lequel il habite. Ces communautés doivent vivre, et pour cela, exercer une responsabilité. C'est alors que les risques de la technocratie sont les plus réduits.

Il est vrai que de telles organisations sont fort difficiles à mettre sur pied et à faire vivre, encore plus à intégrer dans le cadre élargi d'un pays moderne, mais ces difficultés sont d'autant plus grandes que l'on n'a jamais tenté de les résoudre. Quelle expérience avons-nous des ateliers autonomes, des communautés de quartiers ? Quand a-t-on délégué à des groupements de citoyens une part suffisante de responsabilité dans la gestion de la vie collective ? Il faudrait effectuer des expériences-pilotes pour voir ce qui est possible et ce qui ne l'est pas. Malheureusement ces tentatives sont considérées avec méfiance. Des milliers de grands esprits travaillent sur les méthodes « modernes » de gestion ou

d'administration, mais combien réfléchissent à des méthodes nouvelles plus proches des intéressés ?

En bonne théorie le système représentatif devrait permettre aux citoyens de contrôler la gestion de leurs
affaires, de les gérer par représentants interposés. Outre
que ce système n'existe pas dans les entreprises, il semble aujourd'hui s'être fait le complice de toutes les illusions.

N'en prenons qu'un exemple : le Parlement. Voilà cinq
cents personnes qui sont censées constituer un « échantil-
lon représentatif » de la société française. Celle-ci se
compose en majorité de femmes, de jeunes, de retraités,
d'employés, d'ouvriers, d'agriculteurs, de petits commerçants. L'Assemblée nationale, elle, se compose d'hommes
exerçant les professions d'avocats, de fonctionnaires —
énarques de préférence (10 dans l'actuel gouvernement)
— de médecins, de notaires, de professeurs, d'administra-
teurs de sociétés. Quand d'aventure un « gagne-petit »,
un « homme sans importance » accède à la députation,
il abdique immédiatement son originalité entre les mains
d'un état-major politique. Qui plus est, la majorité des
parlementaires sont depuis de nombreuses années des
professionnels de la politique qui vivent en marge des
citoyens ordinaires.

Aussi les débats parlementaires sont aussi factices
que la messe en latin. On y parle de « catégories défavorisées », « des légitimes revendications des travailleurs »,
de « l'impatience des familles », de « nos vieux et de
nos vieilles », des « catégories socioprofessionnelles durement frappées par l'évolution technique », toutes formules
rituelles vides de sens. On parle de la France comme on
parlerait d'un pays lointain en regardant des cartes postales.

Pour corriger les insuffisances du système électif, ne
devrait-on pas envisager de désigner le quart ou le tiers
des députés par tirage au sort dans la masse des électeurs
ayant pris part au vote ? Une telle proposition peut
paraître absurde.

Comment des individus pris au hasard pourraient-ils
avoir la compétence nécessaire pour voter des lois ? Mais
ne trouve-t-on pas aux jurés la compétence nécessaire
pour envoyer des accusés à la guillotine ? Et n'est-ce pas
autrement plus grave que de se prononcer sur la loi de
finance ? Ne voit-on pas combien l'incompétence pourrait
même être bénéfique à la vie parlementaire ? Les ministres
et les leaders politiques ne seraient jamais certains du
résultat d'un vote. Pour obtenir les voix de ces simples
citoyens, il leur faudrait expliquer leurs projets en
termes simples et ordinaires ; il leur faudrait convaincre,

non pas des politiciens comme eux, mais « l'homme de la rue ».

Celui-ci, à son tour, aurait beaucoup de choses à dire aux professionnels. Sur les dizaines de citoyens anonymes quelques-uns ne manqueraient pas d'exprimer la réalité vécue par les Français. Qu'un modeste retraité monte une fois à la tribune pour rappeler ce qu'est la vie de millions de vieux, cela ferait passer un souffle d'authenticité sur l'hémicycle.

Enfin l'électeur se sentirait davantage concerné par la campagne et le scrutin s'il savait qu'en allant voter il peut se retrouver élu. Il n'aurait plus le sentiment que la procédure électorale est uniquement un choix d'abdication. L'effet psychologique serait sans doute très heureux.

Les deux mondes

L'irréalisme dans l'efficacité est une marque particulière de la société française. Il finit par créer un véritable divorce entre l'élite et le reste de la population. C'est une tradition culturelle qui systématise toutes les aberrations propres à la pensée contemporaine.

C'est pourquoi tout au long de ces pages, on s'est efforcé d'éviter les pièges contraires de l'illusion technique et de l'illusion idéologique. En théorie la route devrait être large qui sépare ces deux ornières et les promeneurs devraient y être nombreux. En pratique c'est un étroit sentier de crête, fort peu fréquenté où le pied manque quand l'attention se relâche. Pour cette raison, la population occupe les deux versants opposés : celui de l'action et celui de la réflexion. D'un côté se trouvent les hommes du possible, de l'autre les hommes du souhaitable. Ici le présent colle aux semelles, là c'est l'horizon qui emprisonne le regard.

La masse des gens, cette masse sans autre importance que son nombre, ne choisit guère son bord, elle est ballottée de l'un à l'autre par les lames de fond qui agitent les grandes foules. C'est une certaine élite, définie par son pouvoir et son éducation faute de l'être par sa valeur, qui se clive irrémédiablement en deux camps opposés. Chacun y choisit son recours : celui-ci, la certitude idéologique ; celui-là, l'efficacité technique, et nul ne troque ses espérances pour celles de l'autre parti. C'est pile ou face : une fois pour toutes.

Cette « bicéphalite aiguë » de la société française est un mal des plus graves et qui contribue fortement à entretenir les illusions. Il faut en rechercher la cause première dans un système d'enseignement qui se dédouble en deux mondes de plus en plus séparés. De plus en plus opposés. L'Université d'une part, les grandes écoles de l'autre ; comme si l'on voulait former deux races d'hommes. L'Université se coupe progressivement du monde, de ses hommes et de ses œuvres, elle se referme sur elle-même comme un monastère. Chacun déplore hautement ce repliement, mais chacun s'en accommode en secret. Le gouvernement, les industriels, qui redoutent l'esprit critique des « chers professeurs » se résignent aisément à les voir s'enfermer dans leur superbe isolement, les universitaires qui répugnent à se compromettre dans l'action, ne sont pas fâchés de vivre à l'écart de la cité.

Ainsi a-t-on laissé se créer peu à peu un nouveau type d'ordre contemplatif. Dans ces temples du savoir que sont devenues les facultés, les grands prêtres et leurs moinillons se consacrent au discours. Celui-ci a pour objet d'établir la relation du particulier au général, de retrouver la permanence des concepts sous la diversité des contingences. Cet exercice ne vise pas à éclairer l'action par un retour au réel, mais à organiser le monde abstrait et transcendant qui devrait définir les choix politiques. Grâce au discours tout est politique, donc tout est rhétorique.

La pensée est un jeu de puzzle qui consiste à replacer les faits dans les grandes constructions théoriques. Il s'agit de situer la publicité dans la formation de la plus-value, le comportement de l'automobiliste dans la théorie psychanalytique, et la vogue de Sheila dans les mécanismes de consommation. Toutes réflexions fort utiles, mais qui restent au niveau de la recherche et de l'abstraction.

Cette réflexion sans action, ce savoir sans pouvoir, conduisent à la méfiance systématique et à la contestation permanente. Car l'Université se méfie : de l'industrie capitaliste en particulier et de la société en général. Elle redoute toute collaboration qui l'entraverait dans son rôle de procureur. Elle étend sans cesse le champ de sa contestation du profit à la rentabilité, de la rentabilité à l'efficacité, de l'efficacité à la production, de la production à la technique. C'est la fuite en avant dans le refus et l'impuissance.

A l'opposé se dressent les grandes écoles. L'industrie et l'administration y forment leurs officiers. Cheveux courts, costumes élégants, bonnes raquettes : un autre type d'homme. Opérationnel et fonctionnel. Il est formé, façonné, pour tenir un rôle précis dans une organisation déterminée. Il aspire à l'action : celle d'un rouage dans un mécanisme bien huilé.

Dans les écoles, on se méfie des idées générales tout

autant que du profit dans les facultés. On s'intéresse au concret, au particulier. La vie est dépecée comme un bœuf dans une boucherie. Il ne reste que des problèmes qui ressemblent autant à la réalité que le rôti à l'animal sur pied. Ainsi tout devient technique.

Avec une égale aisance, le sociologue passe du particulier au général et l'ingénieur du général au particulier. Le premier ne peut se situer qu'en dehors de la réalité, le second ne peut que s'y noyer. Pour le cadre, pour l'ingénieur, pour le médecin, toute insatisfaction, toute difficulté, débouchent sur une action concrète. Il faut construire un pont, inventer une nouvelle machine, changer un règlement ou opérer. La solution proposée s'inscrit toujours dans le cadre même qui a fait naître le problème. Pour l'universitaire, au contraire, il est vain de rechercher une réponse sans dépasser la question. L'homme de l'action fabrique la bombe atomique sans s'interroger, l'homme de la réflexion pose le préalable idéologique avant de planter un clou.

D'un monde à l'autre les valeurs sont opposées. D'un côté on s'exprime par l'action, on s'affirme par la réussite sociale, on se limite aux problèmes, on se juge à l'efficacité. De l'autre on s'exprime par le discours, on s'affirme par la contestation, on dépasse les problèmes, on se juge à l'intelligence. Ici on pose le préalable des moyens, là celui des fins. L'incompréhension est totale.

Mais les cadres et les ingénieurs ont le pouvoir, les universitaires ne l'ont pas. Les premiers trouvent dans l'action une réponse à toutes leurs aspirations. Ils n'éprouvent pas le besoin d'une réflexion critique ou d'une remise en cause. Le conformisme est leur seconde nature. N'est-il pas frappant de constater qu'en ces temps d'interrogations, où chacun veut apporter son point de vue sur la crise du monde moderne, où les essais, les interprétations et les propositions se multiplient, les cadres soient aussi muets ? Aussi stériles ? Ces milliers d'ingénieurs de recherche ou de production, ces experts-comptables, ces directeurs du personnel, ces spécialistes de l'organisation ou du marketing, n'ont-ils rien à dire, rien à imaginer, rien à contester ? Ne sont-ils qu'une armée silencieuse disciplinée, efficace ?

Il revient aux universitaires, si éloignés des réalités industrielles, de multiplier les analyses critiques, les dénonciations. Mais le système industriel n'a cure de ces réquisitoires et de ces ordonnances. Il ne se soucie pas même de l'influence que les maîtres pourraient avoir sur leurs élèves, car il n'a ni la possibilité ni le désir de les employer. Ainsi ne s'inquiète-t-il pas outre mesure de la jeunesse contestataire qui fermente dans les creusets universitaires.

Voilà donc des milliers d'universitaires, de normaliens, d'agrégés, de polytechniciens, de centraliens, d'énarques stérilisés dans la contestation impuissante ou le conformisme satisfait. Il ne reste que quelques rares esprits de qualité que l'on rencontre parfois dans la haute administration, au Commissariat au Plan ou à la Délégation à l'Aménagement du territoire.

Sans doute une telle description est-elle un peu caricaturale mais la réalité se lit mieux sur les portraits de Daumier que sur les photos d'identité. L'idéal serait évidemment que l'esprit d'efficacité et le sens des réalités entrent à la faculté, que l'esprit d'analyse et l'interrogation politique entrent dans les écoles. Nombreuses sont les solutions qui permettraient de s'en approcher, mais il serait vain de les envisager en l'état actuel des esprits. En effet de telles réformes iraient à l'encontre de toutes les mentalités et de tous les intérêts. L'Université serait prête à envahir les écoles et les écoles à envahir les Universités, mais aucune ne voudrait s'amender. Les industriels ne veulent pas qu'on touche à leurs « Saint-Cyr » : « La seule chose qui tienne dans l'Education nationale. » Et les universitaires s'opposent à toute ingérence de la production. « La culture ne doit pas être au service du profit. »

Cette élite...

Cette situation ne peut être améliorée que progressivement. Mais là encore, les circonstances et les esprits évoluent. Actuellement cette évolution va dans le sens d'une radicalisation. On peut prévoir que l'incohérence du système s'accentuera, qu'il s'ensuivra des inconvénients graves et des crises. Cette maturation risquerait d'être longue si les intéressés ne pratiquaient systématiquement la politique du pire. Mais d'ores et déjà des premières mesures seraient à prendre pour que la société française cesse de former les artisans de l'illusion technique et les prophètes de l'illusion idéologique.

L'élite, dédoublée entre le « savoir-faire » et le « savoir penser », est complètement coupée de la réalité. L'élite — c'est-à-dire les hauts fonctionnaires, les cadres, les universitaires, les créateurs artistiques, les chercheurs — bref, tous ceux qui pourraient prendre une part personnelle au changement. La réalité, c'est-à-dire la vie des

hommes. Non pas de l'Homme au singulier et avec majus-
cule, mais des hommes avec la minuscule de l'insigni-
fiance et le pluriel de la diversité. C'est entre ces deux
mondes sociologiques que s'effectue une coupure de plus
en plus radicale.

Certes les croquants n'ont jamais beaucoup fréquenté
les seigneurs et les ouvriers n'ont jamais mangé à la
table de leurs patrons. Toutefois cette distance était moins
gênante en un monde relativement stable et fortement
structuré autour de ses institutions et de ses valeurs.

Mais au temps de la remise en question permanente,
alors qu'il faut sans cesse décider, trancher, organiser, alors
que nous voulons entreprendre une évolution démocratique et progressiste, il devrait exister une étroite sym-
biose entre l'élite et le peuple. Ce n'est malheureusement
pas le cas. La fine fleur de la société française est isolée
des masses populaires par son extraction autant que par
son statut.

En dépit des efforts entrepris pour démocratiser l'enseignement, l'élite sort toujours de la bourgeoisie ; elle se
forme dans le monde artificiel des Universités et des
écoles ; elle travaille et vit dans un milieu extrêmement
particulier, une sorte de ghetto invisible. La discrimination ne prend plus le caractère spectaculaire qu'elle
avait autrefois. En apparence, tous les citoyens vivent à
peu près de la même manière. Ils conduisent tous des
voitures, ils regardent tous la télévision, ils lisent tous
les journaux. Ainsi les responsables ont-ils l'illusion qu'ils
connaissent le peuple, qu'ils peuvent deviner ses aspirations et ses difficultés. En réalité, cette connaissance n'est
que partielle, indirecte et déformée. Les catégories sociales
se côtoient, elles ne se mêlent pas. C'est à peine si elles
se connaissent.

Il se peut que le haut fonctionnaire regarde la même
émission que l'O.S., il ne connaît pas pour autant la
réalité du travail en usine, et l'ingénieur qui double son
concierge sur la route des vacances ne partage pas les
mêmes soucis. Chacun a sa vie propre, et jamais l'un
n'aura une expérience directe des conditions d'existence
de l'autre.

Traditionnellement, le service militaire permettait de
nouer certains contacts que les institutions sociales rendent impossibles. Relations artificielles et fugitives. Utiles
cependant. Mais, tôt ou tard, le service militaire disparaîtra. Ne conviendrait-il pas de le remplacer par une sorte
de « service social » qui, d'une manière ou d'une autre,
ferait vivre aux futurs étudiants l'existence de ceux qu'ils
seront appelés à commander ? qui leur fera exécuter les
plus rudes tâches de la production ? Une telle institution se

heurterait à des obstacles considérables, tant sur le plan
économique que sur le plan social ou culturel, mais elle
pourrait combattre certains excès de la ségrégation sociale
et favoriser d'utiles prises de conscience. D'autant que
la nouvelle aristocratie, divisée dans ses compétences, isolée dans ses privilèges est peu préparée à servir le peuple.
Chacun de ses membres cherche à satisfaire ses propres
aspirations. Ce qui est parfaitement normal. Mais l'organisation sociale est telle que cette recherche va, le plus
souvent, à l'encontre de l'utilité sociale. Les inégalités
de chances et de revenus, les structures autoritaires et
centralisées, l'irréalisme foncier de l'enseignement supérieur, les rapports de domination au sein de la société,
tout contribue à faire de l'élite le défenseur ardent des
illusions contemporaines.

Nationalisation pour quoi faire ?

Hélas ! Dans tous les domaines de la vie collective les
sociétés industrielles manquent autant d'imagination que
d'expérience. Monolithiques et unidirectionnelles, elles
poursuivent imperturbablement leur dessein sous une
diversité de façade. Dès que l'on touche à l'essentiel,
c'est-à-dire au système politique et social, toutes les voies
différentes sont ignorées ou refusées. De la part même
des plus fervents défenseurs du système capitaliste c'est
faire preuve d'une grande imprévoyance. Qui sait ce que
l'avenir nous réserve ? Il serait sage d'acquérir une expérience dans des voies qui seront peut-être demain celles
du salut. Or la France a la chance de posséder un large
secteur nationalisé qui se prêterait admirablement aux
expérimentations sociales. Mais on a mis une sorte de
point d'honneur à prouver qu'il n'existe aucune différence entre une entreprise privée et une entreprise publique. De ce point de vue, le succès est certain. Il faut être
borné comme peuvent l'être des conservateurs français
pour contester que Renault, l'E.D.F. ou le Crédit Lyonnais
soient des entreprises bien gérées au sens classique du
terme. Bref, le capitalisme d'Etat a prouvé qu'il etait l'exact
pendant du capitalisme privé.
Les travailleurs y bénéficient d'avantages sociaux inconnus dans la plupart des sociétés privées, mais leur situation est fondamentalement la même et les activités pour-
suivies ne répondent à aucune finalité particulière.
Pourtant est-il normal que l'Aérospatiale fabrique des
armes pour les pays du Tiers Monde, qu'E.D.F. et G.D.F.

poussent à la consommation d'énergie, que les grandes banques nationalisées gaspillent leur force dans une concurrence stérile, que les entreprises nationales n'aient pas fourni du travail à tous les handicapés physiques, qu'elles n'aient pas organisé en premier les horaires variables, que les Potasses d'Alsace polluent le Rhin, que les P.T.T. veuillent développer le visiophone, qu'Havas soit le premier temple de la « publiculture » ? La nationalisation a laissé l'entreprise dans les structures de l'illusion technique et n'a donné aucun autre choix à ses dirigeants. Dans ces conditions, il n'est guère nécessaire de multiplier le nombre des entreprises nationalisées. Tant qu'à jouer le jeu du capitalisme, il vaut mieux laisser faire les capitalistes. Ils ont l'expérience.

En revanche, le temps pourrait être venu de confier à des entreprises nationales — anciennes ou nouvelles — de véritables missions sociales. Nationaliser une société privée pour tenter une expérience de cogestion serait certainement une initiative heureuse. De même serait-il utile de faire passer l'industrie pharmaceutique sous contrôle public, si cette opération avait pour but de changer radicalement la politique actuellement suivie. Des laboratoires d'Etat produisant des médicaments efficaces, en nombre limité et à bas prix seraient indispensables pour résoudre les problèmes de la santé publique. Mais si les grands laboratoires une fois nationalisés continuent à pratiquer la politique actuelle d'innovation à tout prix et de surconsommation, il n'en résultera pas un grand progrès social. On peut même se demander si la suppression de la plus-value capitaliste justifie à elle seule l'expropriation. Il semble possible d'avoir de plus vastes ambitions.

La régie Renault donne l'exemple de la nationalisation sans objectifs. En un quart de siècle, elle n'a pas su réinventer le travail industriel et se forger une expérience qui serait si nécessaire aujourd'hui. Ce sont des concurrents privés comme Fiat et Volvo qui ont fait les efforts les plus novateurs en ce domaine. La Régie se contente de suivre le mouvement général. Sur le plan de la production, elle a donné dans tous les pièges de l'illusion technique. Pourquoi est-ce Volkswagen qui a stabilisé les modèles pendant vingt ans ? Pourquoi la voiture populaire que chacun attend n'est-elle pas sortie de Billancourt ? Pourquoi les Renault n'étaient-elles pas équipées, dès 1950, de ceintures de sécurité ? Pourquoi la gamme des modèles se déplace-t-elle progressivement vers des voitures de plus en plus luxueuses ? Les dirigeants de l'entreprise ne sont d'ailleurs pas responsables de cet échec. Ils ont rempli la mission qui leur était assignée. Renault est une réussite commerciale et

sociale. En poursuivant d'autres objectifs, MM. Lefau-
cheux et Dreyfus auraient prêté le flanc à la critique de
tous ceux pour qui le succès se mesure aux bilans.

Et pourtant, la nationalisation peut constituer un outil
très efficace pour recréer une société plus humaine. Encore
faudrait-il avoir des objectifs à la mesure d'un tel outil,
et une imagination suffisante pour l'utiliser. Mais à quoi
bon prendre le risque d'ajouter la lourdeur du système
soviétique à la fuite en avant du capitalisme ? Nationaliser Hachette est une chose, une petite chose ; organiser un service public efficace et dynamique pour diffuser
l'écrit en est une autre, infiniment plus difficile, mais
infiniment plus utile à long terme.

Au nom de l'avenir

La simple prévoyance, sinon la sagesse, voudrait que la
civilisation technicienne considère comme une richesse et
non comme un danger les aspirations différentes qui se
manifestent en son sein. Parmi ces contestations outran-
cières et ces constructions chimériques se cachent peut-
être les réalités de demain. Les jeunes qui refusent notre
système ne construisent pas l'avenir. Ils l'annoncent. Ils
parlent de leurs désirs sans chercher à les intégrer dans
l'univers industrialisé. Or ces désirs traduisent bien souvent les manques de notre monde. C'est aux adultes, aux
gouvernants et non à eux, qu'il appartient d'effectuer
les corrections nécessaires. Mais une telle transformation
se prépare. Ce n'est pas en réagissant aux crises, en
s'accrochant aux basques d'une opinion désorientée, que
l'on construira un monde meilleur. Dans tous les domaines
qui touchent à l'homme : école, cité, usine, loisirs, culture, etc., il faudrait institutionaliser l'idée d'expérimen-
tation. N'est-il pas aberrant qu'il faille attendre la faillite de Lip pour regarder — mais dans quelles conditions — des travailleurs organiser eux-mêmes la production ? Ne devrait-on pas provoquer délibérément de telles
tentatives ?

Les sociétés industrielles ne sont plus menacées par
les forces révolutionnaires classiques. Elles sont menacées
par leur manque d'imagination. Mais cette carence est
masquée par leur fantastique dynamisme.

L'humanité ne renoncera jamais aux nouveaux moyens
qu'elle a découverts. Elle ne le fera pas et c'est fort
heureux. Jamais non plus elle ne saura les développer
sans investir dans l'entreprise plus d'énergie et plus

d'espoirs qu'elle ne devrait. Il faut en prendre son parti, nous serons toujours aspirés en avant par l'aventure technicienne. Imaginer qu'une société puisse maintenir un parfait équilibre entre les aspirations de l'homme traditionnel et la volonté de puissance de l'homme moderne, c'est croire à l'utopie, c'est rêver du paradis terrestre. Mais à l'inverse, accepter sans réagir les choix illusoires, corriger sans cesse l'erreur par l'erreur et courir indéfiniment de satisfactions en besoins, faute d'attaquer le mal à sa racine, c'est aussi poursuivre un mirage. Celui que la science-fiction nous a décrit avec minutie et complaisance. Trop longtemps nous avons cru ou voulu croire que l'humanité s'accomplirait en se coupant de ses racines génétiques. Qu'elle trouverait son expression suprême à travers un environnement artificiel et fonctionnel qui libérerait l'individu de toutes les contraintes en amplifiant sa puissance et son autonomie. Et quand on considère l'ampleur et la rapidité des progrès accomplis dans cette voie, on peut croire que ce rêve est parfaitement réalisable. A tout le moins dans un petit nombre de pays riches qui exploiteraient et domineraient les autres. Quelques difficultés, quelques périls qui s'annoncent à l'horizon, le génie technique poussé par la volonté de puissance paraît capable de tout surmonter. La mise en place d'un monde toujours plus artificiel, toujours plus fonctionnel, devrait théoriquement venir à bout de la pénurie, des encombrements, des pollutions et autres déséconomies. Avant de se précipiter dans ce royaume des mirages, il serait temps de faire les comptes.

Il est facile d'en imaginer tous les avantages, mais il faut bien aussi imaginer l'envers du décor : la somme d'efforts, de contraintes, d'agressivité et de tensions qu'il faudra maintenir pour mener à ce point l'entreprise. Ces facilités ne seront pas données, il faudra les payer, et le prix est d'autant plus élevé que le confort est plus grand.

Le coût des premiers avantages matériels fut effroyable. Pour lancer l'industrie, il fallut immoler les enfants au fond des mines ou dans l'enfer des manufactures. Du moins pouvait-on expliquer — sinon justifier — cette cruauté par l'absolue nécessité de la production. Les prolétariats misérables de la révolution industrielle étaient en survie. Le bonheur n'avait pas encore de sens. Le malheur seul était une réalité et son atténuation, le progrès. Ce n'est pas un mauvais marché que de payer le prix fort pour se débarrasser de la peine, de la souffrance et de la misère.

Heureusement la progression des techniques a rendu accessible ce bonheur, que les bouleversements de la

révolution industrielle avaient banni. Grâce soit rendue
au progrès ! Cela devrait nous conduire à ne plus compter
comme nos arrière-grands-pères. Au regard des efforts
que nous entreprenons, nous ne devons plus mettre une
détresse pressante, mais, au contraire, une possibilité de
bonheur. Ce qui est bien différent. Rien n'est trop cher
quand il faut combattre la faim, l'analphabétisme, le
froid, la promiscuité, le dénuement et la déchéance. Mais
quand on doit sacrifier les joies de la famille, de l'amitié,
de la sexualité ou de la culture à la production d'un
confort supplémentaire, c'est alors qu'il est plus sage et
progressiste de refuser les bienfaits de la « surtechnolo-
gie » pour goûter les plaisirs simples de la vie.

C'est alors surtout qu'il faut poursuivre d'autres voies
et par d'autres moyens le contentement que les dernières
générations ont dû rechercher dans les biens matériels.
Nous sommes en passe de maîtriser la production, ce
qui permet d'avoir certains biens matériels sans lesquels
la recherche du bonheur n'est qu'un vain mot. C'est
un tournant de civilisation, mais nous ne l'avons pas
remarqué. Faute d'un redressement nécessaire, nous per-
pétuerions la politique de pénurie en période d'abondance.
Jadis les problèmes étaient essentiellement techniques,
économiques et sociaux. Il fallait « savoir », « faire »
et « distribuer ». Aujourd'hui ils sont d'abord politiques
et culturels. Il faut utiliser ce capital de bien-être pour
créer une civilisation de concorde et de bonheur.

A ce point de son histoire la civilisation blanche trouve
son véritable défi. Un défi politique. L'homme s'est donné
à l'aventure technique. Il est temps qu'il se reprenne.
Non pour l'abandonner, mais pour en profiter. Le progrès matériel, hier outil de libération, devient insensiblement un outil d'aliénation. Nous avons brisé les barreaux de la prison, mais nous vivons, quoique libres,
comme des prisonniers.

En fait, l'humanité n'est toujours pas sortie de sa
caverne. Elle continue obstinément à chercher la réalité
sur les ombres qui dansent au mur. Il y a bien longtemps
pourtant que les prisonniers ont brisé leurs fers et qu'ils
peuvent se retourner pour regarder le monde par l'ouverture béante. Mais ils sont trop occupés à caresser leurs
fantasmes. Ils ont même réussi à leur donner toutes les
apparences des êtres vivants. Ils en ont fait des personnages à l'égal d'eux-mêmes et ne savent plus se distinguer
d'eux. La caverne de Platon, transfigurée par les miracles
de l'électronique, est plus que jamais le piège aux illusions.
Le vrai et le faux s'y mêlent indistinctement. « Suis-je
moi ou mon image ? » « Et mes compagnons sont-ils à
mes côtés ou bien dans le miroir que je regarde ? » « Et

si les autres ne regardent que mon reflet n'est-il pas plus réel que moi ? » « N'est-ce pas lui, mon double social, qui vit mon histoire ? » Dans le doute de sa propre identité, chacun préfère le jeu fascinant des apparences à la recherche épuisante de la réalité.

Mais la caverne de Platon est aussi devenue celle d'Ali Baba. Elle s'est remplie de trésors qui se sont entassés comme les invendus dans une arrière-boutique. Car nos pères fabriquèrent des merveilles, mais ils ne surent pas en tirer parti. Tels des brigands amassant un butin, ils n'en reconnurent pas la valeur. Seulement le prix.

Les nouvelles générations sont fascinées par ce trésor en vrac comme l'homme heureux qui a découvert la caverne des brigands. Plutôt que le disposer au mieux pour agrémenter leur existence, elles préfèrent s'enfermer dans ce coffre-fort souterrain. Au hasard de cette vie cavernicole, nous utilisons l'un ou l'autre de ces objets et l'usage que nous en faisons donnerait à croire que nous ne les avons point inventés et que nous n'en connaissons pas la destination. Etrange dédoublement de l'homme qui pille et dilapide les richesses qu'il a lui-même créées ! Mais qu'importe les incommodités de cette situation. Quand une fois on a gagné un tel trésor, on ne le lâche plus. Car les tissus brodés d'or, les meubles de bois précieux, les coffres remplis de perles et les sacs gonflés de pièces, n'est-ce pas la seule réalité qui compte ? Qui se compte. Ne vaut-il pas mieux s'emprisonner avec ses richesses, plutôt que de vivre libre au risque d'en perdre quelques-unes ?

Ni les prisonniers de Platon ni l'heureux Ali Baba n'auraient rêvé si belle caverne que celle de notre monde moderne peuplé de constructions admirables et de machines surprenantes. Un monde dans lequel les choses sont si parfaites que les hommes sont presque de trop. Une caverne pourtant.

Il appartiendra à nos enfants, héritiers de nos richesses et de nos erreurs, d'en sortir. Nous leur léguons tous les moyens. En vrac. Nulle génération n'aura été si bien nantie. Mais, pour que l'histoire soit tout à fait morale, ils ne pourront jouir de ces biens qu'à la condition de réussir l'épreuve de vérité. S'ils sont capables de préférer sans hésitation le regard de l'amitié au sourire de la domination, la disponibilité de soi à la possession des objets, l'aménité de la vie à la griserie de la puissance, alors ils auront le plus large accès au bonheur. Mais s'ils font le choix inverse, leur sort sera moins enviable que le nôtre.

N'est-il pas frappant de constater que nous manifestons tant d'agressivité, de tensions et de frustrations au milieu de nos prospérités alors que l'on rencontre tant de gentillesse, d'urbanité et d'hospitalité dans des sociétés beaucoup plus misérables. Le moindre marché africain, la plus simple place de village arabe donnent une leçon de savoir-vivre à nos Champs-Elysées, pour autant que le choc du monde moderne n'ait pas complètement dissocié le cadre traditionnel. Pourquoi faut-il que deux paysans kabyles trottant sur leurs bourricots se saluent aimablement alors que deux automobilistes en se doublant paraissent s'agresser ? Pourquoi faut-il que des hommes pauvrement vêtus, mal nourris, échangent aussi facilement des sourires amicaux, qu'ils soient si prompts à partager leur gaieté alors que les hommes d'Occident, cravate de soie et panse rebondie, ont le visage fermé et le regard absent ?

Naturellement les rapports humains ne sont pas toujours aussi faciles qu'il y paraît dans les pays pauvres et ils ne sont pas aussi mauvais qu'on pourrait le croire chez nous. Il n'en reste pas moins que nous avons fondé toute notre civilisation sur les sentiments de compétition et d'insatisfaction, sur les désirs de domination et de possession. Ce fut le secret de notre succès. Mais à présent que les résultats sont acquis, c'est les payer trop cher que de continuer à vivre de la sorte. Nous avons la possibilité de restaurer, et sur des meilleures bases, une société chaleureuse et fraternelle. Le temps n'est plus où la satisfaction de quelques-uns devait passer par la misère du plus grand nombre. Les biens matériels existent. Quand bien même nous déciderions de remplir nos obligations vis-à-vis des peuples pauvres, nous aurions encore de quoi vivre à l'aise, à l'abri des besoins.

Dès lors le problème n'est plus d'accumuler les richesses, d'augmenter le confort et de forcer la technique. En tout cas ce ne doit plus être le problème essentiel. Il s'agit avant tout de vivre et d'être heureux. Or on ne peut atteindre un bonheur authentique dans une société d'inégalités et de tensions, dans une nature sale et dévastée, dans un climat général d'avidité et de conflits. Le monde de demain aura d'abord besoin de confiance, de justice, de tendresse, de beauté, de sérénité. La technique a fait ce qu'elle pouvait pour nous faciliter la vie. Mais les robots sont incompétents en matière de sentiments.

La simple raison nous instruit aujourd'hui de ces évidences. Demain la leçon sera donnée par les faits. L'entreprise technicienne s'écarte toujours davantage de la personne humaine. Ce décalage sera de plus en plus fortement ressenti. Tout citoyen verra la contradiction entre le possible et le vécu que dénoncent aujourd'hui les critiques. C'est alors que les jeunes générations compren-

dront que notre héritage ne doit être accepté que sous
bénéfice d'inventaire. En l'examinant plus en détail, ils
découvriront pêle-mêle des machines fort utiles, des illusions dangereuses, mais ils ne trouveront aucun art de
vivre. Puissent-ils comprendre alors qu'il n'en existe pas
sur la route que nous avons suivie.

L'homme heureux n'a pas de chemise, disaient nos
ancêtres lorsque les filatures n'existaient pas. C'était une
sage conception de la félicité à l'ère préindustrielle. Nous
savons aujourd'hui qu'il est bon d'avoir une chemise et
que chacun peut avoir la sienne. Il nous faut encore
savoir que l'homme heureux n'a pas deux chemises. Il
n'en a qu'une. Et le bonheur en plus.

Septembre 1973

TABLE

ACHEVÉ D'IMPRIMER EN MAI 1974
SUR LES PRESSES DE L'IMPRIMERIE HÉRISSEY
A ÉVREUX (EURE)

Dépôt légal : 2ᵉ trimestre 1974
N° d'édition : 4042 - N° d'impression : 15096